Hernandes Dias Lopes

2CORÍNTIOS

O triunfo de um homem de Deus diante das dificuldades

© 2008 Hernandes Dias Lopes

1ª edição: outubro de 2008
10ª reimpressão: outubro de 2024

Revisão: Roselene Sant'Anna e Regina Aranha
Diagramação: Sandra Oliveira
Capa: Claudio Souto (layout) | Patrícia Caycedo (adaptação)
Editor: Aldo Menezes
Coordenador de produção: Mauro Terrengui
Impressão e acabamento: Imprensa da Fé

As opiniões, interpretações e conceitos desta obra são de responsabilidade de quem a escreveu e não refletem necessariamente o ponto de vista da Hagnos.

Todos os direitos desta edição reservados à
EDITORA HAGNOS LTDA.
Rua Geraldo Flausino Gomes, 42, conj. 41
CEP 04575-060 — São Paulo, SP
Tel.: (11) 5990-3308

E-mail: hagnos@hagnos.com.br |Home page: www.hagnos.com.br
Editora associada à Associação Brasileira de Direitos Reprográficos (ABDR)

Dados Internacionais de Catalogação na Publicação (CIP)
(Câmara Brasileira do Livro, SP, Brasil)

Lopes, Hernandes Dias
2Coríntios: o triunfo de um homem de Deus diante das dificuldades / Hernandes Dias Lopes. — São Paulo: Hagnos, 2008. (Comentários Expositivos Hagnos).

Bibliografia
ISBN 978-85-7742-043-8

1. Bíblia. N.T. Coríntios, 1. Comentários 2. Bíblia. N.T. Epístolas de Paulo - Comentários   I. Título II. Título: O triunfo de um homem de Deus diante das dificuldades.

08-09773   CDD 222.207

Índices para catálogo sistemático:
1. Coríntios: Epístolas Paulinas: Comentários   227:207
2. Paulo: Epístolas aos Coríntios: Comentários   227:207

Dedicatória

DEDICO ESTE LIVRO ao pastor Oliveira Araújo, mui digno pastor da Primeira Igreja Batista de Vitória, ES. É um homem de Deus, um amigo precioso, um pastor de almas, um evangelista consagrado, um conselheiro sábio, um líder forte, um vaso de honra nas mãos de Jesus.

Sumário

Prefácio 7

1. O vigoroso testemunho de um homem de Deus
   (2Co 1:1-11) 11
2. Como se defender das críticas
   (2Co 1:12-2:1-11) 33
3. O segredo de uma vida vitoriosa
   (2Co 2:12-3:1-3) 53
4. A superioridade da nova aliança
   (2Co 3:4-18) 75
5. O ministério da nova aliança
   (2Co 4:1-18) 95
6. Não estamos a caminho do fim, estamos a caminho do céu
   (2Co 5:1-10) 115
7. A reconciliação, uma obra de Deus
   (2Co 5:11-21; 6:1,2) 131
8. Uma tempestade de problemas
   (2Co 6:3-13) 151
9. Realidades inegociáveis na vida cristã
   (2Co 6:14-7:1-16) 169
10. Uma filosofia bíblica acerca da contribuição cristã
    (2Co 8:1-24) 185
11. A contribuição pela graça
    (2Co 9:1-15) 203

12. **O ministério como um campo de batalha**
    (2Co 10:1-18) 221
13. **A defesa do apostolado de Paulo**
    (2Co 11:1-33) 239
14. **As glórias e os sofrimentos da vida cristã**
    (2Co 12:1-21) 261
15. **Exortações pastorais**
    (2Co 13:1-13) 281

Prefácio

DEUS UNGE PESSOAS, e não métodos. A simplicidade revelada por essa verdade traz ao nosso coração um profundo sentimento de conforto. Nos dias atuais, a igreja fiel ao Senhor vê o evangelho ser assaltado pelos mais sutis artifícios heréticos, vê o nome do nosso Senhor Jesus ser usado com as mais duvidosas das intenções e vê a sua credibilidade ruir em proporções geométricas. Nesse contexto, o Senhor nos consola por intermédio do ensino de homens como Paulo. Ao mesmo tempo, nos adverte que o evangelho foi entregue em nossas mãos, pessoas comuns, vasos de barro moldados para sermos vasos de honra - embaixadores do reino dos céus, a levar a mensagem de salvação aos perdidos.

Paulo era um inimigo de Cristo e de seus seguidores. Foi convertido miraculosamente e pessoalmente pelo próprio Salvador, de fato um privilégio. Nesta carta, podemos mergulhar no mundo de Paulo e apreciar com quão assustadora intensidade esse homem vivenciou o evangelho. Ao se defender de seus acusadores e ao admoestar a igreja, nos ensina a mais pura teologia, enquanto nos escancara o seu currículo - um verdadeiro legado para os cristãos de todos os tempos.

A despeito do deleite proporcionado pelo livro, em sua integralidade, alguns pontos pessoalmente me falaram fundo. E, pela confiança e responsabilidade a mim depositadas, permito-me comentá-los. Destaco que todos eles apontam para os segredos de uma vida cristã autêntica.

O que é uma vida cristã bem-sucedida? Certamente é aquela que produz frutos. Quando obedecemos à comissão que Cristo nos deu, os frutos aparecem. Paulo nos ensina que triunfar é se deixar conduzir por Deus. É entregar nossa vida integralmente a ele e pedir que nos use, da maneira que quiser. Não há como fazer isso sem viver nos moldes que Cristo nos ensinou e ordenou - Jesus deve ser o nosso modelo. Pergunte-se sempre: Jesus faria assim? Por isso, ser um cristão bem-sucedido definitivamente não quer dizer uma vida sem problemas.

A exemplo de Cristo, a vida de Paulo é marcada pelo sofrimento. Contudo é maravilhoso ouvir Paulo falando que, mais que tudo isso, seu maior sofrimento era o amor que tinha pelas igrejas, e a compreensão de que seu sofrimento redundou em salvação para todos aqueles que o Pai lhe deu.

Somos chamados do mundo para sermos testemunhas de Jesus, luz do mundo e sal da terra. A mensagem do evangelho deve estar impressa em nossa pele, ouvida na nossa fala, percebida nos nossos atos, vista nos nossos olhos. Se de fato recebemos um novo coração do Pai, uma nova vida em Cristo e se somos ministros da reconciliação, não podemos nos acomodar enquanto os homens rebeldes contra Deus seguem celeremente pelo caminho da perdição.

Márcio Vicente Teixeira Lima, cirurgião plástico
e presbítero da Primeira Igreja
Presbiteriana de Vitória - ES

Capítulo 1

O vigoroso testemunho de um homem de Deus
(2Coríntios 1:1-11)

A SEGUNDA CARTA AOS CORÍNTIOS é a carta mais pessoal do apóstolo Paulo. Há um consenso praticamente unânime acerca de sua autoria. E. P. Gould categoricamente afirma que não há dúvidas de que essa carta foi escrita pelo apóstolo Paulo. A epístola é citada por Irineu, Atenágoras, Clemente de Alexandria e Tertuliano, todos pertencentes ao século 2.[1]

Essa é a sua carta mais autobiográfica. Nela, o apóstolo conta suas lutas mais renhidas e suas aflições mais agônicas. Nessa carta, Paulo abre as cortinas da alma e mostra suas dores mais profundas, suas tensões mais íntimas e suas experiências mais arrebatadoras.

Robert Gundry afirma corretamente que mais do que qualquer outra epístola de Paulo, 2Coríntios permite-nos sondar os sentimentos íntimos do apóstolo sobre si mesmo, sobre seu ministério apostólico e sobre seu relacionamento com as igrejas que fundava e nutria.² Nessa mesma linha de pensamento, Simon Kistemaker diz que nenhum outro livro do Novo Testamento retrata uma angústia emocional, física e espiritual com tanta profundidade e amplitude.³

Myer Pearlman diz que 2Coríntios, embora seja a carta mais pessoal de Paulo, é o menos sistemático dos seus escritos. Assemelha-se a um rio africano. Às vezes, corre calmamente e espera-se uma análise satisfatória, mas repentinamente aparece uma catarata e agitação terrível que se fendem às grandes profundezas de seu coração.⁴

A lista de sofrimentos de Paulo aparece três vezes nessa carta (4:7-12; 6:4-10; 11:23-28). A primeira lista demonstra que o sofrimento revela a glória de Deus (4:10-12,15). A segunda lista foi escrita para que o ministério de Paulo não fosse achado culpado (6:3), e, sim, para que Deus fosse glorificado. Paulo escreve a terceira lista para dizer aos seus leitores que ele serve a Cristo como servo bom e fiel.⁵

Local e data da carta

Após ter escrito a primeira epístola aos coríntios de Éfeso, Paulo sentiu a necessidade de fazer uma "visita dolorosa" a Corinto e voltar. Dolorosa por causa das relações tensas entre Paulo e os crentes dali, naquela época. Lucas não registra essa visita no livro de Atos. Entretanto, ela pode ser deduzida dos trechos de 2Coríntios 12:14 e 13:12, em que Paulo alude à sua futura visita como a "terceira" que faria. A declaração constante em 2Coríntios 2:1: "Isto deliberei por mim mesmo: não voltar a encontrar-me convosco em tristeza", subentende que houvera no passado uma visita dolorosa, que dificilmente pode ser identificada com a primeira vez que Paulo esteve com eles, levando o evangelho.[6]

Paulo escreveu essa carta da província da Macedônia (2:13;7:5;9:2), no decurso da sua terceira viagem missionária, logo depois que recebeu o relato otimista de Tito após sua visita à igreja de Corinto. Simon Kistemaker diz que podemos estar relativamente certos de que a epístola inteira foi completada em 56 d.C., provavelmente na segunda metade do ano. Da Macedônia, Paulo foi a Corinto, onde passou o inverno de 56/57, supervisionou a obra da coleta e compôs a epístola aos romanos.[7]

O conteúdo da carta

Paulo escreveu essa carta para falar das suas aflições e da necessidade da igreja perdoar e restaurar o membro incestuoso que tumultuava a congregação e liderava a oposição ao seu ministério em Corinto (2:6-11). De igual modo Paulo falou sobre o levantamento da oferta para os pobres da Judeia, ao mesmo tempo em que fez uma sólida defesa do seu apostolado.

A palavra chave dessa carta é *consolo*. James Hastings diz que o "consolo" é o grande tema de toda a carta. Ela está cheia, do começo ao fim, de sofrimento que se transforma em júbilo, fraqueza que se transforma em força, e derrota que se transforma em triunfo.[8] Henrietta Mears diz que a epístola começa com consolo (1:3) e termina com consolo (13:11). No meio da epístola temos a razão para o consolo (9:8). A fonte do consolo era esta gloriosa verdade: "A minha graça te basta, porque o poder se aperfeiçoa na fraqueza" (12:9).[9] Warren Wiersbe diz que no original dessa carta, o verbo "consolar" é usado dezoito vezes e o substantivo "consolação", onze vezes.[10]

Paulo aborda algumas verdades nessa carta que não trata em nenhuma das outras cartas, como a doutrina da nova aliança, o ministério da reconciliação, a habitação celeste, sua experiência de arrebatamento e visão beatífica do céu, seu espinho na carne e a firme defesa do seu apostolado. Concordo com Simon Kistemaker quando afirma que essa carta é muito mais teológica no conteúdo do que a primeira carta aos coríntios.[11]

Vamos agora, expor o texto em tela.

Uma saudação aos irmãos (1:1,2)

As cartas primitivas traziam o nome e a saudação do remetente no início da correspondência, e não no fim. Destacaremos, aqui, alguns aspectos dessa saudação.

Em primeiro lugar, *Paulo se apresenta como representante de Cristo* (1:1). "Paulo, apóstolo de Cristo Jesus [...]". A palavra "apóstolo" quer dizer "enviado". Cristo chamou dentre seus muitos discípulos, doze apóstolos. Com a morte de Judas Iscariotes, Matias foi escolhido para substituí-lo. Mais tarde, o próprio Senhor Jesus apareceu a Saulo, salvou-o, chamou-o e comissionou-o para ser apóstolo junto aos gentios. As credenciais de um apóstolo eram: ser testemunha ocular da ressurreição de Cristo e realizar, pelo poder de Deus, sinais e maravilhas (12:12). Paulo, embora chamado fora do tempo, viu a Jesus ressurreto e selou seu apostolado com milagres e prodígios. Paulo, embora chamasse a si mesmo de o maior pecador, o menor de todos os santos e o menor dos apóstolos, foi o maior evangelista da igreja, o maior pastor, o maior missionário, o maior plantador de igrejas e o maior teólogo. João Calvino diz que os falsos apóstolos, embora usassem esse mesmo título, "apóstolos de Cristo", usurpavam um título que não lhes pertencia.[12]

Em segundo lugar, *Paulo demonstra convicção do seu chamado* (1:1). "[...] pela vontade de Deus, e o irmão Timóteo[...]". Paulo não havia constituído a si mesmo apóstolo, nem estava desempenhando o apostolado por indicação humana, mas era apóstolo pela vontade de Deus. Seu chamado veio do céu. Sua vocação tinha origem na própria vontade de Deus. Ao lado do apóstolo está seu filho na fé, Timóteo. Ele tinha servido a igreja local de Corinto (At 18:5). Alguns anos depois, Paulo o mandou de Éfeso a Corinto (1Co 4:17;16:10; At 19:22). Deduzimos que Timóteo tinha voltado de sua visita aos coríntios e estava agora na presença de Paulo.[13]

Em terceiro lugar, *Paulo se dirige à igreja de Deus* (1:1). "[...] à igreja de Deus que está em Corinto e a todos os santos em toda a Acaia". A igreja tem um dono absoluto. Ela é de Deus. Não é nossa nem da denominação, ela é de Deus. Colin Kruse diz que, com frequência, Paulo considera as igrejas possessão de Deus (1:2;10:32;11:16;15:9;1Ts 2:14;2Ts 1:4). Isso nos faz lembrar de que as igrejas não são, propriamente, meras associações de indivíduos que pensam de maneira semelhante, dotados de pendor religioso, mas comunidades pertencentes a Deus, com quem gozam de um relacionamento especial.[14] Simon Kistemaker diz acertadamente que o conceito *igreja* significa o ajuntamento do povo de Deus para adoração, louvor e comunhão.[15] Onde há pessoas lavadas no sangue do Cordeiro, adorando o Deus vivo, ali está a igreja de Deus.

A igreja de Deus está em Corinto, está em toda a Acaia, está em São Paulo, em Vitória, em Nova Iorque, em Londres, em Tóquio e em qualquer lugar que houver um santo; ou seja, alguém chamado das trevas para a luz, da escravidão para a liberdade e da perdição para a salvação. A igreja de Deus é transcultural, interdenominacional e universal.

Na saudação à igreja coríntia, Paulo inclui "todos os santos em toda a Acaia". Isso levou Charles Hodge a afirmar que essa carta não foi escrita exclusivamente para a igreja de Corinto, mas também para todos os crentes espalhados pela província da Acaia que estavam ligados à igreja de Corinto.[16]

A palavra *hagios*, "santos", usada aqui pelo apóstolo, de modo algum traz a ideia romana de canonização; ao contrário, seu uso por Paulo reflete o fato de que todos os crentes são chamados por Deus para ser sua possessão especial.[17] A Acaia é uma referência à província romana que incluía o sul da Grécia e tinha Corinto como sua capital, Cencreia e Atenas como cidades principais.[18]

Em quarto lugar, *Paulo roga as bênçãos mais excelentes sobre a igreja* (1:2). "Graça a vós outros e paz, da parte de Deus, nosso Pai, e do Senhor Jesus Cristo". Graça e paz era a típica saudação apostólica aos crentes. Essas duas bênçãos sintetizam a essência da salvação. A graça é a causa da salvação e a paz o resultado dela. Graça e paz incluem todas as coisas boas que podem vir a acontecer a um pobre pecador deste lado do céu, diz William MacDonald.[19] Tanto a graça quanto a paz tem sua origem em Deus Pai e no Senhor Jesus Cristo. Não há graça sem a paz, nem há paz sem a graça. Não há graça nem paz fora do Pai e do Filho.

A palavra *charis*, "graça", refere-se ao dom imerecido de Deus que nos revela seu cuidado e ajuda. Tal graça foi primeiramente demonstrada pelo envio de seu Filho ao mundo a fim de efetuar a salvação da humanidade (8:9;

Rm 5:8). Já a palavra *eirene,* "paz", traz a ideia de bem-estar, integridade, e prosperidade desfrutados por todos os recipiendários da graça de Deus.[20]

Uma exaltação a Deus (1:3,4)

Paulo passa da saudação à igreja para a exaltação a Deus. Em vez de iniciar essa carta salientando os variados problemas da vida, ele enfatiza a pessoa e a obra de Deus em nosso favor. Essa é uma das mais belas doxologias do Novo Testamento. Paulo não podia cantar acerca das circunstâncias, mas podia exaltar aquele que estava acima e no controle das circunstâncias. Três verdades devem ser aqui destacadas.

Em primeiro lugar, *Deus deve ser exaltado por quem ele é* (1:3). "Bendito seja o Deus e Pai de nosso Senhor Jesus Cristo, o Pai de misericórdias e Deus de toda consolação". A palavra *eulogeo,* "bendito", é uma forma judaica de louvor a Deus, reconhecendo-o como a fonte de todas as bênçãos.[21] Warren Wiersbe diz que encontramos a expressão "Bendito seja Deus" em outras duas passagens do Novo Testamento: em Efésios 1:3 e em 1Pedro 1:3. No caso de Efésios 1:3, Paulo louva a Deus por aquilo que o Senhor fez no passado, quando "nos escolheu em Cristo antes da fundação do mundo" (Ef 1:4). Em 1Pedro 1:3, Pedro louva a Deus pelas bênçãos do futuro e "por uma viva esperança". Mas, em 1Coríntios 1:3, Paulo louva a Deus pelas bênçãos do presente, por aquilo que Deus estava fazendo naquele instante e lugar.[22]

Paulo faz três declarações distintas acerca de Deus.

Deus é o Pai de nosso Senhor Jesus Cristo. O Filho é eternamente gerado do Pai, a exata expressão do Pai. O Filho é a exegese do Pai. O Filho é coigual, coeterno e consubstancial com o Pai. O Filho e o Pai são um. R. C. H.

Lenski interpreta essa correlação da seguinte forma: "Para Jesus, em sua natureza humana, Deus é seu Deus, e para Jesus, em sua divindade, Deus é seu Pai; seu Deus desde a encarnação, seu Pai desde toda a eternidade".[23] Warren Wiersbe diz que é por causa de Jesus Cristo que podemos chamar Deus de "Pai" e nos aproximar dele como seus filhos. Deus vê em nós seu Filho e nos ama como ama seu Filho (Jo 17:23).[24]

Deus é o Pai de misericórdias. Essa expressão "pai de misericórdias" não significa apenas "pai misericordioso", mas a fonte inesgotável de todas as misericórdias de que os crentes são e serão objeto.[25] Deus é a fonte das misericórdias. Misericórdia é um atributo moral de Deus, que o leva a não dar ao pecador o que ele merece. Merecemos seu castigo, mas ele nos dá sua graça imerecida. Todas as misericórdias têm sua origem em Deus e só podem ser recebidas dele. "As misericórdias do Senhor são a causa de não sermos consumidos" (Lm 3:22). A Bíblia fala da riqueza das misericórdias de Deus (Sl 5:7;69:16), da sua terna misericórdia (Tg 5:11) e da grandeza da sua misericórdia (Nm 14:19). Também fala da multidão das suas misericórdias (Sl 51:1).[26]

Deus é o Deus de toda consolação. Não há consolação verdadeira, profunda e eterna a não ser em Deus. Dele emana toda sorte de consolo para nossa vida. Somente em Deus nossa alma encontra abrigo e refúgio. Só ele é a cidade refúgio do nosso coração. Fora dele prevalece uma tempestade avassaladora que traz inquietação e perturbação para nossa alma.

Em segundo lugar, *Deus deve ser exaltado pelo que ele faz por nós* (1:4). "É ele que nos conforta em toda a nossa tribulação". Matthew Henry diz que no mundo temos problemas, mas em Cristo, nós temos paz.[27] A palavra *paraklesis*, "encorajamento, conforto, consolação", denota o ficar ao lado de uma pessoa para encorajá-la enquanto estiver suportando pesadas provas.[28] Christian F. Kling está correto quando diz que o presente contínuo "que nos conforta" implica que essas consolações foram repetidas e continuaram sem interrupção.[29]

Bruce Barton está correto quando diz que a palavra *paraklesis* não implica que Deus livra seu povo de todo desconforto, antes lhe dá ferramentas, treinamento e orientação para suportar vitoriosamente os problemas da vida.[30]

Deus não é uma fonte passiva de consolo, mas o agente ativo de toda consolação. É Deus quem nos conforta e nos anima em toda a nossa tribulação. A palavra "tribulação" traz a ideia de um peso esmagador. Somos achatados por sentimentos, circunstâncias e ataques de dentro e de fora. Não existe cristianismo sem cruz. A vida cristã não é indolor. Aqui, a palavra grega para tribulação é *thlipsis*. Essa palavra descreve sempre pressão física real sobre o homem. William Barclay, citando R. C. Trench, escreve: "De acordo com a antiga lei inglesa aos que obstinadamente se negavam a confessar seus crimes, colocavam-se pesadas cargas sobre o peito e eram pressionados e esmagados até a morte". Esse era o sentido literal da palavra *thlipsis*.[31] Colin Kruse diz que essas tribulações incluíam as provações físicas, os perigos, as perseguições e ansiedades experimentadas no desempenho de sua comissão apostólica.[32] Concordo com Bruce Barton quando disse que as provas jamais são fáceis, mas é por intermédio delas que Deus burila e molda nosso caráter.[33]

É Deus quem nos assiste em nossas fraquezas. Quando cruzamos os vales da dor, é ele quem nos segura pela mão.

Quando as lágrimas grossas rolam pela nossa face, é seu consolo que nos faz terapia. Quando ficamos prostrados e vencidos pelas lutas da vida, é o seu braço forte que nos põe em pé.

Antes de trabalhar por meio de nós, Deus trabalha em nós. Antes de Deus nos usar, ele nos molda. Nós somos nossas próprias ferramentas, e elas precisam estar afiadas. O sofrimento é o fogo que nos depura, limpa-nos e fortalece-nos. Pelo sofrimento, Deus leva-nos para o deserto, mas o deserto não nos destrói. O deserto é a escola superior do Espírito Santo, onde Deus nos treina. No deserto aprendemos a depender mais do provedor do que da provisão. No deserto Deus trabalha em nós antes de trabalhar por meio de nós. Os maiores líderes de Deus foram treinados no deserto. José do Egito foi provado no deserto da prisão antes de ser conduzido ao palácio. O profeta Elias escondeu-se no deserto e, depois, foi jogado na fornalha em Sarepta antes de triunfar no monte Carmelo. Até mesmo o Filho de Deus aprendeu pelas coisas que sofreu.

Em terceiro lugar, *Deus deve ser exaltado pelo que ele faz por meio de nós* (1:4). "[...] para podermos consolar os que estiverem em qualquer angústia, com a consolação com que nós mesmos somos contemplados por Deus". O consolo de Deus é realizado em nós, mas não pára em nós. Não somos um reservatório, mas um canal da consolação divina. Somos consolados para sermos consoladores. Deus nos abençoa para sermos abençoadores.

As angústias pelas quais passamos são pedagógicas. Deus não desperdiça sofrimento na vida de seus filhos. Nossas angústias têm um propósito. Nossas feridas tornam-se fontes de consolo. Nossas lágrimas tornam-se óleo terapêutico. Nossas experiências, instrumentos de encorajamento para outras pessoas. As dificuldades que Paulo passou não foram um castigo por algo que ele havia feito, mas sim uma preparação para algo que ainda faria: ministrar aos necessitados.[34]

João Calvino diz que o apóstolo Paulo viveu não para si mesmo, mas para a igreja. E viveu de tal forma que os favores concedidos por Deus a ele, foram concedidos não para benefício próprio, mas para capacitá-lo a ajudar outros.[35] Nessa mesma linha de pensamento, William MacDonald diz que na medida em que somos confortados devemos procurar outros para passar essa consolação. Não deveríamos nos esquivar das enfermarias dos hospitais nem das casas do luto, antes deveríamos nos apressar para estar ao lado daqueles que precisam de encorajamento. Não somos confortados para vivermos confortáveis, mas para sermos confortadores.[36] O crente precisa ser como o mar da Galileia e não como o mar Morto. O primeiro recebe as águas do rio Jordão e as distribui. O segundo recebe as mesmas águas e as retém só para si. O primeiro é um lugar de vida, o segundo, um recinto de morte.

Russel Norman Champlin, citando Adam Clark, escreve:

> Que miserável pregador deve ser aquele cuja toda prática piedosa tenha sido adquirida pelo estudo e pela erudição, nunca pela experiência! Se a sua alma não houver passado por toda a dor de parto da regeneração, se o seu coração não tiver sentido o amor de Deus derramado pelo Espírito Santo, não poderá ele nem instruir aos ignorantes e nem consolar aos aflitos.[37]

Warren Wiersbe alerta para o fato de que em tempos de sofrimento quase todos nós temos a tendência de pensar apenas em nós mesmos e de nos esquecermos dos outros.

Em vez de sermos canais, transformamo-nos em cisternas. Também temos a tendência de pensar que é preciso experimentar exatamente a mesma provação a fim de ter capacidade de compartilhar com outros o encorajamento que Deus dá. Mas Paulo diz que quem sente o consolo de Deus na vida pode "consolar os que estiverem em qualquer angústia" (1:4b).[38]

Uma explicação do sofrimento (1:5-7)

Depois de tratar da origem, realidade e propósito do consolo, Paulo começa a falar sobre os sofrimentos do povo de Deus. Algumas verdades preciosas devem ser destacadas.

Em primeiro lugar, *Deus permite o sofrimento na vida de seus filhos* (1:5). "Porque, assim como os sofrimentos de Cristo se manifestam em grande medida a nosso favor, assim também a nossa consolação transborda por meio de Cristo". Os sofrimentos de Cristo, aqui, não são os vicários que ele suportou por nós na cruz, pois esses são únicos e não podem ser compartilhados por ninguém, mas o nosso próprio sofrimento por amor a ele.

Quando sofremos por Cristo, ele sofre em nós e por nós. Quando Saulo perseguiu a igreja, perseguiu também a Cristo (At 9:4). Colin Kruse diz que a expressão "os sofrimentos de Cristo" significa, aqui, os sofrimentos suportados por causa de Cristo.[39] Paulo já havia suportado muitas provações e sofrimento por causa de Cristo. Ele já havia sido insultado (At 13:45); tinha sido objeto de complôs assassinos (At 14:5); tinha sido apedrejado (At 14:19,20), açoitado e lançado em prisão (At 16:22,23); escorraçado e enxotado por multidões alvoroçadas (At 17:8-10). Estava claro para Paulo que Deus não nos livra do sofrimento, mas no sofrimento. Deus não nos poupa dos problemas,

mas nos problemas. Ele não nos livra das fornalhas, mas nas fornalhas. Ele não nos livra das covas dos leões, mas nas covas dos leões.

Warren Wiersbe diz que à medida que aumenta o sofrimento, também aumenta o suprimento da graça de Deus. O verbo *transbordar* lembra a enchente de um rio. "Antes, ele dá maior graça" (Tg 4:6). Deus tem graça abundante e suficiente para todas as nossas necessidades.[40] Simon Kistemaker diz que os sofrimentos que os cristãos suportam por Cristo são numerosos, porém o consolo que é dado a eles por meio de Cristo excede a toda espécie de agonia.[41]

Os sofrimentos na vida do cristão não são acidentais. Há determinados sofrimentos que sofremos exatamente porque pertencemos a Cristo. Estamos, assim, preenchendo o que resta dos sofrimentos de Cristo (Cl 1:24).

Em segundo lugar, *o nosso sofrimento produz consolo e salvação para outros* (1:6). "Mas, se somos atribulados, é para o vosso conforto e salvação[...]". As provações que sofremos por Cristo e pelo seu evangelho abrem portas de salvação para outras pessoas. As cadeias e tribulações de Paulo pavimentaram o caminho para a evangelização dos povos. A prisão, a tortura e a morte de milhares de cristãos durante os anos atrozes da perseguição romana robusteceram a igreja, e o evangelho penetrou em todos os corredores do império. O sangue dos mártires é a sementeira do evangelho. O comunismo ateu, que abocanhou um terço do planeta a partir de 1917, perseguiu impiedosamente a igreja com o propósito de destruí-la. O comunismo está coberto de pó, mas a igreja avança vitoriosa e sobranceira. Mao Tse Tung, com truculência assassina, matou sessenta milhões de chineses no passado. Ele queria banir os cristãos da China. Mao Tse Tung está morto, mas a igreja está viva. Estima-se que existem cerca de duzentos milhões de crentes na China.

Em terceiro lugar, *o nosso conforto é instrumento de consolação para os demais crentes* (1:6b). "[...] se somos confortados, é também para o vosso conforto, o qual se torna eficaz, suportando vós com paciência os mesmos sofrimentos que nós também padecemos". O nosso consolo deve ser uma fonte de consolação para os outros, um lenitivo para aliviar a dor dos outros, um remédio para as feridas dos outros. Quando somos consolados, esse consolo serve de estímulo e exemplo para os demais que estão passando pela tribulação a permanecem firmes, certos de que sua consolação também virá.

William Barclay diz corretamente que a resposta a esse sofrimento reside na paciência. A palavra grega aqui utilizada é *hupomone*. A característica de *hupomone* não é a aceitação simples e resignada dos problemas e provas: é triunfo e vitória. Descreve o espírito que não só pode aceitar o sofrimento, mas também pode triunfar sobre ele.[42] Corroborando com esse entendimento, Fritz Rienecker diz que no grego clássico *hupomone* era usada também para a habilidade de uma planta viver sob circunstâncias desfavoráveis. Foi mais tarde usada para aquela qualidade que capacitava os homens a morrerem por seus deuses.[43]

Em quarto lugar, *os crentes não são poupados do sofrimento nem privados da consolação* (1:7). "A nossa esperança a respeito de vós está firme, sabendo que como sois participantes dos sofrimentos, assim o sereis da consolação". O crente bebe tanto o cálice do sofrimento como a taça da consolação. Ele não é poupado das feridas nem privado do óleo da cura. Ser cristão não é ser poupado das provas, dos vales, dos desertos, das fornalhas, das covas dos leões, das prisões ou da morte. Mas ser crente é ser confortado em todas essas circunstâncias adversas.

Uma provação desesperadora (1:8-10)

Paulo se move do princípio geral - que Deus encoraja cristãos em suas provas - para sua situação particular.⁴⁴ Ele enriquece sua exposição com uma ilustração pessoal. Ele abre espaço para contar à igreja uma dolorosa e dramática experiência vivida na cidade de Éfeso. William Barclay diz que o mais extraordinário acerca dessa passagem é que não temos nenhuma informação acerca dessa terrível experiência que Paulo atravessou em Éfeso.⁴⁵ Destacamos, aqui, alguns pontos.

Em primeiro lugar, *os crentes mais consagrados estão sujeitos às provas mais desesperadoras* (1:8). "Porque não queremos, irmãos, que ignoreis a natureza da tribulação que nos sobreveio na Ásia, porquanto foi acima das nossas próprias forças, a ponto de desesperarmos até da própria vida". Paulo não descreve o fato, mas declara como se sentiu depois de ter passado por esse terremoto existencial. Ele estava num beco sem saída. Ele estava em completo desespero.

João Calvino diz que Paulo usa nesse texto uma metáfora representando uma pessoa espremida debaixo de um peso esmagador ou um navio que está afundando devido ao excesso de carga. Obviamente Paulo não mede sua força em conexão com a ajuda de Deus, mas de acordo com o próprio sentimento de sua habilidade.⁴⁶

Em Éfeso, ele enfrentou severa oposição tanto dos judeus como dos idólatras. Sua passagem por Éfeso revolucionou a cidade e trouxe grandes abalos para as estruturas espirituais da cidade. O culto à deusa Diana ficou seriamente abalado depois da estada de Paulo na capital da Ásia Menor. Possivelmente Paulo foi vítima de uma orquestração mortífera tanto dos judeus (At 20:19; 21:27) como dos gentios (At 19:23-40). Talvez tenha sido até mesmo sentenciado à morte.

Simon Kistemaker sugere quatro possíveis situações que o tenham levado ao desespero: 1) o motim instigado por Demétrio (At 19:23-41); 2) a luta contra as feras selvagens (1Co 15:32); 3) o aprisionamento por autoridades romanas (2Co 11:23); 4) um mal físico (2Co 12:7-10).[47]

Kistemaker ainda comenta que não está fora de cogitação pensar que Paulo tenha sido arrastado para várias sinagogas locais a fim de ser julgado perante as cortes judaicas. Os castigos que recebia eram as 39 chicotadas prescritas. Ele revela: "Cinco vezes recebi dos judeus uma quarentena de açoites menos um" (11:24). Essas surras podiam ser perigosas quando administradas com severidade, especialmente se fossem repetidas em curto espaço de tempo. Além disso, as autoridades romanas fustigaram Paulo três vezes com varas (11:25). Lucas registra somente as chicotadas que Paulo e Silas receberam em Filipos (At 16:22) e deixa de registrar os outros dois incidentes.[48] Não importa, porém, que fato tenha acontecido ao apóstolo, o certo, é que sua natureza o levou a desesperar-se da própria vida.

Deus, porém, estava no controle das tribulações de Paulo. Ele se sentia oprimido como um animal de carga levando um peso grande demais. No entanto, Deus sabia exatamente quanto Paulo poderia suportar e manteve a situação sob controle.[49]

Em segundo lugar, *quando chegamos ao fim da linha, Deus estende sua mão para nos socorrer* (1:9). "Contudo, já em nós mesmos, tivemos a sentença de morte, para que não confiemos em nós e sim no Deus que ressuscita os mortos". João Calvino diz que precisamos primeiro morrer para renunciarmos à confiança em nós mesmos. Precisamos primeiro ter consciência da nossa fraqueza para pormos nossa confiança no poder de Deus. Precisamos primeiro nos desesperar de nós mesmos para, depois, pormos nossa esperança em Deus.[50]

Essa sentença de morte pode ser uma referência a um veredicto oficial, talvez a uma ordem de prisão e execução de Paulo.[51] Colin Kruse tem uma posição diferente. Ele entende que não foi tanto um veredicto pronunciado por alguma autoridade externa, mas antes uma percepção nascida no coração e mente do apóstolo ao perceber as horrorosas malhas em que se viu preso, sem possibilidade de fuga.[52]

A circunstância vivida por Paulo na Ásia foi de tal monta que a única saída era a morte. Ele estava com o destino lavrado pelos homens. A situação era humanamente irreversível. Era uma causa humanamente perdida. Nesse momento, nenhum recurso da terra poderia mudar a situação. Então, ele, que já carregava em si a sentença de morte e o atestado de óbito, deixou de confiar em si ou em qualquer outro recurso para pôr sua fé no Deus que ressuscita os mortos.

Kistemaker diz que o livramento que Deus providenciou para Paulo foi um tipo de ressurreição que se assemelha à experiência de Abraão e Isaque (Hb 11:19).[53] Você é realmente um gigante espiritual quando depende totalmente de Deus. Paulo compreendeu que Deus chama à existência as coisas que não existem. Compreendeu que Deus dá vida aos mortos e que para ele não há impossíveis. Deus reverte situações humanamente impossíveis. Foi quando Abraão e Sara já estavam fisicamente amortecidos que o poder da ressurreição lhes permitiu ter o filho da promessa (Rm 4:16-25). O Deus que ressuscita os mortos é poderoso para nos dar livramento de qualquer dificuldade da vida.

Em terceiro lugar, *o Deus que agiu ontem continua agindo no desenrolar da história* (1:10). "O qual nos livrou e livrará de tão grande morte; em quem temos esperado que ainda continuará a livrar-nos". O mesmo Deus que levantou Jesus Cristo da morte livrou Paulo de um perigo mortal. O mesmo Deus que livrou Paulo da morte na Ásia continuou livrando-o de outros perigos em sua jornada. O crente é indestrutível até cumprir o propósito de Deus na terra. O Deus que agiu ontem, age hoje e continuará agindo amanhã. O Deus que fez é o Deus que faz e fará. Ele está no trono e trabalha até agora. Ele jamais abdicou do seu poder de intervir milagrosamente na vida do seu povo.

Uma intercessão abençoadora (1:11)

O cristão desfruta de três tipos de comunhão: no sofrimento, na consolação e nas orações.[54] Agora, trataremos dessa última comunhão, a comunhão da oração intercessória. O livramento do apóstolo é resultado de uma ação natural e de uma sobrenatural. Deus livra seu povo com mão forte e estendida por meio das orações dos santos. A oração move a mão de Deus. Concordo com David Thomas quando ele diz que a oração move a mão que move o universo.[55]

Nenhuma força é tão poderosa na terra como a oração da igreja. Os céus se movem pela oração. Os atos soberanos de Deus na história são respostas às orações da igreja. Paulo estava convencido da eficácia da oração intercessória e, reiteradamente, pedia orações a seus irmãos (Rm 15:30-32; Ef 6:18-20). Paulo pede as orações da igreja e conta com elas. Ele sabe que por meio delas ele será ajudado, e muitos outros crentes serão encorajados a dar graças a Deus. Duas verdades merecem destaque aqui.

Em primeiro lugar, *as orações da igreja ajudam os crentes* (1:11). "Ajudando-nos também vós, com as vossas orações a nosso favor[...]". A oração modifica as coisas. Pela oração, mantemos os braços dos guerreiros fortalecidos no campo de batalha. Pela oração, encorajamos missionários a prosseguirem na sua empreitada de levar o evangelho até os confins da terra. Pela oração, cooperamos para que os pregadores anunciem a verdade com ousadia e unção do Espírito. Pela oração, encorajamos uns aos outros a prosseguir em meios às provas. A oração conecta o altar ao trono; a fraqueza humana à onipotência divina. Concordo com Frank Carver quando diz que a oração tem duas funções: ela enfatiza a total dependência do homem e a absoluta soberania de Deus; e ambas expressam e promovem a comunhão dos santos.[56]

Em segundo lugar, *as orações da igreja glorificam a Deus* (1:11). "[...] para que, por muitos, sejam dadas graças a nosso respeito, pelo benefício que nos foi concedido por meio de muitos". As orações dos coríntios deveriam levar outros crentes a darem graças a Deus. Quando a igreja ora, o nome de Deus é exaltado. Quando os joelhos se dobram na terra, o nome de Deus é elevado no céu. Nada exalta tanto a Deus quanto um crente prostrado em oração!

Notas

[1] GOULD, E. P. *Epístolas aos Coríntios* em Comentário Expositivo sobre el Nuevo Testamento editado por Alva Hovey. Tomo V. Casa Bautista de Publicaciones. 1973, p. 133.

[2] GUNDRY, Robert H. *Panorama do Novo Testamento.* Edições Vida Nova. São Paulo, SP. 1978, p. 318.

[3] KISTEMAKER, Simon. *2 Coríntios.* Editora Cultura Cristã. São Paulo, SP. 2004, p. 35

[4] PEARLMAN, Myer. *Através da Bíblia livro por livro.* Editora Vida. Miami, FL. 1987, p. 266.

[5] KISTEMAKER, Simon. *2Coríntios.* 2004. p. 38.

[6] GUNDRY, Robert H. *Panorama do Novo Testamento.* 1978. p. 319.

[7] KISTEMAKER, Simon. *2Coríntios.* p. 33.

[8] HASTINGS, James. *The Great Texts of the Bible on II Corinthians-Galatians.* Vol. XVI. Wm. B. Eerdmans Publishing Company. Grand Rapids, MI. N.d., p. 3.

[9] MEARS, Henrietta C.. *Estudo Panorâmico da Bíblia.* Editora Vida. Deenfield, FL. 1982, p. 409,410.

[10] WIERSBE, Warren W.. *Comentário Bíblico Expositivo.* Vol. 5. Geográfica Editora. Santo André, SP. 2006, p. 821.

[11] KISTEMAKER, Simon. *2Coríntios.* 2004. p. 36.

[12] CALVIN, John. *Commentary on Corinthians.* Vol. 2. Christians Classics Ethereal Library. Grand Rapids, MI. 1999, p. 77.

[13] KISTEMAKER, Simon. *2Coríntios.* 2004. p. 59.

[14] KRUSE, Colin. *II Coríntios: Introdução e Comentário.* Edições Vida Nova. 1994, p. 62.

[15] KISTEMAKER, Simon. *2Coríntios.* 2004. p. 60.

[16] HODGE, Charles. *2Corinthians.* Em The Classic Bible Commentary ed. Owen Collins. Crossway Books. Wheaton, IL. 1999, p. 1255.

[17] KRUSE, Colin. *II Coríntios: Introdução e Comentário.* 1994. p. 62.

[18] KISTEMAKER, Simon. *2Coríntios.* 2004. p. 61; RIENECKER Fritz e ROGERS, Cleon. *Chave Linguística do Novo Testamento Grego.* Edições Vida Nova. São Paulo, SP. 1985, p. 333.

[19] MACDONALD, William. *Believer's Bible Commentary.* Thomas Nelson Publishers. Nashville, TN. 1995, p. 1820.

[20] KRUSE, Colin. *II Coríntios: Introdução e Comentário.* 1994, p. 63.

[21] RIENECKER, Fritz e ROGERS Cleon. *Chave Linguística do Novo Testamento Grego.* p. 333.

[22] WIERSBE, Warren W. *Comentário Bíblico Expositivo.* Vol. 5. 2006. 822.

[23] Lenski, R. C. H. *The Interpretation of St. Paul's First and Second Epistle to the Corinthians*. Columbus: Wartburg. 1946, p. 814.
[24] Wiersbe, Warren W. *Comentário Bíblico Expositivo*. Vol. 5. 2006. p. 822.
[25] Bonnet, Luis y Schroeder Alfredo. *Comentário del Nuevo Testamento*. Tomo 3. Casa Bautista de Publicaciones. El Paso, TX. 1982, p. 330.
[26] Wiersbe, Warren W. *Comentário Bíblico Expositivo*. Vol. 5. 2006. p. 822.
[27] Henry, Matthew. *Matthew Henry's Commentary in one volume*. Marshall Morgan & Scott, Ltda. Grand Rapids, MI. 1960, p. 1828.
[28] Rienecker, Fritz e Rogers Cleon. *Chave Linguística do Novo Testamento Grego*. p. 333.
[29] Kling, Christian Friedrich. *Second Epistle of Paul to the Corinthians*. Commentary on the Holy Scriptures. Ed. John Peter Lange. Vol. 10. Zondervan Publishing House. Grand Rapids, MI. 1980, p. 11.
[30] Barton, Bruce B. e outros. *Life Application Bible Commentary on 1 e 2Coríntios*. Tyndale House Publishers. Wheaton, IL. 1999, p. 271.
[31] Barclay, William. *I y II Corintios*. Vol. 9. Editorial La Aurora. Buenos Aires. 1973, p. 181.
[32] Kruse, Colin. *II Coríntios: Introdução e Comentário*. 1994. p. 66.
[33] Barton, Bruce B. e outros *Life Application Bible Commentary on 1 e 2Corintios*. p. 272.
[34] Wiersbe, Warren W. *Comentário Bíblico Expositivo*. Vol. 5. 2006. p. 825.
[35] Calvin, John. *Commentary on Corinthians*. Vol. 2. 1999. p. 79.
[36] MacDonald, William. *The Believer's Bible Commentary.* 1995. p. 1820.
[37] Champlin, Russell Norman. *O Novo Testamento Interpretado Versículo por Versículo*. Vol. 4. A Sociedade Religiosa A Voz Bíblica Brasileira. Guaratinguetá, SP. N.d, p. 292.
[38] Wiersbe, Warren W. *Comentário Bíblico Expositivo*. Vol. 5. 2006, p. 824,825.
[39] Kruse, Colin. *II Coríntios: Introdução e Comentário*. 1994. p. 67.
[40] Wiersbe, Warren W. *Comentário Bíblico Expositivo*. Vol. 5. 2006. p. 826.
[41] Kistemaker, Simon. *2Coríntios*. 2004. p. 66.
[42] Barclay, William. *I y II Corintios*. Vol. 9. 1973. p. 182.
[43] Rienecker, Fritz e Rogers Cleon. *Chave Linguística do Novo Testamento Grego*. 1985. p. 333.
[44] Barton, Bruce B. e outros. *Life Application Bible Commentary on 1 e 2Corintios*. p. 274.

[45] Barclay, William. *I y II Corintios*. Vol. 9. 1973. p. 183.
[46] Calvin, John. *Commentary on Corinthians*. Vol. 2. 1999, p. 83.
[47] Kistemaker, Simon. *2Coríntios*. 2004. p. 73.
[48] Kistemaker, Simon. *2Coríntios*. 2004. p. 73,74.
[49] Wiersbe, Warren W. *Comentário Bíblico Expositivo*. Vol. 5. 2006. p. 823.
[50] Calvin, John. *Commentary on Corinthians*. Vol. 2. 1999. p. 85.
[51] Wiersbe, Warren W. *Comentário Bíblico Expositivo*. Vol. 5. 2006. p. 824.
[52] Kruse, Colin. *II Coríntios: Introdução e Comentário*. 1994. p. 71.
[53] Kistemaker, Simon. *2Coríntios*. 2004. p. 75.
[54] Kling, Christian F.. *Second Epistle of Paul to the Corinthians*. Em Commentary on the Holy Scriptures, ed. Em John Peter Lange. Vol. 10. 1980. p. 15.
[55] Thomas, David. *II Corinthians*. Em The Pulpit Commentary. Vol. 19. Wm. B. Eerdmans Publishing Company. Grand Rapids, MI. 1978, p. 17.
[56] Carver, Frank G. *A Segunda Epístola de Paulo aos Coríntios*. Em Comentário Bíblico Beacon. Vol. 8. CPAD. Rio de Janeiro, RJ. 2006, p. 407.

Capítulo 2

Como se defender das críticas
(2Coríntios 1:12—2:1-11)

Os sofrimentos de Paulo tinham origem nos incrédulos e nos crentes. Ele sofria com as pessoas do mundo e com os membros da igreja. Ele sofria com os de fora da igreja e também com os domésticos da fé. No texto em tela, Paulo faz sua defesa diante das acusações assacadas contra ele por parte de alguns membros da igreja de Corinto. A acusação era de que Paulo não estava sendo honesto com a igreja ao mudar seus planos de visitá-los.

Acusaram Paulo de falta de integridade e de constância. Puseram em dúvida suas reais motivações. Lançaram sobre ele pesados e levianos libelos acusatórios, denegrindo sua pessoa e seu ministério.

Warren Wiersbe diz que os mal-entendidos que ocorrem entre os cristãos podem causar feridas profundas.[57] No texto em apreço, Paulo abre seu coração e revela como essas críticas dos coríntios o deixaram triste.

Paulo tinha prometido visitar a igreja em sua passagem pela Macedônia e passar com eles o inverno (1Co 16:5,6). Mas, agora, Paulo declara sua intenção de antecipar sua viagem e passar primeiro em Corinto, antes de ir à Macedônia (1:15,16), daí voltar a Corinto e de Corinto ser enviado à Judeia.

Os problemas na igreja de Corinto haviam se agravado. Paulo fez, então, uma viagem dolorosa à igreja (2:1), e os resultados da sua visita não alcançaram o êxito esperado. Paulo precisou sair de Corinto, mas enviou imediatamente Tito para cumprir o propósito de disciplinar o irmão faltoso que capitaneava a oposição ao seu ministério na igreja. Paulo decidiu não voltar à igreja nesse clima de tristeza e angústia, em vez disso, escreveu-lhes uma carta dolorosa (2:4). Essa carta, levada por Tito, produziu resultados positivos nos crentes, e quando Tito voltou de Corinto, trouxe notícias alvissareiras que alegraram a alma do veterano apóstolo (7:5-16).

Agora, consideraremos algumas lições que apontam para a defesa que Paulo fez diante dos seus críticos.

Uma consciência limpa (2:12-14)

A glória de Paulo não estava na posição que ocupava, mas na qualidade de vida que vivia. Ele não dependia de elogios humanos nem se desanimava com as críticas. Ele tinha o testemunho de sua consciência de que vivia de forma santa e sincera no mundo e diante da igreja, não pela força da sabedoria humana, mas estribado na graça divina. Os homens podiam ver suas ações, mas Deus via suas intenções.

O juiz da sua consciência era Deus, e não os homens. Nesse sólido fundamento estava seu descanso.

William Barclay diz que a palavra grega *eilikrineia*, traduzida por "sinceridade," é muito interessante. Descreve algo que pode suportar a prova da luz do sol e pode ser mirado com o sol brilhando através dele. Feliz é o homem cujas ações suportam a luz do dia e que, como Paulo, pode dizer que não existem ações ocultas em sua vida.[58] Concordando com Barclay, Fritz Rienecker diz que a palavra *eilikrineia* significa: "julgado pelo sol" ou "determinado pela luz do sol".[59] O que isso significa? Significa que não havia regiões escuras e sombrias na vida de Paulo. O veterano apóstolo vivia na luz e não tinha nada a esconder.

Não havia flancos abertos na vida de Paulo. Não havia brechas no escudo da sua fé. Não havia mácula em seu caráter. Não havia nenhuma região nebulosa em sua vida. Sua vida pública e privada estava em perfeita ordem. Não havia um arquivo secreto em sua alma nem nada escondido debaixo do tapete em sua vida.

A palavra grega *suneidesis,* "consciência", do latim "saber com", é a capacidade interior que "sabe com" nosso espírito e dá sua aprovação quando fazemos o que é certo, mas acusa quando fazemos o que é errado.[60] Para o apóstolo Paulo, a consciência não é a voz de Deus dentro de nós como pensavam os estoicos, e tampouco ele restringia sua função aos atos do passado da pessoa, como se acreditava no mundo grego secular. Para Paulo, a consciência era a faculdade humana por meio da qual a pessoa aprova ou desaprova suas ações (quer executadas, quer apenas intencionadas) e as de outras pessoas.[61]

A consciência não é infalível como pensavam os romanos. Muitos têm uma consciência fraca, e outros, até mesmo uma consciência cauterizada. Há homens que perderam a sensibilidade espiritual e o senso moral. Agem como bestas feras.

A consciência é uma espécie de luz vermelha que acende no nosso interior sempre que violamos a lei instalada por Deus em nós (Rm 2:14,15). A consciência é uma sirene que toca em nossa alma sempre que transgredimos essas leis. Colin Kruse afirma que não se deve igualar a consciência à voz de Deus nem ainda à lei moral; é, antes, a faculdade humana que julga as ações à luz do padrão mais elevado que a pessoa consegue perceber. A consciência jamais poderá ocupar a posição de juiz supremo do comportamento humano. É possível que a consciência desculpe uma pessoa por algo que Deus não desculpará e vice-versa; é também possível que a consciência condene uma pessoa por algo que Deus não condena. Portanto, o julgamento final pertence só a Deus (1Co 4:2-5). No entanto, rejeitar a voz da consciência é o mesmo que arriscar o desastre espiritual (1Tm 1:19).[62]

Herman Ridderbos conclui dizendo que para Paulo, a consciência significava a competência que permite uma pessoa ter "o senso de autoavaliação moral". No caso de Paulo, o testemunho de sua própria consciência era ilibado. Sua consciência o inocentava à luz de sua vida dedicada a servir a Deus.[63]

Um coração amoroso (1:15-20)

Os críticos estavam acusando a Paulo de ter agido com leviandade e ter deliberado segundo a carne quando mudou os planos de sua viagem a Corinto. Eles atacavam Paulo, dizendo que ele não estava sendo íntegro em suas palavras (1:17,18). Seus críticos o haviam acusado de ser o tipo de homem que diz sim e não ao mesmo tempo. Diziam que fazia promessas frívolas com intenções enganosas.

Warren Wiersbe diz que os coríntios acusavam Paulo de seguir a "sabedoria humana" (1:12), de ignorar a vontade de Deus (1:17) e de fazer planos só para agradar a si mesmo. No entendimento desses críticos, Paulo dizia ou escrevia uma coisa, mas, na verdade, queria dizer outra! Seu sim era não, e seu não era sim.[64]

Paulo defende-se dessas desairosas críticas, fazendo importantes considerações. Destacamos três pontos importantes para nossa reflexão.

Em primeiro lugar, *a resolução de Paulo de antecipar sua viagem a Corinto* (1:15). "Com esta confiança, resolvi ir, primeiro, encontrar-me convosco[...]". O projeto inicial de Paulo era ir da Macedônia a Corinto (1Co 16:5,6). Agora, Paulo vai de Corinto para a Macedônia (1:16). O zelo pastoral de Paulo o leva a priorizar sua visita à igreja de Corinto. Ele não hesita em mudar sua agenda e em alterar a ordem de suas prioridades para atender uma causa urgente.

Em segundo lugar, *o propósito de Paulo em antecipar sua viagem a Corinto* (1:15b,16). Paulo menciona dois propósitos pelos quais antecipou sua viagem a Corinto.

O benefício espiritual dos crentes (1:15b). "Para que tivésseis um segundo benefício". João Calvino interpreta o primeiro benefício como o período que passou entre eles os ganhando para o Senhor (At 18:11), e o segundo benefício seria a confirmação deles por meio de sua visita a fim de obterem progresso espiritual.[65] Paulo era o pai espiritual daqueles crentes (1Co 4:15). Durante dezoito meses ficou entre eles pregando a Palavra e orientando-os sobre o estilo de vida que agrada a Deus. Havia sérias dificuldades na vida da igreja como divisões, imoralidade, brigas, distorções de comportamento e de doutrina. O caso mais explosivo abordado por Paulo na primeira carta canônica não havia ainda sido resolvido. Os eruditos dizem que o membro incestuoso liderava a oposição a Paulo na igreja. Paulo, então, deseja ir a Corinto para ajudar a igreja a resolver esses dolorosos problemas.

O benefício do próprio apóstolo (1:16). Paulo como apóstolo e enviado de Cristo tinha o direito de requerer da igreja o sustento financeiro para ser encaminhado à Macedônia e, depois, à Judeia. Simon Kistemaker esclarece esse ponto dizendo que a frase "ser enviado por vós" não significa, meramente, que os coríntios diriam adeus a Paulo. Na Igreja primitiva, essa era uma frase que obrigava os cristãos a prover para o missionário dinheiro, comida, bebida, roupa e proteção para sua viagem.[66] Como uma oferta já estava sendo levantada na igreja em prol dos pobres da Judeia (1Co 16:1-4), Paulo esperava que a igreja coríntia o ajudasse a chegar com essas ofertas à Judeia.

Em terceiro lugar, *o exemplo de Paulo para antecipar sua viagem a Corinto* (1:17-20). Diante da acusação de que Paulo estava sendo leviano e deliberando segundo a carne, falando uma coisa e fazendo outra (1:17), Paulo confronta a própria incoerência deles evocando três exemplos.

A fidelidade de Deus (1:18). Em vez de defender a si mesmo, Paulo remete os coríntios à fidelidade de Deus. Não há duplicidade em Deus. Suas promessas são cumpridas.[67] Assim como Deus é fiel em suas palavras, Paulo também é fiel em sua palavra à igreja. O sim de Deus não é não; nem o não de Deus é sim. Nossas palavras também devem ser coerentes, sinceras e verdadeiras. O Senhor Jesus nos instrui a ser claros e sinceros no que dizemos: "Seja, porém, a tua palavra: Sim, sim; não, não. O que disto passar vem do maligno" (Mt 5:37). Deus é coerente em seu ser e verdadeiro em suas palavras. Aqui estava o modelo que Paulo seguia!

A Pessoa de Cristo (1:19). Jesus Cristo, o Filho de Deus, não foi entre os crentes de Corinto inconstante e inconsistente. Ele não foi sim e não; mas sempre houve nele o sim. A constância de Cristo é a constância de Paulo.

As promessas de Deus (1:20). As promessas de Deus não são duvidosas. Deus tem zelo em cumpri-las. Porque quantas são as promessas de Deus, tantas têm nele o sim. As promessas de Deus são dignas de inteira aceitação. De igual forma, Paulo diz à igreja que não estava sendo leviano, mas sincero e verdadeiro em seus planos e motivações. A vida e as obras de Deus são o alicerce da vida e das obras de Paulo.

Uma ação divina (1:21-24)

Paulo prossegue no argumento de sua defesa, mostrando aos crentes de Corinto a grandiosa obra de Deus em seu favor. Diante de tão grande obra, não fazia sentido a acusação deles contra Paulo. Essa obra de Deus pode ser sintetizada em quatro pontos.

Em primeiro lugar, *a confirmação* (1:21). "Mas aquele que nos confirma convosco em Cristo[...]". A palavra grega *bebaion*, traduzida por "confirma", é um termo que significa um relacionamento legal indiscutível ou indestrutível.[68] Nessa mesma linha de pensamento, Warren Wiersbe diz que o termo *confirmar* é de origem comercial e se refere à garantia de cumprimento de um contrato. A confirmação significava que o vendedor garantia a autenticidade e a qualidade do produto que vendia ou, ainda, que prestaria o serviço conforme o prometido. O Espírito Santo nos garante que Deus é confiável e cumprirá todas as suas promessas.⁶⁹

Ainda Colin Kruse nos ajuda a entender esse assunto, quando diz que a palavra *bebaion* é empregada com sentido legal nos papiros a respeito de uma garantia concedida de que certos compromissos serão cumpridos. No Novo Testamento, *bebaion* é usado de modo semelhante em conexão com a proclamação do evangelho, a qual é "confirmada" por sinais miraculosos, ou pela concessão de dons espirituais (Mc 16:20; 1Co 1:6).⁷⁰

Em segundo lugar, *a unção* (1:21). "[...] e nos ungiu é Deus". A palavra "unção" é derivada do conceito do Antigo Testamento. No Antigo Testamento, profetas, sacerdotes e reis eram ungidos para representar seu comissionamento como representantes de Deus diante do povo.⁷¹ Esse verbo no grego é *chrio*, ungir, visto que a unção com frequência era um rito de comissionamento. *Chrio* encontra-se em outros quatro lugares no Novo Testamento, uma vez em Hebreus 1:9 e três vezes nos escritos de Lucas (Lc 4:18; At 4:27; 10:38). Duas referências em Lucas são explicitamente à unção com o Espírito, sendo discutível se a terceira é referência implícita.⁷²

Paulo foi ungido pelo Espírito com poder e para dar testemunho do evangelho aos gentios. Frank Carver diz que a unção traz consigo os conceitos da autenticidade e da confiabilidade (1Jo 2:20,27).⁷³ Fritz Rienecker diz que a unção, aqui, refere-se à unção do Espírito Santo na conversão, recebida por todos os cristãos.⁷⁴

Em terceiro lugar, *o selo do Espírito* (1:22). "Que também nos selou[...]". O verbo *sphragizo*, "pôr um selo em", é empregado em documentos comerciais encontrados entre os papiros a respeito de selagem de cartas e envelopes, de modo que ninguém possa mexer em seu conteúdo. Significa marcar com um sinal identificador (Ap 7:3-8).[75] Simon Kistemaker diz que os selos denotam posse e autenticidade. Não só nos tempos antigos, como hoje, os selos são postos em documentos legais para autenticá-los. Por analogia, Deus põe um selo em seu povo por dois motivos: para confirmar que eles lhe pertencem e para protegê-los de dano.[76]

O selo é um símbolo de legitimidade, propriedade e inviolabilidade. A obra feita por nós e em nós é legítima e não falsa. Somos propriedade exclusiva de Deus, e ninguém pode nos arrancar de seus braços. Quando Deus nos sela, ele deixa gravada a própria imagem do seu Filho em nós (Rm 8:29). Esse selo de Deus garante a autenticidade do nosso relacionamento com ele (Ef 1:13; 4:30). Por isso, Frank Carver diz que o selo é a marca de identificação e de segurança.[77]

Em quarto lugar, *o penhor do Espírito* (1:22). "[...] e nos deu o penhor do Espírito em nosso coração". O penhor é um termo oriundo da prática comercial. William Barclay diz que a palavra grega *arrabon* traduzida por "penhor" correspondia à primeira parcela de um pagamento. Era uma palavra muito comum nos documentos legais dos gregos. Tratava-se da garantia do pagamento integral depois de efetivada a primeira parcela.[78]

Simon Kistemaker diz que Deus nos deu o Espírito Santo como um depósito, uma primeira prestação. Temos a garantia de que, depois do depósito inicial, vem uma prestação subsequente.[79] Nessa mesma linha de pensamento, Colin Kruse diz que *arrabon* era o depósito feito pelo comprador ao vendedor, como garantia de que o pagamento total seria efetuado no devido tempo.[80]

O Espírito nos foi dado como penhor; ou seja, como garantia da nossa total participação nas bênçãos da era vindoura (5:5). Já somos de Deus, mas o nosso resgate final será apenas na glorificação. Pelo penhor do Espírito uma parte do futuro já se faz presente e, assim, torna-se a garantia desse futuro. Frank Carver, citando J. B. Lightfoot, lança luz sobre esse assunto, quando escreve:

> O destinatário do dinheiro do penhor não apenas assegura a si mesmo o cumprimento do pacto por parte de quem paga, mas também garante que ele mesmo cumprirá sua parte no pacto. Pelo próprio ato da aceitação do pagamento parcial, ele se obriga a uma determinada reciprocidade. O dom do Espírito não é apenas um privilégio, mas também uma obrigação, [...] o Espírito tem, podemos dizer, uma garantia sobre nós.[81]

Por que Paulo faz essas afirmações nesse ponto de sua carta? Só para mostrar que a sua integridade e a verdade do evangelho baseiam-se na obra de Deus. É o Espírito de Deus que confirmou e ungiu o apóstolo Paulo; a presença do Espírito é que autenticou e selou a sua missão e mensagem. A implicação é que se a obra de Deus em sua vida garante a confiabilidade do apóstolo nessa grandiosa obra superior da proclamação do evangelho, sem dúvida, garantirá também confiabilidade em questões de menor importância como seus planos de viagem.[82]

Uma mudança de planos (1:23,24-2:1-4)

Paulo agora vai argumentar por que decidiu mudar os planos e não voltar a Corinto conforme tinha prometido. Suas motivações não eram egoístas. Essa mudança de planos não se deveu a um defeito na sua integridade pessoal, mas sim à sua profunda preocupação por eles. O vetor que governava suas decisões era o amor. Alguns pontos merecem destaque.

Em primeiro lugar, *o amor poupa as pessoas amadas* (2:23). "Eu, porém, por minha vida, tomo a Deus por testemunha de que, para vos poupar, não tornei ainda a Corinto". Já na primeira carta Paulo havia perguntado aos crentes de Corinto: "Que preferis? Irei a vós outros com vara ou com amor e espírito de mansidão?" (1Co 4:21). Depois que saiu de Corinto para Éfeso, Paulo retornou à igreja numa chamada visita dolorosa (2:1) e também escreveu uma carta dolorosa (2:4). Sendo assim, Paulo está decidido a não voltar nesse contexto e ambiente de hostilidade. Ele queria lhes dar algum tempo para o arrependimento, para que a sua vinda pudesse resultar em alegria.

Em segundo lugar, *o amor não oprime as pessoas amadas* (2:24). "Não que tenhamos domínio sobre a vossa fé, mas porque somos cooperadores de vossa alegria; porquanto, pela fé, já estais firmados". Paulo não governava a igreja de Deus como dominador do rebanho (1Pe 5:3). Ele não se sentia dono das ovelhas, mas cooperador dos santos. Colin Kruse está certo quando diz que o papel do apóstolo e de todos os ministros do evangelho é o de servo do povo de Deus (4:5), nunca o de tirano. Todavia, como nos revela o versículo 23, servir ao povo de Deus não significa fazer apenas o que agrada ao povo.[83] Há obreiros fraudulentos que agem como se fossem donos do rebanho. Governam a igreja como ditadores e não como servos de Deus e cooperadores dos irmãos.

Em terceiro lugar, *o amor não entristece as pessoas amadas* (2:1-4). Em 1Coríntios 16:5-7, Paulo havia informado seus leitores que ele pretendia visitá-los depois de passar pela Macedônia. Subsequentemente, ele mudou seus planos de modo que visitaria Corinto primeiro, a caminho da Macedônia, e outra vez ao voltar (1:15,16). Parece que Paulo realizou a primeira dessas visitas prometidas e, por causa do fato de essa visita ter-se transformado em algo doloroso tanto para os coríntios quanto para o próprio apóstolo (13:2; 2:1), este cancelou a visita de retorno e, em lugar da visita, escreveu-lhes a carta "severa".[84] A opinião de Simon Kistemaker é que essa carta "severa" tenha sido uma carta não canônica enviada à igreja depois da primeira carta canônica e antes dessa segunda carta que estamos expondo.[85] Nessa mesma linha de pensamento, Fritz Rienecker diz que a referência pode ter sido a uma carta perdida que Paulo escreveu entre a primeira e a segunda carta aos Coríntios.[86]

Paulo não queria voltar à igreja de Corinto em tristeza (2:1). Ele reconhecia que se ele os entristecesse, somente eles poderiam alegrá-lo (2:2). Paulo sabia que a alegria deles seria sua alegria (2:3). Por isso, em vez de visitá-los naquele clima de tristeza, escreveu-lhes uma carta, em meio às lágrimas, não para entristecê-los, mas para revelar-lhes seu imenso amor (2:4).

O amor põe os outros antes de si mesmo. Paulo não pensava em seus próprios sentimentos, mas sim nos sentimentos dos outros. Ele escreveu uma carta severa resultante da angústia de seu coração e envolta em amor cristão. Seu grande desejo era que a igreja obedecesse à Palavra, disciplinasse o transgressor e trouxesse de volta a pureza e a paz para a congregação.[87]

Uma disciplina necessária (2:5,6)

Na sua primeira carta aos Coríntios, Paulo tratou detalhadamente do problema de um jovem que havia cometido o pecado de incesto com a mulher do seu pai. Esse fato foi tão escandaloso que nem mesmo na pervertida cidade de Corinto essa prática encontrava apoio. Paulo deu ordens expressas à igreja para disciplinar aquele membro faltoso, dizendo-lhes: 1) entregue-o a Satanás para a destruição da carne (1Co 5:5); 2) lançai fora o velho fermento (1Co 5:7); 3) expulsai, pois, de entre vós o malfeitor (1Co 5:13). Paulo disse que a igreja deveria chorar pelo pecado (1Co 5:1,2), julgar o pecado (1Co 5:3-5) e remover o pecado (Co 5:6-13).

Quando Paulo fez a sua segunda visita a Corinto para tratar dos problemas surgidos devido a intrusos hostis (2Co 11:4,20), esse homem incestuoso agiu como líder da oposição e fez com que a ocasião fosse muito penosa para Paulo (2:1). Assim, estes versículos tocam o âmago da dissensão entre Paulo e os coríntios.[88]

Paulo, agora, volta a falar sobre a necessidade de disciplinar esse membro faltoso. Três fatos são destacados por Paulo.

Em primeiro lugar, *o pecado não tratado produz tristeza nos obreiros de Deus* (2:5). "Ora, se alguém causou tristeza, não o fez apenas a mim, mas, para que eu não seja demasiadamente áspero, digo que em parte a todos vós". Nada tira tanto a alegria dos obreiros de Deus como o pecado. Paulo suporta com alegria os açoites, as prisões, as ameaças, as privações e a própria morte, mas o pecado não tratado o deixa profundamente triste. A igreja deveria chorar pelo pecado como nós choramos no funeral de um ente querido.

A paz a qualquer custo não é um princípio bíblico, pois não pode haver paz espiritual verdadeira sem pureza. Problemas varridos para debaixo do tapete costumam se multiplicar e criar conflitos ainda maiores mais adiante.[89]

Em segundo lugar, *o pecado não tratado produz tristeza na igreja de Deus* (2:5b). "[...] digo em parte a todos vós". No começo, a igreja de Corinto, em vez de sentir tristeza, lamentar e chorar pela condição vergonhosa desse jovem incestuoso, vangloriou-se (1Co 5:1,2). Contudo, a tristeza de Paulo atingiu todos os crentes. O pecado deprime a igreja. O pecado tira a alegria e a força da igreja. O pecado afasta a presença de Deus da igreja e a torna frágil e vulnerável diante do inimigo.

Em terceiro lugar, *o pecado precisa ser confrontado e o faltoso precisa ser disciplinado* (2:6). "Basta-lhe a punição pela maioria". A disciplina é um ato responsável de amor. O sacerdote Eli foi acusado de amar mais a seus filhos do que a Deus. Porque deixou de discipliná-los, eles pereceram. O rei Davi foi acusado de nunca contrariar seu filho Adonias. Quem ama disciplina. A disciplina é uma punição que traz cura. A disciplina é o remédio amargo que traz alívio para a igreja e restauração para o faltoso. João Calvino considerava a correta aplicação da disciplina como uma das marcas da Igreja verdadeira.

Um perdão restaurador (2:7-10)

Depois de falar de disciplina, Paulo trata da questão do perdão e da restauração. Warren Wiersbe diz que Paulo instou a congregação a perdoar o homem e fundamentou essa admoestação em motivos incontestáveis: 1) deveriam perdoar o homem por amor a ele (2:7,8) - o perdão é o remédio que ajuda a curar o coração ferido; 2) por amor ao Senhor (2:9,10) - o homem havia pecado contra Paulo e contra a igreja, mas, acima de tudo, havia pecado contra o Senhor; e 3) por amor à igreja (2:11). Quando existe na igreja um espírito de rancor por causa de pecados, não tratamos os assuntos de forma bíblica.

Quando nutrimos um espírito rancoroso, entristecemos o Espírito Santo e "damos lugar ao diabo" (Ef 4:27-32).[90]

Três verdades devem ser aqui destacadas.

Em primeiro lugar, *o perdão traz conforto e libertação da tristeza* (2:7). "De modo que deveis, pelo contrário, perdoar-lhe e confortá-lo, para que não seja o mesmo consumido por excessiva tristeza". A disciplina alcançou o propósito desejado, e o homem que praticara tal loucura e se insurgira contra Paulo, está, agora, quebrantado e arrependido. A tristeza excessiva estava lhe consumindo a alma.

Colin Kruse diz que a palavra grega *katapino*, "consumido", também era empregada quando animais "devoravam" sua presa, e quando ondas e correntes de água "engoliam" pessoas e objetos.[91] Paulo, então, como pastor de almas e terapeuta espiritual exorta a igreja a perdoar esse irmão imediatamente e também o confortar.

A palavra conforto vem do grego *paraklesis* e significa encorajar, exortar e consolar. É a palavra usada para os discursos dos líderes e dos soldados que se animam mutuamente. Era usada para o envio de soldados hesitantes para a batalha.[92] No contexto da igreja, o perdão é uma necessidade essencial: 1) para o bem daqueles que fazem o mal (2:5-7); 2) para o bem-estar espiritual daqueles cujo papel é perdoar (2:8-10); e 3) para a integridade da comunhão da igreja (2:11).[93]

Frank Carver está correto quando afirma que o objetivo da punição não era a vingança, mas sim a restauração. O homem precisa ser reintegrado antes que a sua demasiada tristeza o leve ao desespero, afastando-o consequentemente da comunhão redentora da igreja.[94]

O perdão traz cura e conforto. O perdão é o cancelamento da dívida. O perdão é a faxina da mente, a assepsia da alma, a alforria das grossas correntes emocionais que nos prendem na masmorra das reminiscências amargas. Perdoar é apagar o registro das dívidas. Perdoar é lembrar sem sentir dor.

Em segundo lugar, *o amor deve ser ministrado aos que, arrependidos se voltam para Deus* (2:8-10). "Pelo que vos rogo que confirmeis para com ele o vosso amor" (2:10). A igreja não deveria apenas perdoar o faltoso arrependido, mas também ministrar a ele a abundância do seu amor. O amor deve ser verbalizado e demonstrado. O amor apaga multidão de pecados. O amor sara as feridas. O amor restaura. O amor não joga no rosto daqueles que caíram as suas fraquezas. O amor não faz registro permanente dos fracassos. O amor vira as páginas do passado e escreve um novo capítulo cheio de doçura. O amor corre ao encontro daquele que volta arrependido e lhe coloca uma túnica nova, sandálias nos pés e anel no dedo. O amor celebra a volta dos pródigos à casa do Pai.

A palavra grega *kyrosai*, traduzida por "confirmeis" (2:8), era usada nos papiros para confirmar uma venda ou a ratificação de um compromisso. Portanto, a confirmação do amor, contida na exortação de Paulo, parece ser um ato formal a ser executado pela congregação, da mesma maneira que a execução do castigo anteriormente parece ter assumido caráter formal e judicial.[95]

Em terceiro lugar, *a restauração deve ser uma atitude coletiva de toda a igreja* (2:10). "A quem perdoais alguma coisa, também eu perdôo[...]". William Barclay está correto quando diz que a finalidade da disciplina não é tanto castigar o pecador, mas transformá-lo.[96] A restauração à comunhão da igreja deve ser uma atitude de toda a igreja na presença de Cristo. O propósito da disciplina não é a destruição do faltoso (1Co 5:5), mas sua restauração (2:10). A igreja precisa estar unida tanto no processo da disciplina (1Co 5:4,5) como na decisão da restauração (2:10). Simon Kistemaker está correto ao afirmar que quando um pecador se arrepende, tanto a reconciliação como a reintegração devem acontecer naturalmente.[97]

Uma ameaça perigosa (2:11)

O apóstolo Paulo conclui esse assunto exortando a igreja de forma incisiva: "Para que Satanás não alcance vantagem sobre nós, pois não lhe ignoramos os desígnios". A palavra grega *pleonekteo*, "tirar vantagem de", era usada para a defraudação arrogante de uma pessoa, frequentemente mediante meios desonestos.[98] Satanás alcança vantagem sobre a igreja quando ela deixa de disciplinar os faltosos e quando fracassa em restaurar os arrependidos. Paulo diz para os coríntios que esse irmão arrependido precisava ser perdoado, consolado, amado e restaurado. Do contrário, Satanás alcançaria vantagem sobre a igreja. João Calvino entende que Satanás pode alcançar vantagem sobre a igreja de duas formas: quando esta se torna rigorosa demais a ponto de não restaurar o faltoso arrependido e quando permite que a dissensão se levante entre os irmãos.[99] Destacamos aqui três pontos:

Em primeiro lugar, *Satanás alcança vantagem sobre a igreja quando ela deixa de ser uma comunidade terapêutica* (2:11). A igreja é uma comunidade de pessoas perdoadas e perdoadoras. Ela rejeita o pecado e acolhe os arrependidos. Deixar de acolher os que se voltam do pecado para Deus é sucumbir aos planos de Satanás. Simon Kistemaker, citando João Calvino, afirma: "Sempre que deixamos de consolar aqueles que são movidos a uma sincera confissão de seu pecado, nós favorecemos o próprio Satanás".[100] Nutrir má vontade para com um pecador arrependido em vez de lhe mostrar amor, misericórdia e graça é situação de que Satanás sabe se aproveitar. O diabo odeia o perdão. Ele quer ver sempre desalento, desespero e trevas. Nessa atmosfera, Satanás consegue se apoderar novamente de um pecador perdoado.[101]

Simon Kistemaker alerta para o fato de que os ressentimentos na congregação são aproveitados rapidamente por Satanás para minar a saúde espiritual da igreja. É esquema de Satanás frustrar o trabalho de Cristo em sua Igreja na terra. Espalhando o povo de Deus, Satanás consegue bloquear o avanço da Igreja e do Reino de Cristo.[102]

Em segundo lugar, *Satanás alcança vantagem sobre a igreja quando induz os faltosos a pensar que não há chance de restauração* (2:11). Satanás tem duas estratégias. A primeira delas é induzir o homem a pensar que o pecado é inofensivo. A segunda é induzi-lo a crer que não há restauração para os que caíram em suas amarras. Se a igreja deixa de restaurar os que foram feridos e não os perdoa, Satanás alcança vantagem em seu perverso intento.

Em terceiro lugar, *Satanás é um inimigo perigoso e precisamos estar atentos* (2:11). Paulo diz para a igreja que "não ignoramos os seus desígnios". Esse adversário é perverso, é assassino, é ladrão, é mentiroso, é destruidor. Subestimar seu poder e suas estratégias é uma consumada loucura. Paulo reconhece existir um desígnio ativo da parte de Satanás para minar a fé, a devoção e a boa ordem da igreja.[103] Devemos nos sujeitar a Deus e resistir a Satanás. Devemos nos fortalecer na força do poder de Deus e usar toda a sua armadura.

Notas

[57] WIERSBE, Warren W. *Comentário Bíblico Expositivo.* Vol. 5. p. 827.
[58] BARCLAY, William. *I y II Coríntios.* Vol. 9. 1973, p. 185,186.
[59] RIENECKER, Fritz e ROGERS Cleon. *Chave Linguística do Novo Testamento Grego.* 1985, p. 335.
[60] WIERSBE, Warren W. *Comentário Bíblico Expositivo.* Vol. 5. 2006, p. 827.
[61] KRUSE, Colin. *II Coríntios: Introdução e Comentário.* 1994, p. 76.
[62] KRUSE, Colin. *II Coríntios: Introdução e Comentário.* 1994, p. 76,77.
[63] RIDDERBOS, Herman N. *Paul: An Outline of his Theology.* Eerdmans. Grand Rapids, MI. 1975, p. 288.
[64] WIERSBE, Warren W. *Comentário Bíblico Expositivo.* Vol. 5. 2006, p. 828.
[65] CALVIN, John. *Commentary on Corinthians.* Vol. 2. 1999, p. 93.
[66] KISTEMAKER, Simon. *2Coríntios.* 2004, p. 87.
[67] BARTON, Bruce B. e outros. *Life Application Bible Commentary on 1 e 2 Corinthians.* 1999, p. 283.
[68] CARVER, Frank G. *A segunda Epístola de Paulo aos Coríntios.* Em Comentário Bíblico Beacon. Vol. 8. 2006, p. 410.
[69] WIERSBE, Warren W. *Comentário Bíblico Expositivo.* Vol. 5. 2006, p. 829.
[70] KRUSE, Colin. *II Coríntios: Introdução e Comentário.* 1994, p. 82.
[71] BARTON Bruce B. e outros. *Life Application Bible Commentary on 1 e 2 Corinthians.* 1999, p. 286.
[72] KRUSE, Colin. *II Coríntios: Introdução e Comentário.* 1994, p. 83.
[73] CARVER, Frank G.. *A Segunda Epístola de Paulo aos Coríntios.* Em Comentário Bíblico Beacon. Vol. 8. 2006, p. 410.
[74] RIENECKER, Fritz e ROGERS Cleon. *Chave Linguística do Novo Testamento Grego.* 1985, p. 336.
[75] KRUSE, Colin. *II Coríntios: Introdução e Comentário.* 1994, p. 83.
[76] KISTEMAKER, Simon. *II Coríntios.* 2004, p. 95.
[77] CARVER, Frank G. *A Segunda Epístola de Paulo aos Coríntios.* Em Comentário Bíblico Beacon. Vol. 8. 2006, p. 410.
[78] BARCLAY, William. *I y II Coríntios.* Vol. 9 1973, p. 188,189.
[79] KISTEMAKER, Simon. *II Coríntios.* 2004, p. 96.
[80] KRUSE, Colin. *II Coríntios: Introdução e Comentário.* 1994, p. 83,84.
[81] CARVER, Frank G. *A Segunda Epístola de Paulo aos Coríntios.* Em Comentário Bíblico Beacon. Vol. 8. 2006, p. 411.
[82] KRUSE, Colin. *II Coríntios: Introdução e Comentário.* 1994, p. 84.
[83] KRUSE, Colin. *II Coríntios: Introdução e Comentário.* 1994, p. 84,85.
[84] KRUSE, Colin. *II Coríntios: Introdução e Comentário.* 1994, p. 85.
[85] KISTEMAKER, Simon. *II Coríntios.* 2004, p. 105.

[86] RIENECKER, Fritz e ROGERS Cleon. *Chave Linguística do Novo Testamento Grego.* 1985, p. 337.
[87] WIERSBE, Warren W. *Comentário Bíblico Expositivo.* Vol. 5. 2006, p. 829.
[88] CARVER, Frank G. *A Segunda Epístola de Paulo aos Coríntios.* Em Comentário Bíblico Beacon. Vol. 8. 2006, p. 412.
[89] WIERSBE, Warren W. *Comentário Bíblico Expositivo.* Vol. 5. 2006, p. 830.
[90] WIERSBE, Warren W. *Comentário Bíblico Expositivo.* Vol. 5. 2006, p. 830.
[91] KRUSE, Colin. *II Coríntios: Introdução e Comentário.* 1994, p. 88.
[92] RIENECKER, Fritz e ROGERS Cleon. *Chave Linguística do Novo Testamento Grego.* 1985, p. 337.
[93] CARVER, Frank G. *A Segunda Epístola de Paulo aos Coríntios.* Em Comentário Bíblico Beacon. Vol. 8. 2006, p. 414.
[94] CARVER, Frank G. *A Segunda Epístola de Paulo aos Coríntios.* Em Comentário Bíblico Beacon. Vol. 8. 2006, p. 413.
[95] KRUSE, Colin. *II Coríntios: Introdução e comentário.* 1994, p. 88,89.
[96] BARCLAY, William. *I y II Coríntios.* Vol. 9. 1973, p. 193.
[97] KISTEMAKER, Simon. *II Coríntios.* 1994, p. 115.
[98] RIENECKER, Fritz e ROGERS Cleon. *Chave Linguística do Novo Testamento Grego.* 1985, p. 338.
[99] CALVIN, John. *Commentary on Corinthians.* Vol. 2. 1999, p. 109.
[100] KISTEMAKER, Simon. *II Coríntios.* 2004, p. 114.
[101] KISTEMAKER, Simon. *II Coríntios.* 2004, p. 117.
[102] KISTEMAKER, Simon. *II Coríntios.* 2004, p. 116.
[103] KRUSE, Colin. *II Coríntios: Introdução e Comentário.* 1994, p. 90.

Capítulo 3

O segredo de uma vida vitoriosa
(2Coríntios 2:12-3:1-3)

O APÓSTOLO PAULO continua sua defesa. Depois de ser acusado como homem inconstante e sem palavra, agora, está sendo acusado de ser um apóstolo sem credencial. As acusações atingem seu caráter, sua apostolicidade e seu ministério.

Considerando os versículos 12 e 13, como introdução, destacamos alguns pontos.

Em primeiro lugar, *Paulo era um pregador comprometido com o evangelho* (2:12a). Paulo era fundamentalmente um pregador. Foi com esse propósito que chegou em Trôade (2:12). Esta era uma importante cidade portuária. Dessa cidade é que Paulo ouviu o chamado para passar à Macedônia (At 16:9). Essa cidade foi a porta de entrada do evangelho na Europa.

Em segundo lugar, *Deus é quem abre portas para o evangelho* (2:12b). Em Trôade uma porta se lhe abriu no Senhor para a pregação do evangelho. É Deus quem abre portas para o evangelho[104] (2:12) e também abre os corações para o evangelho (At 16:14). Havia uma população romana cosmopolita em Trôade, reforçada por peregrinos, em viagens demoradas, distantes de seus lares, de todas as partes do mundo.[105] Além disso, havia liberdade total para Paulo falar, e muitos estavam dispostos a ouvir. Frank Carver, citando Agostinho, diz que até mesmo o início da fé é uma dádiva de Deus.[106] Simon Kistemaker está com a razão quando diz que o esforço de evangelizar as pessoas só pode ser bem-sucedido quando o Senhor o abençoa. Pregadores pregam, e ouvintes ouvem, mas o efeito da Palavra falada depende do Espírito Santo para conduzir as pessoas à esfera do Senhor por meio da conversão e da fé.[107]

Paulo já tinha ido a Trôade durante a sua segunda viagem missionária (At 16:8). Mais tarde, passou uma semana em Trôade (At 20:6) e, já perto do fim de sua vida, deu instruções a Timóteo para trazer sua capa que estava na casa de Carpo em Trôade (2Tm 4:13).

Em terceiro lugar, *o pregador está sujeito a grandes angústias no ministério* (2:13). Mesmo diante de uma porta aberta para o evangelho, Paulo ausentou-se de Trôade rumo à Macedônia, por não ter encontrado ali a Tito com as notícias da igreja de Corinto. Paulo estava ansioso para saber se a visita de Tito tinha logrado êxito em Corinto, e se a igreja tinha acolhido suas determinações apostólicas. Mais uma vez, Paulo demonstrou seu amor pela igreja de Corinto abandonando uma oportunidade missionária promissora e privando outros pela consideração que tinha por eles.[108] Deus, porém, consolou Paulo com a chegada de Tito, que trouxe boas notícias acerca da submissão e do amor da igreja de Corinto a Paulo (7:5-7).

Agora, o apóstolo dá um suspiro profundo e, como que num longo intervalo, faz um longo desvio do assunto de que vinha tratando. Ele interrompe sua narrativa sobre a espera ansiosa por Tito e só continua seu relato em 2Coríntios 7:5. Levando isso em consideração, Simon Kistemaker diz que os versículos 12 e 13 mostram um contraste proposital entre o tom negativo de incerteza e um tom positivo de ação de graça.[109] Nesse intervalo, ele introduz a gloriosa doutrina da nova aliança e passa a falar sobre as marcas de uma vida vitoriosa.

Agora, consideraremos o texto de 2Coríntios 2:14-3:1-3. Ray Stedman, um dos mais ilustres expositores bíblicos do século 20, em seu livro *A dinâmica de uma vida autêntica*, aborda o texto supra, apontando cinco marcas de uma vida vitoriosa.[110] Tomaremos emprestado esses pontos e os exporemos a seguir.

Otimismo indestrutível (2:14a)

"Graças, porém, a Deus[...]" (2:14a). Paulo se volta de uma narrativa deprimente para um alegre hino de louvor.[111] Ele estava muito angustiado em Trôade. Seu coração estava perturbado. Mesmo diante de uma porta aberta para a pregação do evangelho em Trôade, partiu para a Macedônia com o propósito de encontrar Tito. Ele estava ansioso para receber notícias da igreja de Corinto. Contudo, no meio desse torvelinho, sacudido por fortes rajadas de ventos, sacudido por sentimentos avassaladores, brota da alma do veterano apóstolo um hino de louvor a Deus.

Concordo com Ray Stedman quando diz que uma marca inconfundível do cristianismo radical é uma vida cheia de gratidão, mesmo em meio a provações e dificuldades. É uma espécie de otimismo indestrutível. Vemos isso claramente no livro de Atos, em que há uma nota de triunfo que vai do início ao fim, apesar dos perigos, dificuldades, perseguições, pressões e riscos que os cristãos primitivos enfrentaram. Essa mesma nota de ação de graças se reflete nas cartas de Paulo e também nas de João, Pedro e Tiago.[112]

A vida cristã é vitoriosa apesar das circunstâncias adversas. Apesar de tudo, devemos dar graças a Deus. É Deus quem dirige o nosso destino. É ele quem trabalha para que todas as coisas cooperem para o nosso bem. Não existe acaso, coincidência nem determinismo. Nenhum fio de cabelo da nossa cabeça pode ser tocado sem que Deus saiba, permita ou tenha um propósito. Deus não desperdiça sofrimento na vida de seus filhos. O cristianismo não é estoicismo. Não é se render resignadamente a um destino implacável nem suportar heroicamente o sofrimento como se ele fosse inevitável. O cristianismo não é masoquismo. O cristão não cultua o sofrimento nem tem prazer na dor. Ao contrário, o cristão glorifica a Deus no vale da dor porque sabe que as rédeas da sua vida estão nas mãos de Deus.

Josafá, ilustre rei de Judá, certa feita, foi entrincheirado por três nações confederadas. Os inimigos estavam armados até os dentes e já estavam acampados ao redor de Jerusalém prontos para atacar o reino de Judá. Josafá teve medo e se pôs a buscar ao Senhor. Decretou um jejum e conclamou o povo a confiar em Deus. O rei reconheceu que não tinha forças nem estratégias para enfrentar aquela grande multidão que vinha contra ele, mas pôs seus olhos em Deus. Por orientação divina, mesmo sob esse clima de ameaça, os cantores começaram a cantar e a dar louvores a Deus. Tendo eles começado a cantar louvores a Deus, o Senhor pôs emboscada contra os inimigos, e eles foram desbaratados (2Cr 20:1-22). O louvor não foi consequência da vitória, mas a causa.

O patriarca Jó depois de perder toda a sua imensa fortuna, perdeu também, num único acidente, seus dez filhos. Um terremoto matou seus filhos, e uma avalanche inundou sua alma de profunda dor. Mas, ele, mesmo coberto de cinzas, ergueu-se do profundo do vale e exclamou vitorioso: "O Senhor Deus deu, o Senhor Deus tomou, bendito seja o nome do Senhor" (Jó 1:21).

Paulo e Silas estavam presos em Filipos. Tinham sido açoitados em praça pública e jogados no cárcere interior com os pés acorrentados e as mãos atadas. O futuro parecia incerto e não havia ninguém que pudesse interceder por eles. À meia-noite, em vez de estarem murmurando contra Deus ou gemendo de dor, estavam orando e cantando louvores a Deus. Aquelas orações e louvores encheram aquela prisão, e Deus mandou um terremoto que sacudiu a cadeia, abriu suas portas e quebrou as algemas dos prisioneiros. O carcereiro converteu-se a Cristo, e aquela situação de aparente fracasso transformou-se num cenário de gloriosa vitória (At 16:19-34).

Em toda e qualquer circunstância, o crente pode erguer-se das cinzas e exclamar: "Graças, porém, a Deus!". O sofrimento é o método pedagógico de Deus para nos ensinar verdades celestiais. Por isso, Paulo diz que podemos nos gloriar nas próprias tribulações (Rm 5:3,4).

Sucesso constante (2:14b)

"[...] que, em Cristo, sempre nos conduz em triunfo [...]" (2:14b). O triunfo do cristão não é esporádico, mas constante. A vida cristã não é uma descida vertiginosa ladeira abaixo, mas uma escalada gloriosa rumo à glória.

Paulo usa duas imagens para retratar o curso triunfal do evangelho: a metáfora da procissão triunfal de um general romano e a de uma oferta queimando num altar de sacrifício, enviando um aroma agradável a Deus.[113]

Há consenso quase unânime de que esse texto tem como pano de fundo o cortejo triunfal de um general romano que regressava à capital depois de uma campanha vitoriosa, exibindo os cativos capturados na batalha. Ray Stedman assim descreve essa cena:

> Paulo aqui tinha em mente um cortejo triunfal tipicamente romano. Sempre que um general romano regressava à capital após uma campanha vitoriosa, ele recebia uma celebração por parte do Senado. Armava-se uma grande procissão pelas ruas de Roma, em que se exibiam os cativos aprisionados na batalha. A carruagem em que ia o general vencedor era precedida por pessoas que carregavam guirlandas de flores e vasilhas com incenso perfumado. Estes eram os prisioneiros que iriam retornar à sua terra, agora conquistada por Roma, a fim de governá-la sob a direção do império. Após a carruagem, vinham outros prisioneiros, arrastando pesadas correntes nos pés e nas mãos. Esses deveriam ser executados, pois os romanos criam que não poderiam confiar neles. Quando o cortejo passava entre as multidões que soltavam brados de triunfo, aquele incenso e flores perfumadas eram, para o primeiro grupo, "aroma de vida para vida", e para o segundo grupo, o mesmo cheiro era "cheiro de morte para morte.[114]

Fritz Rienecker acrescenta alguns dados importantes a esse cortejo dizendo que esse general marchava pela cidade, em uma longa procissão precedida pelos seus magistrados. Eles eram seguidos pelos trombeteiros, depois, pelos espólios tomados ao inimigo, seguidos pelo bezerro branco destinado ao sacrifício, depois, os cativos liderados pelo rei do país conquistado, e os oficiais do exército vitorioso e músicos cantando e dançando, e, por fim, o próprio general em cuja honra estava se fazendo a procissão.[115] Colin Kruse diz que Paulo representa a si mesmo nesse texto como um dos soldados do general vitorioso, partilhando da glória de seu triunfo.[116]

Simon Kistemaker, por outro lado, entende que nesse relato Deus é o sujeito e Paulo é o objeto do verbo *conduzir*. O verbo está no tempo presente e denota não um único ato, mas uma ação contínua. Além disso, o verbo é reforçado pelo advérbio *sempre*. E ainda, a expressão *em Cristo* qualifica o objeto *nos*. Assim, Deus é o vencedor que conduz Paulo continuamente à sua morte, como cativo e prisioneiro "em Cristo".[117]

Warren Wiersbe olha para esse texto sob outro ângulo. Comentando sobre essa prática romana ainda nos informa que o general só podia receber essa homenagem depois de alcançar vitória absoluta sobre o inimigo em solo estrangeiro, matando pelo menos cinco mil soldados inimigos e apropriando-se do território em nome do imperador. Esse desfile terminava seu percurso no *Circus Maximus*, onde cativos indefesos entretinham o povo lutando contra animais selvagens. Para os cidadãos de Roma, um triunfo romano completo era sempre uma ocasião especial. De que maneira, porém, essa mensagem aplica-se a nós? Wiersbe responde dizendo que Jesus Cristo, o nosso grande comandante supremo, veio a um território estrangeiro (este mundo) e derrotou completamente o inimigo (Satanás). Em vez de matar cinco mil pessoas, deu sua vida para que todos os que creem nele tenham a vida eterna. Jesus Cristo ainda tomou para si os espólios da batalha - as almas perdidas sob a escravidão do pecado e de Satanás (Lc 11:14-22; Ef 4:8; Cl 2:15). Que vitória magnífica!¹¹⁸ Concordo com James Hastings quando ele diz que o nosso Deus é o grande conquistador, e que nós engrossamos as fileiras do seu glorioso cortejo triunfal.¹¹⁹

O cristianismo que Paulo vivia era timbrado por um sucesso constante. Mesmo diante de lutas avassaladoras, Paulo estava sempre firme, sobranceiro e confiante na vitória. Três pontos merecem destaque aqui.

Em primeiro lugar, *é Deus quem nos conduz em triunfo* (2:14b). A vitória vem de Deus. Não construímos o caminho do sucesso, ele é aberto por Deus. Não são nossas estratégias nem nosso esforço que nos levam a triunfar, mas é Deus quem nos toma pela mão e nos conduz vitoriosamente. O poder não vem do homem, mas de Deus. A força não vem de dentro, mas do alto. A questão não é autoajuda, mas ajuda do alto.

Em segundo lugar, *é por meio de Cristo que somos conduzidos em triunfo* (2:14b). O nosso triunfo vem do Deus Pai por meio do Deus Filho. Não temos triunfo à parte de Cristo. Fora da esfera de Cristo não há vitória espiritual. A vida cristã é absolutamente cristocêntrica. Todas as bênçãos que possuímos estão em Cristo. Não somos conduzidos em triunfo por nosso conhecimento, piedade, virtudes ou obras. A única maneira de você ser aceito por Deus, aprovado por ele e conduzido por ele em triunfo é estando em Cristo. O apóstolo João escreveu: "Aquele que tem o Filho tem a vida; aquele que não tem o Filho de Deus não tem a vida" (1Jo 5:12).

Li algures sobre um homem muito rico, amante da arte, que havia investido toda a sua fortuna em quadros famosos, dos mais excelentes pintores da Europa. Seu filho único, em viagem, caiu ferido num campo de batalha.

Seu amigo mais chegado assistiu-lhe na hora da morte, dando-lhe consolo nos últimos suspiros de vida. Depois enviou a seu pai, um quadro que ele mesmo pintara, do rosto do filho amado. O pai colocou o quadro numa bela moldura e dependurou-o entre seus quadros mais seletos. Anos depois, antes da sua morte, esse homem escreveu seu testamento e deu ordens a seu mordomo para fazer um leilão dos seus cobiçados quadros. O mordomo obedeceu à risca as orientações recebidas. Proclamou o leilão e na data marcada, um grupo seleto, de refinado gosto artístico se reuniu para comprar as preciosas relíquias. Para espanto dos presentes, o primeiro quadro a ser leiloado foi o do filho. Não havia nele nenhum toque artístico e não despertou nenhum interesse nos compradores. Depois de longa insistência, um comprador pagou o preço exigido, e imediatamente o mordomo comunicou o encerramento do leilão. A reação dos convidados foi imediata. Estavam inconformados. Mas o mordomo os fez calar quando leu o testamento de seu senhor: "Aquele que comprar o quadro do meu filho é o dono de todos os demais quadros, pois quem tem o filho, tem tudo".

Em terceiro lugar, *é constante o triunfo que temos em Cristo* (2:14b). Paulo diz que Deus *sempre* nos conduz em triunfo. Essa vitória não é passageira, mas constante. É triunfo na alegria e no choro, na saúde e na doença, na prosperidade e na adversidade, na aprovação e na rejeição.

Deus nos conduz em triunfo mesmo quando nossos planos são frustrados. Paulo esperava Tito em Trôade e não o encontrou. Tão angustiado ficou que deixou a cidade de portas escancaradas ao evangelho e partiu para a Macedônia a fim de encontrá-lo e, assim, buscar alívio para seu coração.

Nesse contexto de aparente derrota, porém, é que ele ergue o seu brado de triunfo.

Nem sempre o que planejamos prospera. Paulo queria ir para a Ásia, e o Espírito de Deus o impediu, conduzindo-o à Macedônia (At 16:6-10). Paulo queria ir a Roma para compartilhar com eles algum dom espiritual e confirmá-los (Rm 1:11), mas chegou à capital preso e algemado (Ef 4:1). Sua prisão, entretanto, motivou os crentes de Roma a pregarem com mais fervor, abriu-lhe a porta da oportunidade para evangelizar a guarda pretoriana (Fp 4:22) e ainda lhe possibilitou escrever cartas que têm abençoado o mundo ao longo dos séculos (Fp 1:12-14). Os planos de Deus jamais podem ser frustrados (Jó 42:2). O Sinédrio judaico tentou impedir o crescimento da igreja, mas apenas acelerou esse crescimento. Os imperadores romanos tentaram destruir os cristãos com virulência descomunal, mas eles se multiplicaram. Maria Tudor tentou destruir o protestantismo na Inglaterra nos idos de 1553 a 1558, mas apenas promoveu e espalhou os protestantes para outras plagas. A obra de Deus é indestrutível. Em Cristo, o nosso sucesso é constante!

Deus nos conduz em triunfo mesmo quando as pessoas intentam o mal contra nós. Os falsos apóstolos queriam macular a honra e o apostolado de Paulo, mas esses obreiros impostores e fraudulentos foram desmascarados e o apóstolo saiu vitorioso e sobranceiro. Os irmãos de José do Egito intentaram o mal contra ele, odiando-o, desprezando-o, vendendo-o como mercadoria barata para o Egito, mas Deus o arrancou das profundezas da prisão e o pôs no palácio como governador do Egito e provedor do mundo. José disse para seus irmãos, mais de vinte anos depois:

"Vós, na verdade, intentaram o mal contra mim; porém Deus o tornou em bem" (Gn 50:20).

Impacto inesquecível (2:14c-16)

O apóstolo Paulo escreve:

> [...] E, por meio de nós, manifesta em todo lugar a fragrância do seu conhecimento. Porque nós somos para com Deus o bom perfume de Cristo, tanto nos que são salvos como nos que se perdem. Para estes, cheiro de morte para a morte; para com aqueles, aroma de vida para vida. Quem, porém, é suficiente para estas coisas? (2:14-16).

Paulo trata do inesquecível impacto do cristão na vida das pessoas ao seu redor. O cristão é o bom perfume de Cristo. Ele exala aroma de vida para vida e cheiro de morte para morte. Simon Kistemaker diz que os desfiles romanos de vitória eram tanto religiosos como políticos, pois o general conquistador conduzia seus cativos ao templo de Júpiter, onde sacrifícios eram oferecidos.[120]

Destacamos alguns pontos importantes nesse texto.

Em primeiro lugar, *o pregador espalha a fragrância do conhecimento de Deus* (2:14c). Paulo usa a palavra grega *osmé*, fragrância, aroma agradável. Era costumeiro nas procissões triunfais se fazer acompanhar por aromas agradáveis de queima de plantas aromáticas nas ruas.[121] Paulo usa essa metáfora para dizer que Deus manifesta por nosso intermédio, pela pregação do evangelho, a fragrância do seu conhecimento. Deus é conhecido pelas suas obras e pela sua graça. Ele mesmo se revelou na criação, na sua Palavra e em seu Filho. Quando pregamos o evangelho, espalhamos a fragrância do conhecimento de Deus. O conhecimento de Deus vem pela pregação do evangelho.

Em segundo lugar, *o pregador é o bom perfume de Cristo* (2:15). "Porque nós somos para com Deus o bom perfume de Cristo, tanto nos que são salvos como nos que se perdem" (2:15). Há três coisas a destacar nesse versículo.

A identificação do perfume. O perfume aqui não é uma substância, mas uma pessoa. Nós somos o bom perfume de Cristo. O pregador, ao proclamar o evangelho, espalha a fragrância do conhecimento de Deus. Nesse sentido, os pregadores são o próprio perfume.

A conceituação do perfume. Não somos apenas perfume de Cristo, mas o *bom* perfume de Cristo. Não somos um perfume qualquer, mas o bom perfume. Um bom perfume tem quatro características: 1) o bom perfume é precioso. Ele é feito das melhores essências, portanto, é mui valioso. Somos preciosos para Deus. Somos a menina dos seus olhos. 2) O bom perfume influencia sem alarde. O perfume não grita, ele penetra. Ele não fala, mas se impõe. O bom perfume não consegue se ocultar. O perfume existe para ser espalhado. Quando Maria, irmã de Lázaro, quebrou o vaso de alabastro com o perfume de nardo puro e o derramou sobre os pés de Jesus para ungi-lo, toda a casa encheu-se com o perfume (Jo 12:3). 3) O bom perfume atrai as pessoas. Ele é embriagador e envolvente. 4) O bom perfume torna o ambiente mais agradável. É agradável aspirar o perfume inebriante do campo e dos jardins engrinaldados de flores. É agradabilíssimo sentir o aroma de um bom perfume. Assim somos nós, povo de Deus. Somos o bom perfume de Cristo.

O efeito do perfume. Colin Kruse diz que Paulo estende mais a metáfora e descreve as duas possíveis reações à pregação do evangelho, ao acrescentar as palavras "tanto nos que são salvos como nos que se perdem". O cheiro de incenso queimado perante os deuses numa procissão triunfal romana teria conotações diferentes para pessoas diferentes. Para o general vitorioso e seus soldados, bem como para as multidões que aplaudiam dando as boas-vindas, o perfume estaria associado à alegria da vitória. Contudo, para os prisioneiros de guerra tal perfume só poderia estar associado à fatalidade da escravidão ou morte que os aguardava. De modo semelhante, a pregação do evangelho seria aroma de vida para os que creem, mas cheiro de morte para morte para os que se recusam a obedecer.[122]

Somos perfume de Cristo tanto nos que são salvos como nos que se perdem. O cristão nunca é uma pessoa neutra. Isso porque ele proclama o evangelho que sempre exige um veredicto. Ao espalharmos, pela pregação, a fragrância do conhecimento de Deus, essa mensagem inevitavelmente exigirá uma resposta do homem. Aqueles que ouvem e creem são salvos; aqueles que ouvem e rejeitam se perdem. Frank Carver diz que o mesmo ato de salvação que destruiu a morte para os salvos, tornou a morte irrevogável para aqueles que se perdem.[123] Efeitos opostos seguem a mesma causa. O mesmo evangelho que abençoa uns, condena outros. O evangelho tem esta peculiaridade: ele toca as profundezas da natureza humana e atinge-a mais do que qualquer outra coisa.[124]

Em terceiro lugar, *o pregador é agente de vida ou de morte* (2:16). "Para com estes, cheiro de morte para morte; para com aqueles, aroma de vida para vida. Quem, porém, é suficiente para estas coisas?" O evangelho sempre exige do homem uma decisão. Ninguém pode ficar neutro em relação ao evangelho. O homem é escravo da sua liberdade. Ele está obrigado a tomar uma decisão. Até os indecisos tomam a sua decisão, pois a indecisão é a decisão de não decidir e quem não se decide por Cristo, decide-se contra ele. Jesus mesmo disse: "Quem não é por mim, é contra mim; quem comigo não ajunta, espalha". Você é comparado a um indivíduo que está dentro de um bote rio abaixo à beira de um imenso abismo. Você não pode deixar de tomar uma decisão. Você pode decidir ignorar o problema. Pode decidir remar até a margem e livrar-se da morte ou pode ficar dentro do bote e ser esmagado pela fúria das águas. Só uma coisa você não pode fazer: deixar de tomar uma decisão.

Há aqui dois efeitos claros e solenes. 1) Para os que rejeitam o evangelho, somos cheiro de morte para morte. O mesmo evangelho que salva o arrependido condena o impenitente. O mesmo sol que amolece a cera, endurece o barro; 2) para os que aceitam o evangelho somos aroma de vida para vida. O mesmo aroma que simboliza morte para uns, representa vida pra outros. A mesma mensagem que sentencia de morte os rebeldes, promete perdão e vida aos arrependidos e contritos. O mesmo sol que endurece o barro amolece a cera. O mesmo mar que foi o caminho da libertação dos hebreus foi o lugar da morte dos egípcios.

Integridade irrefutável (2:17)

"Porque nós não estamos, como tantos outros, mercadejando a Palavra de Deus; antes, em Cristo é que falamos na presença de Deus, com sinceridade e da parte do próprio Deus" (2:17). Paulo denuncia os falsos apóstolos que estavam entrando na igreja de Corinto pregando um falso evangelho, com um falso comissionamento e com uma falsa motivação. Esses obreiros fraudulentos eram mascates da religião. Eles não tinham compromisso com Deus, com sua Palavra nem com seu povo; visavam apenas o lucro. Faziam da religião um instrumento para se abastar. Faziam da igreja uma empresa; do evangelho um produto; do púlpito, um balcão, e dos crentes, consumidores.

Destacamos aqui dois pontos importantes.

Em primeiro lugar, *como não se deve pregar o evangelho* (2:17). "Porque nós não estamos, como tantos outros, mercadejando a Palavra de Deus [...]". A palavra grega usada por Paulo, *kapeléuo* significa mercadejar, mascatear, lucrar com um negócio. Comerciantes inescrupulosos usavam artifícios desonestos para adulterar o vinho, acrescentando-lhe água ou misturando o vinho ruim com o bom para aumentar os seus lucros. Esses taberneiros ainda utilizavam pesos e medidas falsos para auferirem lucros maiores.[125]

A palavra *kapeléuo* é usada na Septuaginta, em Isaías 1:22 para aqueles que misturavam vinho com água a fim de enganar os compradores. É usada por Platão para condenar os pseudofilósofos. Era usada nos papiros para um comerciante de vinho que costumava trapacear para se livrar de um estoque ruim. A palavra refere-se àqueles que mascateiam ou mercadejam com a Palavra de Deus para benefício próprio.[126] A palavra *kapeléo* pode ser traduzida também por "adulterar", uma vez que no original ela vem da mescla fraudulenta dos licores. Os comerciantes desonestos adulteram vinho para ter lucros mais expressivos.[127] Estamos assistindo, com profundo senso de vergonha, um vexatório comércio das coisas sagradas. Estamos desengavetando, nos redutos chamados evangélicos, as indulgências da Idade Média. Muitos pastores gananciosos, sem qualquer pudor, sem qualquer temor, diluem a mensagem do evangelho, torcem a verdade e pregam apenas sobre prosperidade, libertação, curas e milagres, sonegando ao povo a mensagem da cruz e, dessa maneira, assaltam o bolso de crentes incautos para se enriquecerem.

Frank Carver diz que essa imagem contém duas ideias. A primeira diz respeito aos motivos dos falsos obreiros; eles fazem do apostolado um negócio para obter ganhos pessoais. A segunda implica no método; eles adulteram o evangelho, com exigências mais palatáveis e perspectivas limitadas, com a finalidade de atender aos seus próprios interesses. Abraçar o ministério por motivos de ganho pessoal, ambição ou vaidade já significa adulterá-lo. Aquele que faz a Palavra servir aos seus propósitos em lugar de ser um servo da Palavra, modifica o próprio caráter do evangelho.[128]

Havia vários obreiros fraudulentos em Corinto que não tinham comissionamento de Deus, não tinham evangelho genuíno nem motivações puras, mas estavam diluindo o evangelho e mercadejando a Palavra para auferir lucro (4:2; 11:20). O vetor que norteava o ministério desses pregadores não era a verdade de Deus, mas as vantagens pessoais. Eles faziam do ministério uma fonte de lucro financeiro, e não uma agência de proclamação da verdade. Eles não promoviam a Cristo, mas a si mesmos. Eles não buscavam a glória de Deus, mas a exaltação de si mesmos.

Em segundo lugar, *como se deve pregar o evangelho* (2:17b). "[...] antes, em Cristo é que falamos na presença de Deus, com sinceridade e da parte do próprio Deus" (2:17b). Três verdades devem ser aqui destacadas.

A procedência da mensagem. Paulo não fala de si mesmo, em seu próprio nome, mas fala da parte do próprio Deus. Paulo não é a fonte da mensagem, mas o canal dela. Ele não gera a mensagem, mas a transmite. Ele não é dono da mensagem, mas servo dela. O pregador é um embaixador. Ele representa o seu país e fala da parte dele e em nome do governo que o comissionou. Simon Kistemaker está certo quando diz que um embaixador quando deixa de representar seu governo e fala o que pensa, é sumariamente demitido. Do mesmo modo, Paulo era obrigado a proclamar a própria Palavra de Deus com irrestrita fidelidade.[129]

O método da mensagem. Paulo fala em Cristo, na presença de Deus. Ele não usa malabarismos e subterfúgios para enganar as pessoas. Ele é íntegro na mensagem e também nos métodos. Ele prega uma mensagem que vem de Deus e a apresenta na presença de Deus. A vida do pregador é a vida da sua pregação. A pregação poderosa está enraizada no solo da vida do pregador. Não basta ser aprovado pelos homens, importa ter a aprovação de Deus. Não é suficiente falar na presença dos homens, é preciso falar na presença de Deus.

A motivação do mensageiro. Paulo fala na presença de Deus com sinceridade. A palavra *sinceridade* se refere a examinar algo à luz do sol. Significa falar com integridade e fidelidade. Os mascates da religião careciam tanto de sinceridade humana como de autoridade divina.[130] A mensagem de Paulo, porém, é divina; seu método é transparente e sua motivação é santa. Ele não prega para auferir lucro, mas para manifestar a fragrância do conhecimento de Deus. Seu coração não é governado pela ganância, mas pela sinceridade.

Realidade inegociável (3:1-3)

O apóstolo Paulo ainda continua sua defesa diante do ataque dos falsos apóstolos. Eles acusavam Paulo de ser um impostor. Diziam que ele não era um apóstolo legítimo. Ao mesmo tempo, para acicatar Paulo, esses obreiros ostentavam diante da igreja de Corinto cartas de recomendação, enquanto Paulo não as portava.

Os três versículos dessa seção (3:1-3) são versículos de transição e constituem uma ponte entre a última parte do capítulo anterior (2:14-17) e o restante do capítulo três.[131] Eles apresentam a defesa que Paulo faz do seu ministério apostólico; ou seja, dele mesmo, do seu trabalho e da sua mensagem.[132] A apostolicidade de Paulo, sua integridade, suas cartas, suas palavras e conduta estavam em jogo.[133] É diante dessa situação que Paulo mais uma vez apresenta sua defesa. Vejamo-la:

> Começamos, porventura, outra vez a recomendar-nos a nós **mesmos**? Ou temos necessidade, como alguns, de cartas de recomendação para vós outros ou de vós? Vós sois a nossa carta, escrita em nosso coração, conhecida e lida por todos os homens, estando já manifestos como carta de Cristo, produzida pelo nosso ministério, escrita não com tinta, mas pelo Espírito de Deus vivente, não em tábuas de pedra, mas em tábuas de carne, isto é, nos corações (3:1-3; grifo do autor).

Destacamos quatro preciosas verdades desse texto.

Em primeiro lugar, *a verdade escrita no coração é a mais legível mensagem de Deus* (3:2,3). O mundo nem sempre lê as Escrituras, mas ele está sempre nos lendo. Somos uma carta aberta diante dos holofotes do mundo. Nossa vida é um *outdoor* de Deus estampado diante dos olhos do mundo. Somos como uma cidade iluminada no alto de um monte. Nossa vida é uma espécie de megafone de Deus nos ouvidos da história. Cada cristão é uma propaganda de Cristo. Juan Carlos Ortiz diz que nós somos o quinto evangelho lido pelo mundo. Cada crente é uma espécie de tradução do Evangelho.

Cristo é o autor dessa carta. Também é o seu remetente. Ele a compôs. Não cabe nessa carta nenhum *pós-scriputum* estranho ao seu autor. Nenhuma mensagem espúria pode estar gravada em nossa vida. Nenhum parágrafo dessa carta pode macular a honra do seu autor. Somos uma composição divina. Somos o poema de Deus; somos a carta de Cristo.

Em segundo lugar, *a verdade escrita no coração é a mais duradoura mensagem de Deus* (3:3). A mensagem do evangelho não é escrita com tinta que se apaga, mas escrita pelo Espírito de Deus. Ela é escrita não em tábuas de pedra, mas no coração. Quando uma pessoa se converte a Cristo, ela é selada pelo Espírito Santo e batizada no corpo de Cristo. Ninguém pode desfazer a obra que Deus faz. Ninguém pode apagar a escrita do Espírito Santo nos corações transformados pelo evangelho.

A tinta não é apenas algo material, mas também perecível. O que foi feito em nós é algo espiritual e permanente. O Espírito Santo não está produzindo em nós uma caricatura de Cristo, mas nos transformando de glória em glória na própria imagem dele (3:18).[134]

Em terceiro lugar, *a verdade escrita no coração é a mensagem mais convincente de Deus* (3:2). Uma vida transformada pelo evangelho é um argumento irresistível, irrefutável e irrevogável em favor da verdade. A vida transformada dos coríntios era a carta de recomendação de Paulo (1Co 6:9-11).

Só o evangelho de Cristo transforma vidas. Só a verdade de Deus ilumina os olhos daqueles que estão mergulhados no obscurantismo do preconceito e nas trevas espessas do pecado. Nenhuma mensagem é mais persuasiva do que uma vida transformada pelo poder de Deus.

Certa feita, um cético começou a questionar um crente novato na fé acerca da confiabilidade da Bíblia e dos seus milagres. Perguntou-lhe: "Você ainda acredita nesse relato de que Jesus multiplicou pães e peixes e transformou água em vinho?". O neófito respondeu: "Eu acredito firmemente nisso". "Mas, como você pode explicar isso?", perguntou o inquiridor incrédulo. "É que na minha casa, Jesus transformou cachaça em comida; ódio, em amor; brigas, em solidariedade; trevas, em luz; perdição, em salvação".

Em quarto lugar, *a verdade escrita no coração é a mensagem mais profunda de Deus* (3:3). A antiga aliança foi gravada em tábuas de pedra, mas a nova aliança foi escrita em tábuas de carne; isto é, nos corações. A lei é um mandamento externo, a graça é um princípio interno. A lei foi escrita fora de nós; a graça, dentro de nós. A primeira nos fala o que devemos fazer para Deus; a segunda, o que Deus fez por nós.

Depois de descrever as marcas de uma vida vitoriosa, Paulo faz uma pergunta perturbadora: "[...] quem, porém, é suficiente para estas cousas?" (2:16). Ele não dá a resposta imediatamente. Somente no capítulo 3, ele acende a candeia da verdade e nos mostra a resposta: "Não que, por nós mesmos, sejamos capazes de pensar alguma cousa, como se partisse de nós; pelo contrário, a nossa suficiência vem de Deus" (3:5). Paulo desbanca os argumentos dos falsos mestres e dos falsos apóstolos que estavam invadindo a igreja de Corinto e questionando a integridade do seu apostolado, dizendo que a pregação deles estava baseada naquilo que fazemos para Deus, mas a sua pregação estava baseada naquilo que Deus fez por nós. Essa é a diferença fundamental entre viver na velha aliança ou viver na nova aliança. A velha aliança nos ensina a fazer o melhor para Deus, mas a nova aliança nos ensina que Deus fez tudo por nós.

Notas

[104] Veja também Atos 14:27; 1Coríntios 16:9; Colossenses 4:3.
[105] Rienecker, Fritz e Rogers Cleon. *Chave Linguística do Novo Testamento Grego.* 1985, p. 338.
[106] Carver, Frank G. *A Segunda Epístola aos Coríntios.* Vol. 8. Em Comentário Bíblico Beacon. 2006, p. 414.
[107] Kistemaker, Simon. *II Coríntios.* 2004, p. 124.
[108] Carver, Frank G.. *A Segunda Epístola aos Coríntios.* Vol. 8. Em Comentário Bíblico Beacon. 2006, p. 414.
[109] Kistemaker, Simon. *II Coríntios.* 2006, p. 128.
[110] Stedman, Ray C. *A dinâmica de uma vida autêntica.* SEPAL. São Paulo, SP. N.d., p. 19-32.
[111] Kistemaker, Simon. *II Coríntios.* 2006, p. 128.
[112] Stedman, Ray C. *A dinâmica de uma vida autêntica.* N.d., p. 19,20.
[113] Carver, Frank G. *A Segunda Epístola aos Coríntios.* Vol. 8. Em Comentário Bíblico Beacon. 2006, p. 414,415.
[114] Stedman, Ray C. *A dinâmica de uma vida autêntica.* N.d., p. 27,28.
[115] Rienecker, Fritz e Rogers Cleon. *Chave Linguística do Novo Testamento Grego.* 1985, p. 338.
[116] Kruse, Colin. *II Coríntios: Introdução e Comentário.* 1994, p. 92.
[117] Kistemaker, Simon. *II Coríntios.* 2006, p. 130.
[118] Wiersbe, Warren W. *Comentário Bíblico Expositivo.* Vol. 5. 2006, p. 831.
[119] Hastings, James. *The Great Texts of the Bible on II Corinthians-Galatians.* Vol. XVI. N.d., p. 51-55.
[120] Kistemaker, Simon. *II Coríntios.* 2006, p. 130,131.
[121] Rienecker, Fritz e Rogers Cleon. *Chave Linguística do Novo Testamento Grego.* 1985, p. 339.
[122] Kruse, Colin. *II Coríntios: Introdução e Comentário.* 1994, p. 93.
[123] Carver, Frank G. *A Segunda Epístola aos Coríntios.* Vol. 8. Em Comentário Bíblico Beacon. 2006, p. 415.
[124] Hastings, James. *The Great Texts of the Bible on II Corinthians-Galatians.* N.d., p. 58.
[125] Kruse, Colin. *II Coríntios: Introdução e Comentário.* 1994, p. 94.
[126] Rienecker, Fritz e Rogers Cleon. *Chave Linguística do Novo Testamento Grego.* 1985, p. 339.
[127] Bonnet, L. e Schroeder A. *Comentario del Nuevo Testamento.* Tomo 3. 1982, p. 340.
[128] Carver, Frank G. *A Segunda Epístola aos Coríntios.* Vol. 8. Em Comentário Bíblico Beacon. 2006, p. 415.

[129] KISTEMAKER, Simon. *II Coríntios*. 2006, p. 136.
[130] KISTEMAKER, Simon. *II Coríntios*. 2006, p. 135,136.
[131] KISTEMAKER, Simon. *II Coríntios*. 2006, p. 141.
[132] CARVER, Frank G. *A Segunda Epístola aos Coríntios*. Vol. 8. Em Comentário Bíblico Beacon. 2006: p. 416.
[133] KISTEMAKER, Simon. *II Coríntios*. 2006, p. 142.
[134] Veja ainda Romanos 8:29; Efésios 3:19; 4:13; Gálatas 5:22,23; Ezequiel 36:26,27.

Capítulo 4

A superioridade da nova aliança
(2Coríntios 3:4-18)

No CAPÍTULO ANTERIOR, Paulo falou sobre cinco pontos distintivos de uma vida cristã vitoriosa: otimismo indestrutível, sucesso constante, impacto inesquecível, integridade irrefutável e realidade inegável. Também fez uma pergunta profunda: "Quem, porém, é suficiente para estas coisas?" (2:16). A pergunta ficou suspensa no ar até que no capítulo 3, versículos 4,5, ele deu a resposta: "[...] a nossa suficiência vem de Deus".

Assim, Paulo introduz a doutrina da nova aliança e contrasta com a velha aliança. Frank Carver diz que, na Bíblia, "concerto ou aliança" refere-se a um acordo, não entre iguais, mas entre Deus e o seu povo. A nova aliança é instituída pela graciosa oferta de Deus da sua presença salvadora e confirmada pela resposta agradecida do seu povo no cumprimento das suas obrigações. Paulo é ministro de uma nova aliança (Jr 31:31-34; Mt 26:28; 1Co 11:25) em contraste com a antiga (3:14; Êx 24:3-8; Gl 4:24).[135] Simon Kistemaker diz que Deus tomou a iniciativa de fazer as alianças, a antiga e a nova: a antiga no Sinai e a nova em Sião.[136]

William Barclay destaca a palavra *"nova"* aliança. Há duas palavras no grego para "novo". A primeira é *neós*, que fala de "novo" quanto ao tempo somente. A segunda é *kainós*, "novo" quanto à qualidade, e não somente quanto ao tempo. Se algo é *kainós*, introduz-se aí um elemento novo e distinto na situação. Essa é a palavra usada aqui pelo apóstolo Paulo.[137]

Antes de considerarmos os contrastes entre a velha e a nova aliança, importa-nos saber qual é a essência da nova aliança e como Paulo descobriu esse segredo da vida vitoriosa.

Somos saturados constantemente por mensagens que prometem o sucesso imediato. Livros de autoajuda enchem as bibliotecas e prometem a felicidade instantânea. A pressa para a vitória nos leva a buscar soluções estilo *fast food*: "aprenda inglês em um mês"; "leia este livro e torne-se o maior vendedor do mundo"; "você tem o poder, desperte o gigante adormecido que está em você". Paulo, porém, contraria essa enxurrada de conceitos humanistas e diz que a força não vem de dentro, vem de cima; não vem do homem, vem de Deus. A questão não é autoajuda, mas ajuda do alto.

A velha aliança é a tentativa de o homem fazer o seu melhor para agradar a Deus, mas a nova aliança é Deus fazendo tudo por nós. Na velha aliança tudo vem de mim, nada de Deus; na nova aliança, tudo vem de Deus, nada de mim.

Como Paulo descobriu o segredo da nova aliança? Não foi logo depois da sua conversão. Ele demorou pelo menos quatorze anos para aprender esse segredo. Logo que foi convertido na estrada de Damasco, Paulo foi batizado e começou a pregar a palavra de Jesus (At 9:19b,20). Depois, foi para a região da Arábia (Gl 1:15-17). Ali, ficou cerca de três anos fazendo uma reciclagem em sua teologia. Examinou cada parte do Antigo Testamento e constatou que todo ele apontava para Jesus, o Messias. Depois desse seminário intensivo com Jesus, voltou a Damasco (Gl 1:17) passou a demonstrar que Jesus era o Cristo (At 9:22). Os judeus tentaram matá-lo em Damasco (At 9:23), e ele precisou fugir num cesto, à noite (At 9:25). Dali rumou para Jerusalém, mas não encontrou acolhida nos discípulos, pois todos o temiam (At 9:26). Por intervenção de Barnabé, integra-se à igreja de Jerusalém (At 9:27). Passou a pregar ousadamente em nome do Senhor, falando e discutindo com os helenistas (At 9:28,29), mas estes queriam tirar-lhe a vida. O próprio Senhor Jesus aparece para ele em um êxtase que ele teve, ordenando-lhe a sair da cidade, pois seu testemunho não seria aceito (At 22:17,18). Paulo discute com o Senhor, julgando ser o homem certo para alcançar aquele povo (At 22:19,20). No entanto, o Senhor não muda, é Paulo quem tem que mudar e mudar-se (At 22:21).

Diante da disposição dos helenistas em tirar-lhe a vida em Jerusalém, os discípulos o levaram até Cesareia e, dali, para Tarso, sua cidade natal (At 9:30). Logo que Paulo saiu de Jerusalém, a igreja passou a ter paz e a crescer (At 9:31). Isso certamente foi um golpe para suas pretensões. Em

Tarso, ele ficou cerca de dez anos num completo ostracismo e anonimato (Gl 1:18; 2:1). Ele queria fazer a obra de Deus do seu jeito, na sua força, pelas suas estratégias. Paulo estava vivendo ainda na velha aliança. Nesse tempo, Deus estava lhe mostrando que não é por força nem por poder, mas pelo Espírito que a obra é feita (Zc 4:6). Mais tarde Paulo escreveu: "Se tenho de gloriar-me, gloriar-me-ei no que diz respeito à minha fraqueza. O Deus e Pai do Senhor Jesus, que é eternamente bendito, sabe que não minto" (2Co 11:30,31). Também dá seu testemunho aos filipenses: "Bem que eu poderia também confiar na carne. Se qualquer outro pensa que pode confiar na carne, eu ainda mais. [...] Mas o que, para mim, era lucro, isso considerei perda por causa de Cristo. Sim, deveras considero tudo como perda, por causa da sublimidade do conhecimento de Cristo Jesus, meu Senhor; por amor do qual perdi todas as coisas e as considero como refugo, para conseguir Cristo" (Fp 3:4-8). As coisas que ele antes considerava como qualificações para ser um sucesso diante de Deus e dos homens, (seus ancestrais, sua ortodoxia, sua moralidade e sua atividade), agora ele considera quase como esterco. Ele aprendeu a passar da velha aliança (tudo vem de mim; nada de Deus) para a nova aliança (tudo vem de Deus; nada de mim).[138]

Depois de quatorze anos aprendendo que nada vem de nós; e tudo, de Deus, Paulo, agora, estava pronto para a grande obra que Deus tinha para ele. Foi, então, que explodiu um avivamento em Antioquia da Síria, e Barnabé vai ao seu encontro para convocá-lo para um novo desafio. Ray Stedman diz que foi um Saulo totalmente diferente que chegou a Antioquia. Castigado, humilhado, instruído pelo Espírito do Senhor, começou a ensinar a Palavra de Deus e, daí, lançou-se no grande ministério missionário, que eventualmente o levaria aos limites do Império Romano, proclamando o evangelho com grande força por todo o mundo.[139] Paulo, agora, compreende que tudo vem de Deus, e nada dele mesmo. Esse é o segredo da nova aliança!

Vamos considerar, agora, essa preciosa doutrina da nova aliança.

O contraste entre a velha e a nova aliança (3:4-11)

William Barclay, citando Agostinho, escreve: "Agiremos com falta ao Antigo Testamento se negarmos que ele provém do mesmo Deus bom e justo que o Novo. Por outro lado, interpretaremos mal o Novo, se pusermos o Antigo em seu mesmo nível".[140] O apóstolo faz quatro importantes contrastes entre a velha e a nova aliança. Usa figuras e símbolos fortes para retratar profundas verdades espirituais. Vejamos esses contrastes.

Em primeiro lugar, *tábuas de pedra e tábuas de carne* (3:3). A velha aliança foi um código de leis escrito em tábuas de pedra, fora de nós. A nova aliança é a própria Palavra de Deus escrita em nossos corações; ou seja, dentro de nós. Na velha aliança, a lei está em tábuas de pedra; na nova aliança, a lei está em tábuas de carne.

Ray Stedman está correto quando diz que a velha aliança se relaciona com pedras, com coisas; a nova se relaciona com corações, com pessoas.[141] Na velha aliança, esforçamo-nos para fazer o melhor para Deus; na nova aliança, Deus faz tudo por nós. Ele tira nosso coração de pedra e nos dá um coração de carne. Deus mesmo muda o nosso interior, escreve sua lei em nossos corações e nos capacita a obedecê-la. Ele mesmo opera em nós tanto o querer quanto o realizar (Fp 2:13).

Em segundo lugar, *ministério da morte e ministério do Espírito* (3:7,8). A velha aliança, gravada com letras em pedra é chamada por Paulo de ministério da morte. Isso porque a lei revela o pecado, mas não o tira. A lei condena, mas não absolve.

O problema não é a lei. Ela é santa, justa e boa (Rm 7:12,14). Contudo, o homem é rendido ao pecado, é escravo do pecado e não pode satisfazer as demandas da lei. A lei é inflexível em não inocenta o culpado (Êx 34:7). Segundo a lei, a alma que pecar, essa morrerá (Ez 18:4).

Fritz Rienecker está certo quando diz que a lei exige perfeita obediência e pronuncia a sentença de morte para o desobediente.[142] Em Romanos 7:10, o apóstolo Paulo diz: "E o mandamento que me fora para vida, verifiquei que este mesmo se me tornou para morte". Embora Levítico 18:5 possa prometer vida a quem guardar a lei, Paulo sabia que ninguém conseguiria guardá-la, e que a lei só poderia pronunciar um veredicto de morte sobre o transgressor.[143]

Warren Wiersbe comentando o texto em apreço esclarece que em sua epístola aos Gálatas, Paulo ressalta as deficiências da lei: ela não é capaz de justificar o pecador (Gl 2:16), não tem poder de conceder o Espírito Santo (Gl 3:2), de dar uma herança (Gl 3:18), de dar vida (Gl 3:21) nem de dar liberdade (Rm 4:8-10). A glória da lei é, na verdade, a glória de um ministério de morte.[144]

Colin Kruse interpreta esta expressão: "[...] porque a letra mata [...]" (3:6), dizendo que o código escrito (a lei) mata quando usada de modo impróprio, isto é, como um sistema de regras que devem ser observadas a fim de estabelecer a autorretidão do indivíduo (Rm 3:20; 10-14). Usar a lei dessa forma inevitavelmente conduz à morte, visto que ninguém pode satisfazer às suas exigências e, portanto, todos ficam sob sua condenação. O ministério do Espírito é completamente diferente. É o ministério sob a nova aliança, sob a qual os pecados são perdoados para nunca mais serem lembrados, e as pessoas são motivadas e capacitadas pelo Espírito a fim de realizar aquilo que a aplicação imprópria da lei jamais poderia conseguir (Jr 31:31-34; Ez 36:25-27; Rm 8:3,4).[145]

O ministério do Espírito traz vida, porque na nova aliança o pecador é substituído por Cristo, e, em Cristo, ele recebe o perdão de seus pecados. O Filho de Deus veio ao mundo como nosso representante e fiador. Quando ele foi à cruz, Deus lançou sobre ele a iniquidade de todos nós (Is 53:6). Ele foi feito pecado por nós (2Co 5:21) e maldição por nós (Gl 3:13). Ele foi ferido e traspassado pelas nossas transgressões. Quando estava suspenso entre a terra e o céu, o próprio sol cobriu o seu rosto e houve trevas sobre a terra. Nem mesmo o Pai pôde ampará-lo. Naquele momento, ele bebeu sozinho todo o cálice da ira de Deus contra o pecado. Então, vitoriosamente pegou o escrito de dívida que era contra nós, rasgou-o, anulou-o, encravou-o na cruz e bradou: "Está consumado" (Jo 19:30)! Cristo morreu a nossa morte, para vivermos sua vida. Pela morte de Cristo temos vida abundante e eterna. O ministério do Espírito é aplicar em nós os benefícios da redenção de Cristo.

Em terceiro lugar, *o ministério da condenação e o ministério da justiça* (3:9,10). A velha aliança aponta a culpa e lavra a condenação. O problema, obviamente, não é a lei. Ela é santa, justa, boa e espiritual, mas a carne é fraca, doente e impotente (Rm 8:3). Uma vez que o homem não consegue guardar a lei, ela o condena. A lei exige perfeição absoluta. Se tropeçarmos num único ponto da lei, seremos considerados culpados por toda ela (Tg 2:10). Isso porque a lei exige perfeição absoluta. A Bíblia diz que maldito é aquele que não perseverar em toda a obra da lei para cumpri-la (Gl 3:10).

A nova aliança é o ministério da justiça porque o pecador é justificado por meio do sangue de Cristo (Rm 3:21-26). A justificação é um ato legal, forense e judicial. Cristo, como nosso substituto, paga a nossa dívida, sofre em seu corpo o castigo do nosso pecado e morre em nosso lugar. Não apenas paga nossa dívida, dando-nos o perdão, mas também põe em nossa conta sua infinita justiça de tal maneira que já nenhuma condenação há para aqueles que estão em Cristo (Rm 8:1). Frank Carver está correto quando diz que a justiça sobre a qual Paulo baseia a superioridade do seu ministério é "a justiça de Deus" revelada no "evangelho de Cristo" (Rm 1:16,17).[146]

Em quarto lugar, *o desvanecente e o permanente* (3:11). A glória do velho pacto foi desvanecedora e transitória. Colin Kruse está correto quando afirma que Paulo não deixa a implicação de que a própria lei estava se desvanecendo; o ministério da lei é que estava se desvanecendo. A lei como expressão da vontade de Deus para a conduta humana ainda é válida. De fato, Paulo diz que o propósito de Deus ao inaugurar a nova aliança do Espírito era exatamente este: que as exigências justas da lei pudessem ser cumpridas nas pessoas que andam segundo o Espírito (Rm 8:4). Entretanto, o tempo do ministério da lei chegou ao fim.[147]

A lei nos serviu de aio para nos conduzir a Cristo, a fim de que fôssemos justificados por fé (Gl 3:24). O fim da lei é Cristo (Rm 10:4). A lei aponta o pecado, mas não o remove. A lei é como uma lanterna. Ela clareia o caminho, mas não tira os obstáculos do caminho. A lei é como um prumo, que identifica a sinuosidade de uma parede, mas não a endireita. A lei é como um raio X que detecta um tumor, mas não o remove. A lei é como um telefonista, que ao pôr-nos em contato com a pessoa certa se retira de cena. A lei é transitória. Sua glória é desvanecedora. Quando nasce o sol, não precisamos mais ficar com a lamparina acesa.

Paulo diz que a velha aliança é como o brilho no rosto de Moisés. Essa glória foi desvanecedora, pois o brilho do seu rosto apagou. A lei teve uma glória, mas uma glória desvanecedora. O brilho no rosto de Cristo, porém, é permanente, e esse brilho representa a nova aliança, uma aliança permanente e mais revestida de glória.

Na nova aliança a força para uma vida vitoriosa não vem da terra, mas do céu; não vem de dentro, mas do alto; não vem do homem, mas de Deus. Ray Stedman ilustra essa verdade dizendo que se vivermos pelos nossos próprios recursos e não pela vida de Jesus em nós, então seremos como um homem que compra um carro, mas não sabe que ele já vem com motor. Esse homem empurrará o carro até em casa. Ele chega à sua casa com esse lindo automóvel e mostra para sua família seu belo *design*, sua pintura cromada e seu estofamento de couro. No dia seguinte, ele põe a família dentro do carro e sai empurrando-o rua afora. Busca novas informações sobre formas mais dinâmicas de empurrar o carro com mais eficiência. Participa de conferências especializadas na arte de empurrar carros. Até que um dia, alguém lhe diz que seu carro tem um motor e que ele não precisa mais fazer força. Toda a energia para o funcionamento vem não de seus braços, mas do motor.[148] Há muitas pessoas, ainda hoje, como esse homem. Querem empurrar o carro na força do braço. Querem viver na carne. Ainda estão presos à velha aliança com suas leis, ritos e cerimônias. Cristo nos libertou da lei. Agora, o poder não vem de nós, mas de Deus!

A ousadia daqueles que vivem na nova aliança (3:12,13)

Viver na nova aliança é viver com ousadia (3:12), pois é viver confiado a Deus, e não a nós mesmos. É viver na força do onipotente, e não estribado em nossas fraquezas.

Paulo aplica por contraste e diz: "E não somos como Moisés, que punha véu sobre a face, para que os filhos de Israel não atentassem na terminação do que se desvanecia" (3:12). Moisés era um homem ousado. Enfrentou com uma vara o homem mais poderoso do mundo: o rei do Egito. Moisés foi criado no palácio do faraó. Foi educado como príncipe. Era um homem de cultura invulgar e de personalidade prismática. Mas quis libertar seu povo do cativeiro usando violência. Quis fazer a coisa certa da forma errada. A valentia foi substituída pelo medo, e ele fugiu para o deserto. Durante quarenta anos viveu nas montanhas do Sinai, cuidando de ovelhas. Saiu do palácio para o deserto. Deixou os tapetes aveludados dos palácios para pisar nas pedras e areias escaldantes das montanhas escarpadas do Sinai. Trocou a erudição das ciências do Egito pelas agruras do campo, enfrentando o calor sufocante do dia e o frio gélido das noites do deserto. Deixou as glórias do Egito para abraçar o anonimato da vida pastoril. Desistiu dos sonhos de ser o libertador do seu povo para ser pastor de ovelhas.

Embora Moisés tivesse desistido de seus sonhos, Deus não desistiu de Moisés. O deserto não era a estrada da fuga, mas o campo de treinamento. Moisés passara quarenta anos na Universidade do Egito aprendendo a ser alguém; e agora, mais quarenta anos no deserto aprendendo a ser ninguém. Os livros foram substituídos pelo cajado. As carruagens pelo bordão de pastor. As glórias do palácio pelas ovelhas. As pirâmides do Egito pelas montanhas alcantiladas do Sinai.

Nesse tempo, Deus estava em silêncio, mas não inativo. Moisés tinha se esquecido dos gemidos do povo, mas Deus estava atento ao seu clamor. Moisés tinha virado a página do seu passado e desistido de ver o seu povo liberto, mas Deus mantinha o seu olhar tanto em Moisés quanto na aflição de seu povo. Finalmente, Deus chama Moisés no Sinai e o conclama para ser o libertador do seu povo. Fala-lhe milagrosamente na sarça ardente. Revela-lhe seu poder. Moisés tenta fugir da tarefa. Dá várias desculpas. Mas o chamado de Deus é irresistível. Nesses últimos quarenta anos de sua vida, Moisés aprendeu que Deus é todo-poderoso.

Moisés voltou ao Egito e enfrentou com ousadia o maior monarca e o maior império do mundo. Desafiou as divindades do Egito e tirou de lá o povo de Deus. Moisés viu o mar Vermelho transformando-se em estrada seca para o seu povo e em cemitério para os seus inimigos. Presenciou fontes amargas transformarem-se em água doce. Enxergou água brotando da rocha, e o maná caindo do céu. Tornou-se um líder forte.

Mas houve um momento em que Moisés não foi ousado. Ele temeu. E quando ele temeu? Foi quando desceu do Sinai. Passou quarenta dias diante do Senhor no cume do monte. Deus se revelou a ele. O monte tremeu pela manifestação da glória de Deus. Ele recebeu das mãos do Senhor as tábuas da lei com os dez mandamentos. Foi um tempo glorioso na vida de Moisés. Ninguém antes dele vira coisas tão estupendas. Quando desceu do monte o seu rosto estava brilhando. O fulgor da glória de Deus resplandecia em sua face. A *shekiná* de Deus estava estampada em sua face. Ninguém podia olhar para ele por causa do intenso brilho de sua face. Então, Moisés colocou um véu sobre o rosto para que as pessoas pudessem se aproximar dele sem terem seus olhos toldados pela glória. Havia um fulgor divino resplandecendo em sua face. Contudo, com o tempo, o brilho do rosto de Moisés foi desvanecendo e acabando. Mas Moisés não tirou o véu. Ele não queria que as pessoas soubessem que a manifestação da glória tinha sido transitória e que o seu rosto não brilhava mais. Moisés temeu que percebessem ter-se apagado o brilho da sua face e continuou com o véu quando não mais precisava dele. O apóstolo disse que nesse momento, Moisés não foi ousado (3:12,13).[149]

O véu disfarça, esconde e separa. Muitas vezes, nós também tentamos esconder nosso fracasso espiritual, usando muitas máscaras. A vida cristã deve ser um contínuo remover de máscaras. Assim como Moisés escondeu sua glória apagada atrás de um véu, assim também escondemos quem nós somos atrás de muitas máscaras. Que máscaras são essas?

Em primeiro lugar, *a máscara do legalismo*. Os fariseus puseram a máscara do legalismo e o véu do orgulho, da ortodoxia, da pureza e da obediência externa. Mas, Jesus os desmascarou e os chamou de hipócritas, de sepulcros caiados, que honravam a Deus apenas de lábios, enquanto o coração estava longe do Senhor. Os fariseus não tinham coragem de confrontar seus próprios pecados e condenavam na vida dos outros, aquilo que eles mesmos praticavam.

Em segundo lugar, *a máscara da coragem*. O apóstolo Pedro pôs o véu da coragem e da autoconfiança e fracassou. Ele se julgou melhor do que seus condiscípulos. Ele disse que estava pronto a ir com Jesus para a prisão e até para a morte, ainda que todos os demais abandonassem ao Senhor. Porque estava confiado à carne, vivendo na velha aliança, fracassou rotundamente e negou vergonhosamente ao seu Senhor.

Em terceiro lugar, *a máscara da filantropia*. Ananias e Safira, atraídos pelo exemplo de Barnabé e embriagados pelo desejo do aplauso humano, entregaram uma oferta aos pés dos apóstolos e trouxeram o dinheiro nas mãos, mas uma mentira no coração. Eles eram falsos filantropos. O desejo deles não era ajudar os necessitados, mas projetarem a si mesmos. Por isso, foram desmascarados e fulminados pela morte. Eles mentiram ao Espírito Santo e pereceram.

Em quarto lugar, *a máscara da honestidade*. Os irmãos de José do Egito cometeram um crime e o esconderam durante vinte e dois anos. Endureceram o coração, amordaçaram a voz da consciência e viram impassíveis as lágrimas de Jacó. Mas o Deus que dirige a história reverteu aquela situação, e José, que fora vendido como escravo ao Egito, é agora governador. Seus irmãos precisam ir comprar alimento no Egito, e José os reconhece. Confronta-os, mas eles dizem em coro: "Somos homens honestos". Eles podiam ser tudo, menos homens honestos!

Em quinto lugar, *a máscara da duplicidade*. Essa é a máscara da vida dupla. Os outros têm preconceito, nós convicção; os outros são presunçosos, nós temos respeito próprio; os outros são gananciosos, nós procuramos prosperar; os outros são explosivos, nós temos ira santa.

A cegueira dos que vivem na velha aliança (3:14,15)

O apóstolo Paulo aborda dois aspectos importantes aqui.

Em primeiro lugar, *o embotamento dos sentidos* (3:14). "Mas os sentidos deles se embotaram. Pois até o dia de hoje, quando fazem a leitura da antiga aliança, o mesmo véu permanece não lhes sendo revelado que, em Cristo, é removido" (3:14). Os judeus continuavam indo à sinagoga e lendo o Antigo Testamento, porém, não discerniam sua mensagem central. Por que isso acontecia? Porque o diabo cegou o entendimento dos incrédulos para que lhes não resplandeça a luz do evangelho da glória de Cristo, o qual é a imagem de Deus (4:4). Os judeus continuavam religiosos. Eles continuavam fazendo a leitura da antiga aliança, mas não havia discernimento espiritual. Havia um véu cobrindo a percepção deles.

Simon Kistemaker diz que o evangelho lhes foi pregado, mas eles não o aceitaram pela fé (Hb 4:2). Seu modo de pensar tinha se tornado rígido, e seus processos mentais não estavam abertos à Palavra de Deus. O maligno controlava o pensamento deles.[150]

O apóstolo Paulo diz que assim como o véu impedia que os antigos israelitas vissem o brilho da face de Moisés, assim também o mesmo véu permanece, quando os judeus de sua época põem-se a ler o Antigo Testamento. Eles não conseguiam ver que a antiga aliança chegara ao fim, e que a nova aliança havia sido inaugurada.[151]

Em segundo lugar, *o véu sobre o coração* (3:15). "Mas até hoje, quando é lido Moisés, o véu está posto sobre o coração deles" (3:15). Toda a lei e os profetas apontam para Cristo. O fim da lei é Cristo. Mas os judeus leem a lei e não enxergam nela Cristo. Por que razão? Porque há um véu sobre os seus corações. Há uma cortina que impede a entrada da luz nos seus corações.

Simon Kistemaker diz que o véu representa uma recusa em aceitar o cumprimento da revelação de Deus em Jesus Cristo. Os compatriotas de Paulo tinham olhos, mas se recusavam a ver; ouvidos, mas não aceitavam ouvir; e tinham coração fechado. Sempre que as Escrituras eram lidas e explicadas durante os cultos da sinagoga, um véu cobria o entendimento deles.[152]

Frank Carver está certo quando diz que a recepção apropriada da mensagem de Moisés teria preparado o caminho para Cristo (Jo 5:46,47). Mas o véu permanece, uma vez que eles não estavam retornando a Cristo (Rm 9-11). Mas quando alguém se converte a Cristo, esse véu é retirado, da mesma maneira como Moisés removeu o véu do seu rosto na presença do Senhor (Êx 34:34).[153]

A remoção do véu na nova aliança (3:16-18)

Estive algumas vezes na cidade de Londres, na Inglaterra. Um dos lugares que mais gostava de visitar era o Museu Madame Tissot, o museu de cera. Ali tirei várias fotografias ao lado de personalidades de fama mundial. Deixei-me fotografar com a família real, com presidentes, artistas, cantores e grandes estrelas do esporte mundial. Quando mostrei essas fotos aos meus amigos, por um tempo, alguns chegaram a pensar que eu tivera acesso a essas referidas celebridades. Mas aquelas pessoas não eram reais. Os personagens de minhas fotografias eram apenas bonecos de cera.

Muitas vezes, representamos um papel diferente do que somos na vida real. Iguais aos bonecos de cera, nós nos tornamos acessíveis a todos que quiserem se aproximar de nós, mas na vida real somos muito sofisticados e não abertos à aproximação. A única maneira, portanto, de viver de forma autêntica é remover as máscaras. Para fazer isso, precisamos desistir de reunir os nossos melhores esforços para tentar agradar a Deus. Precisamos desistir de viver na antiga aliança. Precisamos entender que tudo provém de Deus. Dele vem a nossa suficiência (3:4,5). O poder para viver uma vida íntegra vem de Deus, e não de nós.

Paulo conclui essa exposição da maneira gloriosa. Ele trata de três temas esplêndidos.

Em primeiro lugar, *o véu é removido pela conversão a Cristo* (3:16). "Quando, porém, algum deles se converte ao Senhor, o véu lhe é retirado" (3:16). Pela conversão, as escamas caem dos olhos, o véu é removido do coração, e a luz da verdade penetra na alma. A conversão é uma transferência das trevas para a luz, da escravidão para a liberdade, da morte para a vida, da potestade de Satanás para Deus, do reino das trevas para o reino de Cristo. Na conversão recebemos um novo nome, uma nova mente, uma nova vida, novos hábitos, novos gostos, novas preferências, novas inclinações, novos anseios. Na conversão morremos para o mundo, para o pecado, para a carne e ressuscitamos para uma nova vida em Cristo.

Na conversão nos tornamos filhos de Deus por adoção e por geração. Nascemos de cima, do alto, do Espírito. Ele nos torna coparticipantes da natureza divina. Na verdade, na conversão nos despojamos das roupagens do velho homem e nos revestimos de Cristo. Assim, as máscaras do engano, da mentira, da falsidade, da hipocrisia, da justiça própria e da dureza de coração que enchiam o guarda-roupa do velho homem não são mais compatíveis com a nova vida que recebemos em Cristo Jesus.

Viver em Cristo é viver na verdade, na luz, é viver sem máscaras.

Em segundo lugar, *a liberdade é alcançada pelo Espírito Santo* (3:17). "Ora, o Senhor é o Espírito; e, onde está o Espírito do Senhor, aí há liberdade" (3:17). A velha aliança traz escravidão, mas a nova aliança produz liberdade. A

A superioridade da nova aliança

velha aliança gesta o medo, mas a nova aliança produz ousadia. A velha aliança nos leva a pôr máscaras, a nova aliança é uma remoção dessas máscaras.

Colin Kruse diz que sob a nova aliança, em que o Espírito é a força operacional, há liberdade. Sob a antiga aliança, em que reina a lei, há escravidão.[154] A liberdade da lei concretizada pela presença vivificadora do Espírito Santo abrange a libertação do pecado (Rm 6:6,7), da morte (Rm 6:21-23; 7:10,11) e da condenação (Rm 8:1).[155]

O Espírito Santo nos liberta da tola ideia de viver de aparências. Quando vivemos no Espírito temos a liberdade de viver uma vida autêntica. Quando andamos no Espírito desistimos das desculpas infundadas para esconder ou justificar nossos pecados.

Esse versículo tem sido usado, muitas vezes, fora do seu contexto para justificar todo tipo de excessos litúrgicos na igreja, dizendo que temos a liberdade do Espírito para fazermos no culto o que achamos melhor. Isso é um engano. A liberdade que o Espírito nos dá não é para torcermos as Escrituras nem para vivermos ao arrepio da sua lei, mas para vivermos vitoriosamente sobre o pecado. Na nova aliança há liberdade porque já não há memória de pecados (Rm 4:6-8), e nenhuma condenação para o pecador (Rm 8:1). O Espírito mesmo dá testemunho com o nosso espírito de que somos filhos de Deus (Rm 8:15,16), e mediante o andar no Espírito, as exigências justas da lei são satisfeitas em nós (Rm 8:3,4).[156]

James Hastings diz que liberdade não é licença para viver de qualquer maneira. Há dois tipos de liberdade: a falsa liberdade é aquela que o homem é livre para fazer o que quer; a verdadeira é aquela que o homem é livre para fazer o que deve.[157] Existe uma grande diferença entre "não pode" e o "pode não". Uma pessoa livre pode todas as coisas, mas ele pode não. Uma pessoa escrava não pode. Ele não pode deixar de fumar, de beber, de usar drogas, de mentir. Ele é escravo do pecado. A verdadeira liberdade é plena oportunidade de o homem fazer o melhor. A liberdade consiste não em se recusar a reconhecer o que está sobre nós, mas em respeitar o que está sobre nós. Cristo era plenamente livre, mas estava sujeito à vontade do Pai.

Onde está o Espírito do Senhor aí há liberdade e em nenhum outro lugar. Onde está o Espírito Santo é a esfera da liberdade. A presença do Espírito é uma realidade nos cristãos. Por isso, somente estes são verdadeiramente livres. O cristianismo tem o monopólio da verdadeira liberdade.[158]

O Espírito de Cristo oferece liberdade na esfera do pensamento, da conduta e da vontade. Jesus disse: "E conhecereis a verdade, e a verdade vos libertará" (Jo 8:32). Quem vive na nova aliança tem uma nova mente, uma nova vida e novos anseios.

Em terceiro lugar, *a transformação progressiva na imagem de Cristo* (3:18). "E todos nós, com o rosto desvendado, contemplando, como por espelho, a glória do Senhor, somos transformados, de glória em glória, na sua própria imagem, como pelo Senhor, o Espírito" (3:18). Esse versículo é o ponto culminante do capítulo. Na velha aliança, colhemos escravidão, morte e condenação, mas na nova aliança somos convertidos, libertos e transformados progressivamente na imagem de Cristo. O véu é retirado do coração não apenas no ato da conversão, mas o processo da santificação é um contínuo remover de máscaras.

Deus não apenas nos destinou para a glória, mas está empenhado em nos transformar à imagem do Rei da glória (Rm 8:29). O projeto eterno de Deus é nos transformar à imagem de Cristo e esculpir em nós o caráter de Cristo. O plano de Deus é que aqueles que foram convertidos a Cristo e foram libertos pelo Espírito Santo alcancem o pleno conhecimento do Filho de Deus, à perfeita varonilidade, à medida da estatura da plenitude de Cristo (Ef 4:13).

Warren Wiersbe diz que sob a antiga aliança somente Moisés subiu ao monte e teve comunhão com Deus; mas sob a nova aliança todos os cristãos têm o privilégio de desfrutar a comunhão com o Senhor. Por meio de Cristo, podemos entrar no Santo dos Santos (Hb 10:19,20); e não precisamos escalar uma montanha.[159]

Colin Kruse diz que a transformação na imagem do Senhor não acontece num certo ponto do tempo, mas trata-se de um processo contínuo. O verbo *metamorphoumetha*, "transformados", está no tempo presente, indicando a natureza contínua dessa transformação, enquanto as palavras "de glória em glória" enfatizam sua natureza progressiva.[160] Ainda Warren Wiersbe diz que essa palavra grega descreve uma mudança exterior resultante de um processo interior. A lei pode nos levar a Cristo (Gl 3:24), mas somente a graça pode nos tornar semelhantes a Cristo.[161]

NOTAS

[135] CARVER, Frank G. *A Segunda Epístola Aos Coríntios*. Em Comentário Bíblico Beacon. Vol. 8. 2006, p. 418.
[136] KISTEMAKER, Simon. *2 Coríntios*. 2005, p. 153,
[137] BARCLAY, William. *I y II Coríntios*. 1973, p. 201.
[138] STEDMAN, Ray. *A dinâmica de uma vida autêntica*. N.d., p. 44.
[139] STEDMAN, Ray. *A dinâmica de uma vida autêntica*. N.d.:p. 43.
[140] BARCLAY, William. *I y II Coríntios*. 1973, p. 205.
[141] STEDMAN, Ray. *A dinâmica da vida espiritual*. N. d., p. 58.
[142] RIENECKER, Fritz e ROGERS Cleon. *Chave Linguística do Novo Testamento Grego*. 1985, p. 340.

[143] KRUSE, Colin. *II Coríntios: Introdução e Comentário*. 1994, p. 102.
[144] WIERSBE, Warren W. *Comentário Bíblico Expositivo*. Vol. 5. 2006: p. 835.
[145] KRUSE, Colin. *II Coríntios: Introdução e Comentário*. 1994, p. 100.
[146] CARVER, Frank G. *A Segunda Epístola aos Coríntios*. Em Comentário Bíblico Beacon. Vol. 8. 2006, p. 419.
[147] KRUSE, Colin. *II Coríntios: Introdução e Comentário*. 1994, p. 103.
[148] STEDMAN, Ray C. *A dinâmica de uma vida autêntica*. N.d., p. 64
[149] LOPES, Hernandes Dias. *Removendo Máscaras*. Editora Hagnos. São Paulo, SP. 2005, p. 20-22
[150] KISTEMAKER, Simon. *2 Coríntios*. 2005, p. 170.
[151] KRUSE, Colin. *II Coríntios: Introdução e Comentário*. 1994, p. 105.
[152] KISTEMAKER, Simon. *2 Coríntios*. 2005, p. 174.
[153] CARVER, Frank G. *A Segunda Epístola aos Coríntios*. Em Comentário Bíblico Beacon. Vol. 8. 2006, p. 420.
[154] KRUSE, Colin. *II Coríntios: Introdução e Comentário*. 1994, p. 106.
[155] CARVER, Frank G.. *A Segunda Epístola aos Coríntios*. Em Comentário Bíblico Beacon. Vol. 8. 2006, p. 421.
[156] KRUSE, Colin. *II Coríntios: Introdução e Comentário*. 1994, p. 107.
[157] HASTINGS, James. *The Great Texts of the Bible on 2 Corinthians and Galatians*. N.d., p. 66.
[158] HASTINGS, James. *The Great Texts of the Bible on 2 Corinthians and Galatians*. N.d., p. 70
[159] WIERSBE, Warren W. *Comentário Bíblico Expositivo*. Vol. 5. 2006, p. 837.
[160] KRUSE, Colin. *II Coríntios: Introdução e Comentário*. 1994, p. 108.
[161] WIERSBE, Warren W. *Comentário Bíblico Expositivo*. Vol. 5. 2006, p. 837.

Capítulo 5

O ministério da nova aliança
(2Coríntios 4:1-18)

Paulo ainda está se defendendo de seus acusadores e, na sua defesa, apresenta o glorioso ministério da nova aliança, o ministério que oferece às pessoas vida, salvação, justificação e tem poder para transformar vidas.

Analisaremos quatro verdades benditas apresentadas pelo apóstolo no texto em tela.

Um evangelho glorioso (4:1-6)

O evangelho não é produto da mente humana, mas da revelação divina. Sua origem está no céu, e não na terra. Sua oferta é graciosa, seu poder é irresistível, sua evidência é luminosa. Destacaremos seis pontos importantes acerca desse evangelho.

Em primeiro lugar, *ele é concedido pela misericórdia divina, e não pelo mérito humano* (4:1). "Pelo que tendo este ministério, segundo a misericórdia que nos foi feita [...]". Paulo foi um implacável perseguidor da Igreja. Respirava ameaça contra os discípulos de Cristo. Ele não buscava a Cristo, mas Cristo o buscou, transformou-o, capacitou-o, comissionou-o e o fez ministro da nova aliança (1Tm 1:12-17).

Paulo queria destruir a igreja, mas tornou-se seu maior bandeirante. Antes da sua conversão, ele assolou a igreja; depois da sua conversão, transformou-se no maior plantador de igrejas. Ele que impôs terríveis sofrimentos aos discípulos de Cristo; sofre, agora, mais do que todos os outros discípulos. Jesus demonstrou a ele misericórdia, não levando em conta suas misérias, mas oferecendo a ele sua graça. A palavra "misericórdia" indica exatamente a remoção apaixonada da miséria.[162]

Em segundo lugar, *ele nos dá forças para enfrentar o sofrimento* (4:1b). "[...] não desfalecemos". A palavra grega *egkakoumen* significa perder a coragem, desfalecer, desanimar. Denota o covarde, o de coração mole.[163] Simon Kistemaker diz que esse verbo não tem que ver com fadiga física, mas com cansaço espiritual.[164] O evangelho é a melhor notícia que já ecoou no mundo, mas também é a que enfrenta a maior resistência e oposição do diabo, do mundo e da carne.

Paulo enfrentou toda sorte de sofrimento: perseguição, rejeição, oposição, abandono, apedrejamento, açoites, prisão, acusação, naufrágio e a própria morte. Mas esses sofrimentos todos, além da preocupação que tinha com todas as igrejas, não puderam demovê-lo nem desencorajá-lo, porque o chamado divino é sempre acompanhado da capacitação divina. Paulo jamais desistiu de pregar. Esse é um privilégio glorioso que os próprios anjos gostariam de ter.

Em terceiro lugar, *ele nos capacita a ser íntegros na pregação* (4:2). "Pelo contrário, rejeitamos as coisas que, por vergonhosas, se ocultam, não andando com astúcia, nem adulterando a palavra de Deus; antes, nos recomendamos à consciência de todo homem, na presença de Deus, pela manifestação da verdade". Concordo com Simon Kistemaker quando diz que Paulo em sua defesa não é combativo, e sim positivo; isto é, ele fala sobre sua situação de vida, não sobre a de seus adversários.[165] Paulo destaca alguns pontos aqui.

O cristão verdadeiro vive na luz. Os falsos obreiros que estavam invadindo a igreja de Corinto e fazendo oposição a Paulo tinham motivações escusas. Eles buscavam a promoção pessoal, e não a glória de Cristo. Eles estavam interessados no dinheiro do povo, e não na salvação do povo. Eles estavam envoltos em densas trevas do engano, e não na refulgente luz da verdade. Eles buscavam resultados, e não fidelidade. Queriam mais os aplausos dos homens do que a aprovação de Deus. Ray Stedman diz que nos dias de Paulo, havia homens que achavam ser necessário produzir resultados visíveis e instantâneos a fim de parecerem bem-sucedidos em seu ministério.[166]

O cristão verdadeiro não usa truques para pregar a Palavra. Os falsos mestres em Corinto estavam usando astúcias e truques para pregar. Eles usavam atrativos enganosos para atrair as pessoas. Esses falsos mestres estavam imitando a astúcia da serpente que enganou Eva no Éden (11:3; 11:14,15; 12:6). A palavra grega *panourgia,* "astúcia", aparece cinco vezes no Novo Testamento[167], sempre com conotação exclusivamente negativa.[168] Os falsos mestres estavam destilando o mesmo veneno da antiga serpente e promovendo de igual forma a morte. Esses falsos mestres astuciosamente usavam manobras psicológicas, táticas para impressionar e apelos emocionais para seduzir as pessoas com sua falsa mensagem.

O cristão verdadeiro não adultera a Palavra para ganhar os ouvintes. O verbo traduzido por "adulterando", *doloo*, no grego, só se encontra aqui no Novo Testamento. É empregado nos papiros a respeito da diluição do vinho com água, o que sugere que Paulo teria em mente a corrupção da Palavra de Deus mediante mistura com ideias estranhas.[169] Os falsos mestres, como mascates espirituais, estavam adulterando a Palavra de Deus, misturando suas ideias heterodoxas ao evangelho, adicionando a palha de seus ritos ao trigo da verdade. Hoje muitos pregadores estão adulterando a Palavra de Deus, pregando ao povo o que ele quer ouvir, e não o que ele precisa ouvir. Diluem a doutrina com a tradição humana, exigem o que Deus não ordena e proíbem o que não rejeita. Ray Stedman diz que adulterar a Palavra de Deus, torcendo o significado dos textos ou fazendo uma aplicação errada da verdade a fim de obter uma aparência de sucesso é o grau mais elevado de desonestidade.[170] Frank Carver está correto quando diz que não era costume de Paulo adulterar sua mensagem com quaisquer acréscimos ou alterações ou mesmo acomodá-la para agradar seus ouvintes, uma vez que a verdade salvadora de Deus não precisa que nada seja acrescentado a ela para que atinja os seus objetivos.[171]

O cristão verdadeiro vive de forma transparente na presença de Deus e dos homens. O contraste entre a prática da astúcia e a recomendação à consciência e entre a Palavra de Deus, que teria sido adulterada, e a verdade pura é muito claro.[172] A vida de Paulo é um mapa aberto. Não tem nada a esconder.

Está pronto a submeter-se ao escrutínio dos homens, uma vez que vive na presença de Deus. Contudo, seu propósito não é apenas receber o aval dos homens, mas ser aprovado por Deus (1Co 4:3,4). O ministério de Paulo tem como alvo "a manifestação da verdade" (4:2b). Concordo com Ray Stedman quando diz que a verdade, tal como revelada em Jesus, é tão universal e essencial à vida humana que não há necessidade de expedientes psicológicos para elevá-la ou torná-la mais eficiente e interessante.[173]

Em quarto lugar, *ele nos adverte acerca de uma terrível oposição* (4:3,4). "Mas, se o nosso evangelho ainda está encoberto, é para os que se perdem que está encoberto, nos quais o deus deste século cegou o entendimento dos incrédulos, para que lhes não resplandeça a luz do evangelho da glória de Cristo, o qual é a imagem de Deus". Se Paulo era um pregador tão fiel da Palavra, por que mais pessoas não criam em sua mensagem?[174] Por que os falsos mestres eram tão bem-sucedidos em granjear convertidos? É porque Satanás cega a mente do pecador, e o ser humano decaído tem mais facilidade em acreditar em mentiras do que em crer na verdade, diz Warren Wiersbe.[175]

Nessa mesma linha de pensamento, Simon Kistemaker diz que os adversários de Paulo acusaram-no de apresentar um evangelho que era encoberto e ineficaz. Com isso, reivindicavam que o evangelho deles era aberto, digno de nota e que estava ganhando muitos seguidores.[176] O problema não está no evangelho, mas sim na mente entenebrecida dos ouvintes. Assim como eles estão cegos para Cristo, Deus permanece oculto para eles.[177] Algumas verdades devem ser destacadas aqui.

O evangelho salva ou condena. O evangelho é o poder de Deus para a salvação não de todos os homens, mas daqueles que creem (Rm 1:16,17). Os que rejeitam o evangelho estão debaixo da condenação do evangelho. Para uns somos cheiro de vida para vida; para outros, aroma de morte para morte (2:15,16). O evangelho tem um poder intrínseco. Ele não depende da resposta dos ouvintes para manifestar-se poderoso.

O diabo interfere na mente dos ouvintes. O diabo é chamado por Paulo de "deus deste século" (4:4). A palavra grega *aion,* "século, era", refere-se a toda aquela massa de pensamentos, opiniões, máximas, especulações, esperanças, impulsos, objetivos, aspirações correntes a qualquer época no mundo.[178]

O diabo não dorme, não tira férias nem descansa. Ele age diuturnamente buscando obstaculizar a obra da evangelização. Ele age não nas emoções, mas na mente. Ele cega não os olhos, mas o entendimento. Ele torna o evangelho ininteligível para os incrédulos e para aqueles que perecem.

Simon Kistemaker diz corretamente que em Corinto muitos se recusavam a aceitar o evangelho, e, para estes, ele permanecia encoberto. A causa disso, porém, não se achava no próprio evangelho, que era suficientemente claro, nem em Cristo, que havia comissionado os apóstolos, mas nos ouvintes que rejeitavam a mensagem de Cristo.[179]

William MacDonald ilustra essa verdade dizendo que em nosso universo físico, o sol está sempre brilhando. Contudo, nem sempre nós o vemos brilhar. A razão disso é que algumas vezes, nuvens densas se interpõem entre nós e o sol. Assim acontece com o evangelho. A luz do evangelho está sempre brilhando. Deus está sempre buscando resplandecer sua luz nos corações dos homens. Mas Satanás põe várias barreiras entre os incrédulos e Deus. Pode ser a nuvem do orgulho, da rebelião, da justiça própria ou centenas de outras coisas.[180]

O diabo ataca os incrédulos com a cegueira espiritual. Assim como os judeus tinham um véu sobre o coração que só era removido pela conversão (3:15,16), assim também, ainda hoje, o diabo que é o príncipe das trevas (Ef 2:2), mantém os incrédulos sob um manto de trevas para que não lhes resplandeça a luz do evangelho da glória de Cristo, o qual é a imagem de Deus. Os que estão perdidos não são capazes de entender a mensagem do evangelho, pois Satanás os mantém em trevas.

Warren Wiersbe diz que o mais triste é que Satanás usa mestres religiosos (como os judaizantes) para enganar as pessoas.[181] Ray Stedman diz que o deus deste século conseguiu acostumar os incrédulos a viver com ilusões. Eles são levados a crer em fantasias e a considerar ilusões como sendo realidades.[182]

Em quinto lugar, *ele nos mantém longe da presunção* (4:5). "Porque não nos pregamos a nós mesmos, mas a Cristo Jesus como Senhor e a nós mesmos como vossos servos, por amor de Jesus". O foco da pregação de Paulo era sobre Cristo e não sobre si mesmo, enquanto os falsos mestres em Corinto estavam pregando a si mesmos, construindo monumentos a si mesmos e promovendo a si mesmos.

Warren Wiersbe diz que os judaizantes gostavam de pregar sobre si mesmos e de se gabar de suas realizações (10:12-18). Não eram servos que tentavam ajudar o povo, mas sim ditadores que exploravam o povo.[183] Paulo, porém, não está numa cruzada de autopromoção para formar um fã clube. Ele não confiava em si mesmo, não promovia a si mesmo nem pregava a si mesmo. Paulo foi chamado para pregar a Cristo como Senhor. Notem que Paulo não foi chamado para pregar a Cristo apenas como um grande mestre. Jesus é o Senhor, e diante dele, todos precisam depor suas armas. Todos precisam se render a ele. Diante dele, todo joelho deve se dobrar.

Aqui Paulo apresenta o conteúdo do evangelho. O Cristo crucificado (1Co 1:21), a quem Deus ressuscitou, é o Senhor soberano diante de quem todo joelho se dobra no céu, na terra e debaixo da terra (Fp 2:8-11). O mensageiro é servo, e não uma celebridade. O pregador não busca holofotes, mas exalta o Senhor. O pregador é servo da igreja, e não dono dela. Ele serve a igreja não porque é escravo das pessoas, mas porque ama a Jesus e está ao seu serviço.

Colin Kruse diz que bem ao contrário da ideia de que, em sua pregação, Paulo promovia a sua própria autoridade e importância, ele diz que se considerava servo daqueles a quem pregava. Paulo reconhecia apenas um Senhor, e era em obediência a ele que servia a humanidade.[184]

Em sexto lugar, *ele nos evidencia um poderoso milagre* (4:6). "Porque Deus, que disse: Das trevas resplandecerá a luz, ele mesmo resplandeceu em nosso coração, para iluminação do conhecimento da glória de Deus, na face de Cristo". As pessoas estão perecendo porque a mente delas está imersa em densas trevas, e essas pessoas estão cegas em seu entendimento. Mas o caso delas não está totalmente perdido, pois Deus pode criar luz das trevas. Assim como Deus, na criação, fez a luz brotar das trevas (Gn 1:2,3), na nova criação, ele tira pecadores do império das trevas e os transporta para o reino do Filho do seu amor (Cl 1:13).

Fritz Rienecker diz que o criador da antiga criação também é o criador da nova.[185] Simon Kistemaker na mesma linha de pensamento diz que Deus dissipa as trevas tanto na criação física como na nova criação; ele elimina a escuridão, na esfera física, por intermédio do sol criado e a escuridão, na esfera espiritual, por intermédio do Filho não-criado.[186] Assim, essa nova obra de Deus é maior que a primeira, pois a criação visível torna-se uma figura da criação moral.[187] Na primeira criação, Deus ordenou à luz que brilhasse. Mas na nova criação, ele mesmo brilhou em nossos corações.[188]

A luz divina raiou em nós, iluminou os olhos da nossa alma e nos arrancou de uma densa escuridão para a luz da vida. Enquanto Satanás cega a mente humana (4:4), Deus ilumina seu coração (4:6). Satanás impede a iluminação, mas Deus a providencia.[189] Foi isso que Deus fez com Paulo no caminho de Damasco. Uma luz mais forte do que o sol em seu fulgor brilhou ao meio-dia e o jogou ao chão (At 9:3,4). Essa luz era a própria manifestação da glória de Deus, na face de Cristo, invadindo o coração trevoso daquele raivoso perseguidor da igreja, fazendo dele o maior apóstolo, o maior missionário, o maior teólogo, o maior plantador de igrejas da história. Henry Foster diz que a glória de Deus é revelada na face de Cristo, é recebida no coração dos crentes e é refletida sobre os homens.[190]

Um tesouro valioso (4:7-12)

O apóstolo Paulo passa da glória da nova criação para a fraqueza do vaso de barro. Passa da grandeza da sua missão à verdadeira miséria da sua fraqueza. Ele está pondo o machado na raiz de toda pretensão humana. Ele está nocauteando a tola ideia do culto à personalidade. O importante não é o obreiro, mas a obra. A glória não está no pregador, mas na pregação. O que é valioso não é o vaso, mas o tesouro que está no vaso. Destaco três importantes verdades nesse texto.

Em primeiro lugar, *uma comparação sugestiva* (4:7). "Temos, porém, este tesouro em vasos de barro, para que a excelência do poder seja de Deus e não de nós". A palavra grega *thesauros*, "tesouro", refere-se àquilo que é valioso e muito caro, enquanto *ostrakinos*, "vasos de barro", fala da cerâmica, aquilo que é feito de barro. A cerâmica coríntia era famosa no mundo antigo, e Paulo pode ter se referido às pequenas lamparinas de barro que eram baratas e frágeis ou, então, a vasos ou urnas de cerâmica. A ideia é de que o tesouro valioso é contido em recipientes frágeis e sem valor.[191]

Colin Kruse diz que os vasos de barro eram artigos encontrados virtualmente em todos os lares do antigo Oriente Médio. Eram baratos e quebravam com facilidade. Eram de baixo custo e de baixo valor intrínseco.[192]

Paulo compara e contrasta o evangelista com o evangelho; o pregador, com a pregação. O foco não deve estar no instrumento que prega a mensagem, mas no conteúdo da mensagem. O homem é apenas um vaso de barro, frágil, quebradiço e barato. Seu valor não é intrínseco. Mas dentro desse vaso existe um tesouro de inestimável valor. Esse tesouro é o evangelho. O vaso é perecível, mas o evangelho é indefectível. O vaso é frágil, mas o evangelho é poderoso. O vaso não tem beleza em si mesmo, mas o evangelho traz o fulgor da glória de Deus na face de Cristo. O vaso se quebra e precisa ser substituído, mas o evangelho é eterno e jamais pode ser mudado.

William MacDonald, citando John Jowett, diz que há alguma coisa muito errada quando o vaso rouba o tesouro de sua glória, quando o mostruário chama mais atenção do que a joia que ele exibe. Há uma perversa ênfase quando a pintura recebe atenção secundária; e a moldura, atenção principal; quando os talheres de uma mesa ganham mais destaque do que a própria refeição. Há alguma coisa mortal no culto cristão quando "a excelência do poder" é nossa, e não de Deus. Esse tipo de excelência é extremamente débil e secará rapidamente como a erva.[193]

A fraqueza do vaso ressalta a excelência do poder de Deus. Deus é glorificado por meio de vasos frágeis, diz Warren Wiersbe.[194] Por isso, o vaso não pode se orgulhar por ser portador de um tesouro. A glória não está no vaso, mas no tesouro. É preciso concentrar-se no tesouro, não no vaso. Paulo não temia o sofrimento nem as tribulações, pois sabia que Deus guardava o vaso, enquanto este guardasse o tesouro.[195]

Todo vaso tem um propósito, uma finalidade e uma função. Ele é feito para conter algo e para transportar algo. Paulo foi escolhido por Jesus, como vaso, para levar seu nome aos gentios (At 9:15). Precisamos ser vasos de honra, úteis e preparados para toda boa obra (2Tm 2:21). Warren Wiersbe diz corretamente que somos vasos para que Deus nos use. Somos vasos de barro para que possamos depender do poder de Deus, não de nossas forças.[196]

Em segundo lugar, *um contraste profundo* (4:8,9). "Em tudo somos atribulados, porém não angustiados; perplexos, porém não desanimados; perseguidos, porém não desamparados; abatidos, porém não destruídos". Colin Kruse diz que o princípio geral enunciado no versículo 7 é ilustrado aqui numa série de quatro declarações paradoxais. Elas refletem, de um lado, a vulnerabilidade de Paulo e de seus companheiros, e, de outro lado, o poder de Deus que os sustenta.[197]

Não há ministério indolor. A vida cristã não é uma estufa espiritual nem uma sala *vip*. Ser cristão não é pisar tapetes aveludados, mas cruzar desertos abrasadores. Ser cristão não é ser aplaudido pelos homens, mas carregar no corpo as marcas de Jesus. Paulo faz aqui quatro contrastes.

Atribulados, mas não angustiados (4:8). A palavra grega *thlibómenoi*, "atribulados", significa afligir, sujeitar a pressões ou aquilo que oprime o espírito, enquanto a palavra *stenochoroumenoi,* "angustiados", traz a ideia de comprimir em lugar apertado. Tem que ver com o aperto de uma pequena sala, de um espaço confinado, e, daí, a dor que é sua ocasião.[198]

A tribulação é uma prova externa, enquanto a angústia é um sentimento interno. A tribulação produz angústia (Sl 116:3), mas Paulo mesmo enfrentando circunstâncias tão adversas era fortalecido pelo Senhor. Quais as tribulações que Paulo enfrentou? Ele foi perseguido em Damasco, rejeitado em Jerusalém, esquecido em Tarso, apedrejado em Listra, açoitado em Filipos, escorraçado de Tessalônica e Bereia, chamado de tagarela em Atenas, de impostor em Corinto. Enfrentou feras em Éfeso, foi preso em Jerusalém, acusado em Cesareia, enfrentou um naufrágio a caminho de Roma e foi picado por uma cobra em Malta. Sofreu prisões, açoites, apedrejamento, fome, frio e pressão de todos os lados. Contudo, Deus o assistiu não o deixando sucumbir diante de tantas adversidades.

Perplexos, mas não desanimados (4:8). A perplexidade é uma encruzilhada mental que nos exige uma decisão pronta e imediata. A palavra grega *aporoumenoi,* "perplexos", significa estar em dúvida, estar perplexo. Nos papiros era usada para alguém arruinado pelos seus credores e que contemplava seu fim, enquanto a palavra *exaporoumenoi,* "desanimados", significa estar completamente perplexo ou em desespero. Essa palavra descreve o desespero em seu estado final.[199]

Perseguidos, mas não desamparados (4:9). A palavra grega *diokomenoi*, "perseguidos", traz a ideia de perseguir e caçar como a um animal, enquanto a palavra *egkataleipómenoi*, "desamparados", significa desertar, abandonar alguém em dificuldades.[200] Paulo se descreve como um fugitivo caçado por seus adversários, contudo, na última hora Deus lhe dava um escape.[201] Paulo sofreu duras perseguições desde o começo de sua conversão até o último dia da sua vida na terra. Não teve folga nem alívio. Foi perseguido pelos judeus e pelos gentios, pelo poder religioso e pelo poder civil. No entanto, jamais se sentiu desamparado. Quando foi apedrejado em Listra, levantou-se para prosseguir o projeto missionário. Quando foi preso em Filipos, cantou e orou à meia-noite. Quando foi preso em Jerusalém, deu testemunho diante do Sinédrio. Quando foi levado para Roma como prisioneiro de Cristo, testemunhou ousadamente aos membros da guarda pretoriana. Mesmo quando ficou só em sua primeira defesa, em Roma, foi assistido pelo Senhor (2Tm 4:16-18).

Abatidos, mas não destruídos (4:9). A palavra grega *kataballómenoi*, "abatidos", significa lançar abaixo, derrubar violentamente. A palavra era usada para falar da derrubada de um oponente na luta ou de derrubar uma pessoa com a espada ou qualquer outra arma. Já a palavra *apollúmenoi*, "destruídos", significa destruir e perecer.[202] Paulo enfrentou circunstâncias desesperadoras, acima de suas forças (1:8). Foi acusado, perseguido, açoitado, aprisionado, mas jamais sucumbiu. Mesmo quando foi levado à guilhotina romana e teve seu pescoço decepado pelo verdugo, não foi destruído (2Tm 4:17,18), porque sabia que sua morte não era uma derrota, mas uma vitória, uma vez que morrer é lucro, é deixar o corpo e habitar com o Senhor, o que é incomparavelmente melhor.

Ray Stedman, trazendo essas verdades para os nossos dias, diz que esse texto pode se aplicar aos duros, rudes e esmagadores golpes que parecem vir do nada sobre a nossa vida, como um câncer, um acidente fatal, um ataque cardíaco, uma guerra medonha, um terremoto avassalador. Pelo poder de Deus, porém, somos capacitamos e, então, reagimos de forma transcendental a fim de que Deus seja glorificado, e as pessoas sejam impactadas pelo nosso testemunho.[203]

Em terceiro lugar, *uma identificação bendita* (4:10-12). "Levando sempre no corpo o morrer de Jesus, para que também a sua vida se manifeste em nosso corpo. Porque nós, que vivemos, somos sempre entregues à morte por causa de Jesus, para que também a vida de Jesus se manifeste em nossa carne mortal. De modo que, em nós operava a morte, mas, em vós, a vida". Assim como se deve concentrar no tesouro, não no vaso, também se deve concentrar no Mestre, não no servo. Se sofremos, é por amor a Jesus. Se morremos para nosso ego, é para que a vida de Cristo seja revelada em nós. Se passamos por tribulações, é para que Cristo seja glorificado. Ao servir a Cristo, a morte opera em nós, mas a vida opera naqueles para os quais ministramos.[204]

Concordo com Warren Wiersbe quando diz que a prova do verdadeiro ministério não está em suas condecorações, mas, sim, em suas escoriações. "Quanto ao mais, ninguém me moleste; porque eu trago no corpo as marcas de Jesus" (Gl 6:17).[205]

Uma fé vitoriosa (4:13-15)

O apóstolo Paulo destaca três verdades benditas acerca da fé vitoriosa.

Em primeiro lugar, *está baseada na revelação divina* (4:13). "Tendo, porém, o mesmo espírito da fé, como está escrito: Eu cri; por isso, é que falei. Também nós cremos; por isso, também falamos". Paulo fundamenta sua fé não na sua subjetividade nem mesmo nas suas ricas experiências, mas na eterna Palavra de Deus. O fundamento da sua fé não é uma experiência subjetiva, mas a revelação objetiva. Ele cita o salmo 116 para firmar sua fé. Ele está plantado na rocha da verdade. Suas âncoras estão firmadas nas Escrituras.

Em segundo lugar, *está fundamentada na ressurreição do corpo* (4:14). "Sabendo que aquele que ressuscitou o Senhor Jesus também nos ressuscitará com Jesus e nos apresentará convosco". A maior prova da suprema grandeza do poder de Deus, apresentada pelo apóstolo Paulo, é a ressurreição de Cristo (Ef 1:19,20). Esse mesmo poder será aplicado também a nós, quando Deus, na segunda vinda de Cristo, levantará o nosso corpo da morte (Jo 5:28,29). Essa certeza de fé nos encoraja a enfrentar as lutas. A morte não tem mais a última palavra (1Co 15:54,55). Ela já foi vencida. Receberemos um corpo imortal, incorruptível, poderoso, glorioso, espiritual e celestial, semelhante ao corpo da glória de Cristo. Brilharemos como o sol no firmamento.

A ressurreição de Cristo é um conforto na aflição. O fato é certo; Cristo levantou-se da morte pelo poder de Deus. A inferência é justa; Deus nos ressuscitará e nos apresentará em glória. A conclusão é inevitável; Deus nos libertará de todas as nossas aflições. Ele tem todo o poder e já se comprometeu a fazer isso. O dever é óbvio; devemos sofrer pacientemente.[206]

Em terceiro lugar, *está direcionada para a glória de Deus* (4:15). "Porque todas as coisas existem por amor de vós, para que a graça, multiplicando-se, torne abundantes as ações de graças por meio de muitos, para a glória de Deus".

O propósito final da nossa existência, do nosso trabalho, do nosso sofrimento e da própria igreja é a glória de Deus. O centro de todas as coisas não é o homem, mas Deus. O fim principal do homem não é buscar sua própria glória, mas glorificar a Deus e gozá-lo para sempre. Warren Wiersbe diz corretamente que tudo que começa com a graça conduz à glória.[207]

Uma convicção maravilhosa (4:16-18)

Paulo prossegue em seu argumento. Em 2 Coríntios 4:1, ele afirma que não desanima porque percebe a grandeza do ministério que lhe fora confiado. Em 4:16-18, ele diz que não desanima porque, embora as aflições afetem o seu corpo, o seu espírito se renova a cada dia.[208] Paulo fala agora sobre três contrastes que enaltecem sua maravilhosa convicção.

Em primeiro lugar, *corpo fraco, espírito renovado* (4:16). "Por isso, não desanimamos; pelo contrário, mesmo que o nosso homem exterior se corrompa, contudo, o nosso homem interior se renova de dia em dia". O nosso homem exterior é o nosso corpo; o nosso homem interior é o nosso espírito. O corpo fica cansado, doente e envelhecido, mas o espírito mais maduro, mais forte, mais renovado. O corpo enfraquece, mas o espírito renova-se. O tempo vai esculpindo em nossa face rugas profundas. Cada fio branco de cabelo em nossa cabeça é a morte nos chamando para um duelo. Os nossos olhos ficam embaçados, as nossas pernas ficam bambas, os nossos joelhos ficam trôpegos e as nossas mãos ficam descaídas. Mas não há rugas em nosso espírito. Não há fraqueza em nossa alma. Enquanto o homem exterior se corrompe, o nosso homem interior se renova.

Enquanto o homem exterior está perdendo a batalha, o homem interior está crescendo em direção à luz, aumentando em força e beleza. A lei do pecado e da morte está destruindo o corpo; a lei do Espírito de vida em Cristo Jesus está renovando o espírito.[209]

Os dois verbos (corromper e renovar) estão no presente, indicando um processo contínuo. Na mesma proporção que o corpo se enfraquece, o espírito se fortalece. Enquanto um caminha para a morte, o outro deslancha em direção da vida plena. William Barclay diz que os mesmos sofrimentos que podem debilitar o corpo do homem, fortalecem as fibras da sua alma.[210] Certa feita, um pastor foi visitar um crente piedoso no seu leito de morte. Perguntou-lhe: "Como você vai irmão?". Ele respondeu: "Eu estou indo muito bem. A casa onde moro está desmoronando, mas já estou de malas prontas para me mudar para uma mansão, casa não feita por mãos, eterna nos céus".

Em segundo lugar, *presente doloroso, futuro glorioso* (4:17). "Porque a nossa leve e momentânea tribulação produz para nós eterno peso de glória, acima de toda comparação". As aflições são pesadas e contínuas, mas vistas sob a perspectiva da eternidade são leves e momentâneas. James Hastings diz que as aflições são precursoras da glória.[211]

No presente enfrentamos tribulação, mas no futuro estaremos na glória. Agora, há choro e dor, mas, então, Deus enxugará dos nossos olhos toda lágrima. Agora, a dor esmaga nosso corpo, aperta nosso peito e nos tira o fôlego, mas então, a dor não mais existirá. Agora gememos sob o peso da tribulação, mas, então, entraremos no gozo do Senhor. A tribulação por mais pesada e constante posta sob a ótica da eternidade torna-se leve e momentânea. Essa glória supera o sofrimento, tanto em intensidade quanto em duração, acima de toda comparação, diz Frank Carver.[212] Deus não desperdiça sofrimento na vida de seus filhos. Ele nunca fica em dívida com ninguém. Os sofrimentos do tempo presente não são para ser comparados com as glórias por vir a ser reveladas em nós (Rm 8:18).

Certamente as tribulações de Paulo não foram leves nem momentâneas (1:8,9; 2:4; 4:8,9; 6:4-10; 11:24-27). Ele, porém, as viu como leves e momentâneas. Viu-as como aliadas, e não como adversárias. Paulo diz que as tribulações longe de nos destruir, cooperam para o nosso bem, pois elas produzem para nós um eterno peso de glória, acima de toda comparação.

Em terceiro lugar, *coisas visíveis temporais, coisas invisíveis eternas* (4:18). "Não atentando nós nas coisas que se veem, mas nas que se não veem; porque as que se veem são temporais, e as que se não veem são eternas". As coisas reais são as invisíveis. Essas são permanentes e eternas. Não vivemos pelo que vemos, mas pela fé, e a fé é a certeza de que nossa cidade permanente não é daqui. A fé é a convicção de que a nossa Pátria está no céu.

A fé não se apega às glórias do mundo porque vê um mundo invisível superior a este. Foi por isso que Abraão não se encantou com a planície de Sodoma, porque via uma cidade superior. A Palavra de Deus diz: "Pela fé [Abraão], peregrinou na terra da promessa como em terra alheia, habitando em tendas com Isaque e Jacó, herdeiros com ele da mesma promessa; porque aguardava a cidade que tem fundamentos, da qual Deus é o arquiteto e edificador" (Hb 11:9,10). Foi por isso que Moisés abandonou as glórias do Egito para receber uma recompensa superior. Diz a Escritura: "Pela fé, ele [Moisés] abandonou o Egito, não ficando amedrontado com a cólera do rei; antes, permaneceu firme como quem vê aquele que é invisível" (Hb 11:27).

Notas

162 RIENECKER, Fritz e ROGERS Cleon. *Chave Linguística do Novo Testamento Grego*. 1985, p. 342.
163 RIENECKER, Fritz e ROGERS Cleon. *Chave Linguística do Novo Testamento Grego*. 1985, p. 342.
164 KISTEMAKER, Simon. *2 Coríntios*. 2004, p. 192.
165 KISTEMAKER, Simon. *2 Coríntios*. 2004, p. 193.
166 STEDMAN, Ray C. *A dinâmica da vida autêntica*. N.d., p. 84.
167 Lucas 20:23; 1Coríntios 3:19; 2Coríntios 4:2; 11:3; Efésios 4:14.
168 KISTEMAKER, Simon. *2 Coríntios*. 2004, p. 194.
169 KRUSE, Colin. *II Coríntios: Introdução e Comentário*. 1994, p. 110.
170 STEDMAN, Ray C. *A dinâmica de uma vida autêntica. N.d., p. 85.*
171 CARVER, Frank G. *A Segunda Epístola de Paulo aos Coríntios*. Vol. 8. 2006, p. 423.
172 KRUSE, Colin. *II Coríntios: Introdução e Comentário*. 1944, p. 110.
173 STEDMAN, Ray C. *A dinâmica de uma vida autêntica*. N.d., p. 86.
174 Atos 13:44,45; 17:5-9; 18:5,6; 18:12-31; 19:8,9.
175 WIERSBE, Warren W. *Comentário Bíblico Expositivo*. Vol. 5. 2006, p. 840.
176 KISTEMAKER, Simon. *2 Coríntios*. 2004, p. 197.
177 CARVER, Frank G. *A Segunda Epístola de Paulo aos Coríntios*. Vol. 8. 2006, p. 424.
178 RIENECKER, Fritz e ROGERS Cleon. *Chave Linguística do Novo Testamento Grego*. 1985, p. 342.
179 KISTEMAKER, Simon. *2 Coríntios*. 2004, p. 197.
180 MACDONALD, William. *Believer's Bible Commentary.* Thomas Nelson Publishers. Nashville, TN. 1995, p. 1833.
181 WIERSBE, Warren W. *Comentário Bíblico Expositivo*. Vol. 5. 2006, p. 840.
182 STEDMAN, Ray C. *A dinâmica de uma vida autêntica*. N.d., p. 89.
183 WIERSBE, Warren W. *Comentário Bíblico Expositivo*. Vol. 5. 2006, p. 840.
184 KRUSE, Colin. *II Coríntios: Introdução e Comentário*. 1994, p. 112.
185 RIENECKER, Fritz e ROGERS Cleon. *Chave Linguística do Novo Testamento Grego*. 1985, p. 342.
186 KISTEMAKER, Simon. *2 Coríntios*. 2004, p. 203.
187 BONNET, L. y SCHROEDER A. *Comentario del Nuevo Testamento*. Tomo 3. Casa Bautista de Publicaciones. El Paso, TX. 1982, p. 349,350.
188 MACDONALD, William. *Believer's Bible Commentary.* 1995, p. 1833.
189 KISTEMAKER, Simon. *2 Coríntios*. 2004, p. 204.

[190] FOSTER, Henry J. *The Preacher's Complete Homiletic Commentary on the Epistles of St. Paul to the Corinthians*. Vol. 27. Baker Books. Grand Rapids, MI. 1996, p. 467,468.
[191] RIENECKER, Fritz e ROGERS Cleon. *Chave Linguística do Novo Testamento Grego*. 1985, p. 343.
[192] KRUSE, Colin. *II Coríntios: Introdução e Comentário*. 1994, p. 114.
[193] MACDONALD, William. *Believer's Bible Commentary*. 1995, p. 1834.
[194] WIERSBE, Warren W. *Comentário Bíblico Expositivo*. Vol. 5. 2006, p. 841.
[195] WIERSBE, Warren W. *Comentário Bíblico Expositivo*. Vol. 5. 2006, p. 841.
[196] WIERSBE, Warren W. *Comentário Bíblico Expositivo*. Vol. 5. 2006, p. 840,841.
[197] KRUSE, Colin. *II Coríntios: Introdução e Comentário*. 1994, p. 114.
[198] RIENECKER, Fritz e ROGERS Cleon. *Chave Linguística do Novo Testamento Grego*. 1985, p. 343.
[199] RIENECKER, Fritz e ROGERS Cleon. *Chave Linguística do Novo Testamento Grego*. 1985, p. 343.
[200] RIENECKER, Fritz e ROGERS Cleon. *Chave Linguística do Novo Testamento Grego*. 1985, p. 343.
[201] KISTEMAKER, Simon. *2 Coríntios*. 2004, p. 210.
[202] RIENECKER, Fritz e ROGERS Cleon. *Chave Linguística do Novo Testamento Grego*. 1985, p. 343.
[203] STEDMAN, Ray. *A dinâmica de uma vida autêntica*. N.d., p. 100.
[204] WIERSBE, Warren W. *Comentário Bíblico Expositivo*. Vol. 5. 2006, p. 841.
[205] WIERSBE, Warren W. *Comentário Bíblico Expositivo*. Vol. 5. 2006, p. 841.
[206] FOSTER, Henry J. *The Preacher's Complete Homiletic Commentary on the Epistle of St Paul to the Corinthians*. Vol. 27. 1996, p. 474.
[207] WIERSBE, Warren W. *Comentário Bíblico Expositivo*. Vol. 5. 2006, p. 842.
[208] KRUSE, Colin. *II Coríntios: Introdução e Comentário*. 1994, p. 117.
[209] STEDMAN, Ray. *A dinâmica da vida autêntica*. N.d., p. 110.
[210] BARCLAY, William. *I y II Coríntios*. 1973, p. 213.
[211] HASTINGS, James. *The Great Texts of the Bible on II Corinthians-Galatians*. Vol. XVI. N.d., p. 111.
[212] CARVER, Frank G. *A Segunda Epístola de Paulo aos Coríntios*. Vol. 8. 2006, p. 428.

PAULO ACABARA DE FALAR de um corpo fraco e de um espírito renovado (4:16), de um presente doloroso e de um futuro glorioso (4:17), e de coisas visíveis temporais e coisas invisíveis eternas (4:18). Agora, ele continua sua argumentação mostrando que a morte não é o fim da linha,

Capítulo 6

Não estamos a caminho do fim, estamos a caminho do céu
(2Coríntios 5:1-10)

mas o raiar de uma gloriosa eternidade. A morte não tem a última palavra, mas esperamos o glorioso corpo da ressurreição.

Num texto complexo[213], usando figuras variadas, Paulo fala da morte e da ressurreição; do corpo físico como uma tenda temporária e do corpo espiritual como um edifício permanente; da morte como um despir-se e do corpo glorificado como uma vestimenta garbosa com que nos vestimos. Destacaremos sete grandes verdades no texto em tela.

Uma certeza inequívoca (5:1)

"Sabemos que, se a nossa casa terrestre deste tabernáculo se desfizer, temos da parte de Deus um edifício, casa não feita por mãos, eterna nos céus" (5:1). Paulo está usando uma figura de linguagem para retratar a morte e a ressurreição. Ele menciona a tenda temporária para falar do corpo físico, transitório, temporário, que se debilita, enfraquece, adoece e morre e menciona o edifício permanente para falar do corpo glorioso da ressurreição, que é permanente e eterno.

Enquanto a tenda é apenas uma moradia transitória para um viajante ou peregrino, a casa ou edifício é uma residência permanente.[214] Não somos um corpo que tem um espírito, mas um espírito que habita num corpo. A morte não pode matar a personalidade humana. A tenda, que é o corpo físico, é apenas um lugar de habitação, e não o homem essencial. Agora, caminhamos pelo deserto numa tenda provisória, mas há um templo permanente preparado para a alma, onde haverá estabilidade, poder e beleza.[215]

Fritz Rienecker, nessa mesma trilha de pensamento, diz que a figura da tenda, *skenos*, retratando o corpo humano sugere a sua não permanência e insegurança.[216] Colin Kruse destaca o fato de Paulo não utilizar nesse texto a palavra usual para tenda (*skene*), que se encontra profusamente na Septuaginta e várias vezes no Novo Testamento. Em vez disso, ele emprega a palavra *skenos*, que se encontra apenas duas vezes no Novo Testamento (5:1; 5:4) e apenas uma vez na Septuaginta. Em todos esses casos, a palavra "tenda" é usada no sentido figurado, reforçando a ideia da destruição do corpo na morte.[217]

Ray Stedman corretamente diz que uma barraca ou tenda é habitação transitória e temporária, enquanto a casa é uma habitação definitiva e permanente. Quando morrermos, mudaremos do que é temporário para o que é permanente; da barraca para a casa, eterna nos céus.[218] O apóstolo descreve o corpo ressurreto assim: "Porque é necessário que este corpo corruptível se revista da incorruptibilidade, e que o corpo mortal se revista da imortalidade. E quando este corpo corruptível se revestir de incorruptibilidade, e o que é mortal se revestir de imortalidade, então se cumprirá a palavra que está escrita: Tragada foi a morte pela vitória" (1Co 15:53,54).

Colin Kruse está correto em sua posição quando escreve: "Se a 'casa terrestre deste tabernáculo', do versículo 1a, denota o corpo físico do crente, é razoável considerar 'o edifício, casa não feita por mãos, da parte de Deus', como referência a outro corpo, o corpo da ressurreição".[219]

Nos dias de Paulo, tanto a filosofia grega como a romana desprezava o corpo. Para eles, o corpo era apenas uma tumba. Plotino dizia que estava envergonhado de ter um corpo. Epíteto dizia de si mesmo: "Tu és uma pobre alma que deves carregar um cadáver". Sêneca escreveu: "Sou um ser superior, nascido para coisas mais elevadas, mas infelizmente sou um escravo do meu corpo, que considero apenas como uma cadeia imposta à minha liberdade. Em tão detestável habitação vive a minha alma livre".[220]

Paulo se distancia, aqui, da filosofia platônica que considerava o corpo apenas um claustro da alma. Ele reprova a filosofia grega que considerava o corpo coisa indigna e apenas um peso morto para a alma. Paulo confronta as ideias gnósticas que ensinavam que a matéria é essencialmente má e, por isso, abominavam a simples ideia da ressurreição. Para Paulo, a morte não é a libertação da alma da prisão do corpo, mas uma mudança de um corpo de fraqueza para um corpo de poder; de um corpo temporário para um corpo permanente; de um corpo terreno, para um corpo celestial; de um corpo mortal para um corpo imortal; de um corpo corruptível para um corpo incorruptível.

Digno de nota é o fato de que Paulo não olha para essa verdade como uma vaga possibilidade, como se fosse uma tênue esperança. Ele não lida com essa questão com a linguagem da conjectura hipotética, mas com a convicção da certeza experimental: "Sabemos [...]" (5:1). Paulo já havia tratado dessa matéria com diáfana clareza em outras cartas (1Co 15:1-58; 1Ts 4:13-18). Agora, sob outro ângulo, volta ao mesmo tema.

Esse é um assunto que sempre despertou interesse. Ainda hoje há muita especulação acerca da vida por vir ou o que acontece depois da morte. Muitos pensam que a morte é o fim da existência. Outros pensam que depois da morte a alma fica vagando em busca de luz. Outros ainda pensam que depois da morte a alma se reencarna em outra pessoa. Ainda há aqueles que pensam que depois da morte, a alma vai para o purgatório, onde fica penando e purgando seus pecados. Há aqueles também que creem que a alma fica dormindo com o corpo na sepultura até o dia da ressurreição. Finalmente, há aqueles que acreditam que a alma dos ímpios é completamente aniquilada e deixa de existir. Essas teorias estão todas equivocadas. Não há amparo para elas nas Escrituras. O apóstolo Paulo não lida com pressuposições acerca desse tema, ele tem certeza. Não se trata apenas de uma lucubração humana, mas de uma revelação divina (1Ts 4:13-18).

Warren Wiersbe diz corretamente que nenhum cristão precisa consultar cartomantes, médiuns ou usar recursos esotéricos para descobrir o que o futuro lhe reserva do outro lado da morte. Nosso conhecimento vem não das sucursais do misticismo, mas da própria Palavra revelada de Deus.[221]

Um dia precisaremos afrouxar as estacas dessa tenda e levantar acampamento. Para Paulo, a morte é uma mudança de endereço (2Tm 4:6-8). É deixar uma tenda frágil e temporária e mudar-se para um edifício permanente, uma mansão feita não por mãos, eterna nos céus. O corpo físico, na linguagem de Paulo, é um lugar de morada temporária.

Um gemido profundo (5:2)

"E, por isso, neste tabernáculo, gememos [...]" (5:2). Paulo desce do céu à terra, do corpo de glória para o corpo de fraqueza e mostra que enquanto não somos revestidos com esse corpo imortal e poderoso; enquanto estivermos morando neste tabernáculo; ou seja, neste corpo físico sujeito à doença, velhice, fraqueza e morte, nós gememos. O verbo grego *stenázomen* está no presente e isso enfatiza o contínuo gemer da vida terrena.[222] O gemido é uma expressão profunda de dor, desconforto e sofrimento. O gemido expressa nossa fraqueza e impotência.

Escrevendo aos romanos, Paulo fala que a criação está gemendo aguardando a libertação do seu cativeiro (Rm 8:22). Os crentes estão gemendo aguardando a redenção do seu corpo (Rm 8:23) e o Espírito Santo está gemendo intercedendo por nós de forma intensa, agônica e eficaz (Rm 8:26).

Paulo descreve essencialmente uma aspiração positiva por tomar posse de uma "habitação celestial". Embora as aflições experimentadas pelo apóstolo possam ter-lhe causado gemidos e aumentado suas aspirações, isso tudo resultou num forte desejo por aquilo que Deus lhe havia prometido, um edifício em lugar de uma tenda, um corpo de glória em lugar de um corpo de fraqueza.[223]

Aqui não é o céu. Aqui não é o paraíso. Aqui encharcamos nossos olhos de lágrimas, ferimos nossos pés nos desertos causticantes, somos assolados pela dor. Aqui, nosso corpo, como uma tenda frágil, vai ficando desbotado, gasto e roto. Aqui, somos surrados pela fraqueza e pela doença. Aqui a morte nos mostra sua carranca. Aqui, enfrentamos a dor do luto, o chicote da saudade, a ausência dolorosa daqueles a quem amamos. Aqui, fazemos uma caminhada cheia de gemidos e lamentos.

Uma aspiração gloriosa (5:2b-4)

"[...] aspirando por sermos revestidos da nossa habitação celestial; se, todavia, formos encontrados vestidos e não nus. Pois, na verdade, os que estamos neste tabernáculo gememos angustiados, não por querermos ser despidos, mas revestidos, para que o mortal seja absorvido pela vida" (5:2b-4). Paulo muda a figura da tenda para a figura das vestes. Para ele, morrer é como ficar nu, mas na segunda vinda, os que estiverem vivos serão revestidos da imortalidade. Nosso corpo será glorioso como o fulgor do firmamento, como as estrelas, sempre e eternamente (Dn 12:3). Receberemos um corpo semelhante ao corpo da glória de Cristo (Fp 3:21). Esse corpo será incorruptível, glorioso, poderoso, espiritual e celestial (1Co 15:42-49). O que os crentes esperam com ansiedade não é a morte, mas a redenção do corpo (Rm 8:23).

Paulo descreve seu anseio pelo corpo novo e glorificado usando duas metáforas. Primeira, a metáfora do vestir um vestuário extra, que recobre o que já está usando: "Os que estamos neste tabernáculo [...] queremos ser [...] revestidos". Segunda metáfora, a de uma coisa que é devorada por outra, de tal forma que a primeira cessa de existir como era antes, mas é absorvida e transformada pela outra: "[...] que o mortal seja absorvido pela vida".[224] Simon Kistemaker diz que o verbo grego *ependysasthai*, "estar coberto por cima, recoberto", traz a ideia de se pôr uma roupa a mais, mais ou menos, como usar uma túnica sobre a roupa. Dessa maneira, Paulo está considerando aqui não a ressurreição dos mortos, mas sim a transformação dos vivos na vinda de Cristo. Está dizendo que nós aguardamos ansiosamente a volta de Cristo. Nessa ocasião, nosso corpo atual será transformado instantaneamente, quando receber a vestimenta adicional de nosso lar celestial na forma de um corpo glorificado (1Co 15:51; Fp 3:21).[225]

Kistemaker continua a sua argumentação dizendo que o corpo físico, com a morte, decompõe-se, e não veste imediatamente o corpo ressurreto. Assim, Paulo aplica a imagem de roupas aos crentes que estão vivos na vinda de Cristo, mas não àqueles cujo corpo desce para a sepultura. Somente aqueles que não passam pela morte e o túmulo têm um corpo físico que recebe uma roupagem adicional.[226]

Na mesma medida que gememos por causa das fraquezas do corpo físico devemos aspirar pelo revestimento do corpo de glória. Gememos angustiados não pelo desejo de morrer, mas pelo desejo de sermos tragados pela imortalidade. Gememos não para sermos despidos do corpo mortal, mas para sermos revestidos do corpo imortal. Ansiamos não pela morte, mas pela transformação. Somos atraídos não pela sepultura gélida, mas pela bela roupagem de um corpo de glória.

Ray Stedman, ilustre expositor bíblico, está equivocado quando pensa que imediatamente após a morte receberemos um corpo de glória.[227] Concordo plenamente com Simon Kistemaker quando diz que a ressurreição só ocorre no momento da volta de Cristo. Essa doutrina está bem consubstanciada ao longo das epístolas paulinas (1Ts 4:13-18; 1Co 15:22-28; 15:52-55; Rm 8:22-24; Fp 3:11,20,21; 2Tm 2:18). Não podemos encontrar apoio dos escritores do

Novo Testamento para a visão de que os cristãos recebem seu corpo da ressurreição ao morrer.[228]

Um penhor seguro (5:5)

"Ora, foi o próprio Deus quem nos preparou para isto, outorgando-nos o penhor do Espírito" (5:5). A confiança inabalável do apóstolo Paulo acerca da posse do glorioso corpo da ressurreição não estava firmada na areia movediça dos sentimentos humanos, mas na rocha firme da própria ação de Deus.

O próprio Deus nos preparou para essa gloriosa esperança, dando-nos o penhor do Espírito. O verbo "preparar" pode ter o sentido de trabalhar diligentemente com e em uma pessoa, mais ou menos, como um instrutor treina um estudante, antecipando uma formatura e um trabalho.[229]

Concordo com Colin Kruse quando afirma que a esperança de Paulo não repousa apenas no conhecimento objetivo de que é Deus quem o está preparando para o glorioso futuro, mas baseia-se também na experiência subjetiva do Espírito de que ele usufrui. O Deus que prepara é também o Deus que nos outorgou o penhor do Espírito; isto é, uma garantia de redenção.[230]

Para que não fiquemos completamente envolvidos com esse esplêndido futuro e percamos todo o interesse pela vida presente, o apóstolo, sabiamente, relembra-nos que a base desse futuro é a existência atual. Ray Stedman lança luz sobre essa matéria, quando escreve:

> Ao preparar-nos para a glória futura, Deus nos concede o seu Espírito Santo, como garantia. Não precisamos duvidar da ressurreição do nosso corpo, pois a presença do Espírito da ressurreição em nosso

coração nos dá certeza dela. Lembremos que o apóstolo diz: "Sabemos que aquele que ressuscitou ao Senhor Jesus, também nos ressuscitará com Jesus" (4:14). Além disso, o Espírito ressuscitou não apenas o corpo de Jesus, mas também o nosso espírito desde que nos tornamos crentes (4:16).[231]

O penhor do Espírito é a garantia de que a obra que Deus começou a fazer em nós será concluída (Fp 1:6). A palavra grega *arrabon*, "penhor", é um termo técnico usado nas áreas comerciais e legais.[232] Trata-se do pagamento da primeira prestação com a garantia de que as demais serão efetuadas. William Barclay diz que o *arrabon* é a primeira cota da vida por vir. Assim o cristão pode gozar aqui o sabor da vida eterna. Ele tem um pé nesta época; e o outro, na eternidade. Seu corpo está sobre a terra, mas seu coração está no céu.[233] Deus fez um contrato conosco dando-nos uma "entrada", em que ele assume o compromisso de continuar fazendo os pagamentos adicionais. Agora, estamos recebendo uma pequena amostra antecipada do Espírito, mas, no além, receberemos a porção toda que Deus tem reservada para nós.[234] Warren Wiersbe diz que no grego moderno, o termo traduzido por "penhor" significa "aliança de noivado". A igreja é a noiva de Jesus Cristo que aguarda o dia em que o noivo virá buscá-la para as núpcias.[235]

O penhor do Espírito é uma garantia de que caminhamos não para um fim tenebroso, mas para um alvorecer glorioso. Caminhamos não para a morte, mas para a vida eterna. Caminhamos não para o despojamento, mas para o revestimento. Caminhamos não para o desmoronamento de uma tenda rota, mas para a habitação de uma mansão permanente.

Uma confiança plena (5:6-8)

"Temos, portanto, sempre bom ânimo, sabendo que, enquanto no corpo, estamos ausentes do Senhor; visto que andamos por fé e não pelo que vemos. Entretanto, estamos em plena confiança, preferindo deixar o corpo e habitar com o Senhor" (5:6-8). Paulo tem bom ânimo e tem plena confiança. O céu não era apenas o seu destino, mas também sua motivação.[236] Paulo sentia saudade do céu.[237] Frank Carver diz acertadamente que devido à presença do Espírito, Paulo podia estar não apenas confiante quanto ao futuro, mas também corajoso no presente.[238]

Enquanto estamos habitando nessa tenda frágil e temporária, estamos ausentes do Senhor. Agora, nós o vemos apenas pelos olhos da fé. Mas, depois, quando mudarmos desse tabernáculo terreno para a nossa mansão celestial, ou seja, quando recebermos um corpo de glória, semelhante ao corpo de Cristo, haveremos de estar com ele fisicamente, vendo-o face a face. Nessa mesma linha de pensamento, Colin Kruse diz que "deixar o corpo" significa "habitar com o Senhor" no sentido de que, assim, o Senhor estará acessível à vista, não mais acessível somente pela fé.[239] Nas palavras do apóstolo João: "Haveremos de vê-lo como ele é" (1Jo 3:2).

Por essa razão, a morte, para o apóstolo Paulo, não era uma tragédia. Ele chegou a dizer: "Para mim o viver é Cristo, e o morrer é lucro" (Fp 1:21). Para o veterano apóstolo, morrer é partir para estar com Cristo, o que é incomparavelmente melhor (Fp 1:23). Morrer é deixar o corpo e habitar com o Senhor (5:8).

Somente aqueles que têm o Espírito Santo como penhor podem ter essa confiança. Aqueles que vivem sem essa garantia se desesperam na hora da morte. Na verdade, eles caminham para um lugar de trevas, e não para a cidade iluminada; caminham para um lugar de choro e ranger de dentes, e não para a festa das bodas do Cordeiro; caminham para o banimento eterno da presença de Deus, e não para o bendito lugar, onde Deus armará seu tabernáculo para sempre conosco.

Um esforço real (5:9)

"É por isso que também nos esforçamos, quer presentes, quer ausentes, para lhe sermos agradáveis" (5:9). Paulo costumava associar dever e doutrina, pois aquilo que Deus fez por nós deve nos motivar a fazer algo por Deus. Assim, Paulo passa da explicação para a motivação. Warren Wiersbe, citando Phillips Brooks, diz: "Não há verdade no cristianismo que não seja filha do amor e mãe do dever".[240]

A salvação não depende das obras, mas a recompensa no tribunal de Cristo depende delas. Um crente deveria sempre relembrar que a fé está ligada com salvação, e as obras estão ligadas com recompensa, diz William MacDonald.[241]

Paulo não é um místico que se desgostou do mundo e está buscando um refúgio monástico. O fato de amar o céu e desejar ir para a casa do Pai não tira seu entusiasmo em viver aqui e agora engajado com os projetos do Reino de Deus. Seu projeto de vida é agradar a Deus, quer na vida quer na morte. Na verdade, as pessoas que fizeram as coisas mais importantes na terra foram aquelas que mais amaram o céu.

Um tribunal justo (5:10)

"Porque importa que todos nós compareçamos perante o tribunal de Cristo, para que cada um receba segundo o bem ou mal que tiver feito por meio do corpo" (5:10). William Barclay corretamente diz que Paulo, embora estivesse pensando no céu e desejando a vida futura, nunca se esqueceu de que estava não somente no caminho da glória, mas, também, no caminho do juízo.[242]

Simon Kistemaker diz que ninguém está isento de ser convocado ao tribunal, pois a palavra que Paulo usa é "devemos"; a intimação para comparecer ao julgamento tem origem divina, pois Deus, por meio de Cristo, emite a intimação. Os acusados devem prestar contas a Deus (Rm 14:10) e, de Cristo, receberão o veredicto.[243]

Cada pessoa ouvirá o veredicto baseado em sua conduta na terra. Quando o Senhor voltar, todas as obras, sejam boas ou sejam más, serão reveladas (1Co 4:5). Obviamente, não se trata aqui de salvação pelas obras. Deus nos salva não por nossas obras para ele, mas pela obra de Cristo por nós. Calvino corretamente disse: "Tendo assim nos recebido em seu favor, ele aceita graciosamente também as nossas obras, e é dessa aceitação imerecida que o galardão depende".[244]

A palavra grega usada pelo apóstolo Paulo aqui, *bema*, significa assento, plataforma, tribunal. Era em um tribunal onde se tomavam as decisões oficiais.[245] O *bema* era o lugar onde se faziam os discursos públicos ou de onde os magistrados comunicavam suas decisões. Também era o lugar do qual se distribuíam os prêmios aos vencedores dos Jogos Olímpicos.[246]

O tribunal de Cristo será justo. Ninguém poderá escapar dele. Aqui os homens driblam as leis, escapam da justiça e torcem o direito do inocente. Mas quem poderá escapar do tribunal de Cristo? William Barclay diz que o tempo é o campo de prova da eternidade.[247] O que plantamos aqui, colheremos na eternidade. O que fazemos aqui, reverberará na eternidade. Discamos o número do telefone aqui, e ele toca do outro lado do mundo. O bem ou o mal que fizermos por meio do corpo aqui receberá recompensa ou juízo no tribunal de Cristo no céu.

O tribunal de Cristo será imparcial. Muitos beneméritos aqui serão condenados no tribunal de Cristo. Aqui, a injustiça se assenta no trono e escarnece da virtude. Aqui, vemos um Herodes no trono; e, um João Batista na prisão. Aqui vemos um Nero dando ordens para se decapitar um homem da estatura do apóstolo Paulo. Aqui, vemos homens maus se assentando na cadeira de juiz e condenando os inocentes. Aqui, muitos facínoras escondem-se atrás das togas da lei, e pervertem a justiça e negam o direito ao inocente. Mas o tribunal de Cristo é justo e imparcial. Todos terão que comparecer diante dele para ser julgados segundo as suas obras.

O tribunal de Cristo será meticuloso. Nossas palavras, ações, omissões e pensamentos serão julgados. O que nós semearmos, isso será o que colheremos (Gl 6:7,8). O Senhor retribuirá, a cada um, segundo o seu procedimento (Rm 2:6).

O tribunal de Cristo será revelador. O termo traduzido por "comparecer" também pode ser traduzido por "ser revelado". O verdadeiro caráter de nossas obras será exposto diante dos olhos perscrutadores do Salvador. A revelação envolverá tanto o caráter de nosso serviço (1Co 3:13) quanto as motivações que nos impeliram (1Co 4:5).[248] O tribunal dos homens julga apenas as ações, mas o tribunal de Cristo julga as intenções (1Co 4:5). No tribunal dos homens, muita coisa que é elevada entre os homens é abominação diante de Deus (Lc 16:15). O tribunal dos homens apenas condena os culpados e absolve os retos, mas o tribunal de Cristo condena os maus e ainda galardoa os retos.

O tribunal de Cristo será retribuidor. Será um lugar de prestação de contas, em que daremos um relatório de nossas obras (Rm 14:10-12). Será um lugar de recompensa e de reconhecimento para os fiéis (1Co 3:10-15; 4:1-6) e de condenação dos infiéis.[249]

Notas

[213] KISTEMAKER, Simon. *2 Coríntios*. 2004:p. 233.
[214] MACDONALD, William. *Believer's Bible Commentary*. 1995, p. 1837.
[215] CHAMPLIN, Russell Norman. *O Novo Testamento Interpretado Versículo por Versículo*. Vol. 4. N.d., p. 333.
[216] RIENECKER, Fritz e ROGERS Cleon. *Chave Linguística do Novo Testamento Grego*. 1985, p. 344.
[217] KRUSE, Colin. *II Coríntios: Introdução e Comentário*. 1994, p. 120.
[218] STEDMAN, Ray C. *A dinâmica de uma vida autêntica*. N.d., p. 114.
[219] KRUSE, Colin: *II Coríntios: Introdução e Comentário*. 1994, p. 121.
[220] BARCLAY, William. *I y II Corintios*. 1973, p. 215.
[221] WIERSBE, Warren W. *Comentário Bíblico Expositivo*. Vol. 5. 2006, p. 843.
[222] RIENECKER, Fritz e ROGERS Cleon. *Chave Linguística do Novo Testamento Grego*. 1985, p. 345.
[223] KRUSE, Colin. *II Coríntios: Introdução e Comentário*. 1994, p. 122.
[224] KRUSE, Colin. *II Coríntios: Introdução e Comentário*. 1994, p. 123.
[225] KISTEMAKER, Simon. *2 Coríntios*. 2004, p. 241.
[226] KISTEMAKER, Simon. *2 Coríntios*. 2004, p. 241.
[227] STEDMAN, Ray C. *A dinâmica de uma vida autêntica*. N.d., p. 115-122.
[228] KISTEMAKER, Simon. *2 Coríntios*. 2004, p. 244,245.
[229] KISTEMAKER, Simon. *2 Coríntios*. 2004, p. 247.
[230] KRUSE, Colin. *II Coríntios: Introdução e Comentário*. 1994, p. 124.
[231] STEDMAN, Ray C. *A dinâmica de uma vida autêntica*. N.d., p. 122,123.
[232] KISTEMAKER, Simon. *2 Coríntios*. 2004, p. 248.
[233] BARCLAY, William. *I y II Corintios*. 1973, p. 216.
[234] KISTEMAKER, Simon. *2 Coríntios*. 2004, p. 248.
[235] WIERSBE, Warren W. *Comentário Bíblico Expositivo*. Vol. 5. 2006, p. 844.
[236] WIERSBE, Warren W. *Comentário Bíblico Expositivo*. Vol. 5. 2006, p. 844.
[237] MACDONALD, William. *Believer's Bible Commentary*. 1995, p. 1838.

[238] CARVER, Frank G. *A Segunda Epístola de Paulo aos Coríntios.* Em Comentário Bíblico Beacon. Vol. 8. 2006, p. 430.
[239] KRUSE, Colin. *II Coríntios: Introdução e Comentário.* 1994, p. 125.
[240] WIERSBE, Warren W. *Comentário Bíblico Expositivo.* Vol. 5. 2006, p. 845.
[241] MACDONALD, William. *Believer's Bible Commentary.* 1995, p. 1839.
[242] BARCLAY, William. *I y II Corintios.* 1973, p. 216.
[243] KISTEMAKER, Simon. *2 Coríntios.* 2004, p. 255.
[244] CALVIN, John. *II Corinthians.* P. 72.
[245] RIENECKER, Fritz e ROGERS Cleon. *Chave Linguística do Novo Testamento Grego.* 1985, p. 346.
[246] WIERSBE, Warren W. *Comentário Bíblico Expositivo.* Vol. 5. 2006, p. 846.
[247] BARCLAY, William. *I y II Corintios.* 1973, p. 216.
[248] WIERSBE, Warren W. *Comentário Bíblico Expositivo.* Vol. 5. 2006, p. 846.
[249] WIERSBE, Warren W. *Comentário Bíblico Expositivo.* Vol. 5. 2006, p. 846.

Capítulo 7

A reconciliação, uma obra de Deus
(2Coríntios 5:11-21; 6:1,2)

PAULO AINDA ESTAVA SE DEFENDENDO dos ataques dos falsos apóstolos. Eles o acusavam de pregar a mensagem errada e com a motivação errada. A resposta do veterano apóstolo é que dois fatores basilares governavam suas motivações no ministério: o temor a Deus e o amor de Cristo. Analisaremos esses dois pontos à guisa de introdução.

Em primeiro lugar, *o temor a Deus* (5:11-13). Temer a Deus significa profunda reverência por Deus. Aqui, particularmente, esse temor é visto em função do tribunal de Cristo, ante o qual teremos que comparecer.[250] Uma vez que todos nós compareceremos diante de Deus para prestarmos conta da nossa vida, resta-nos saber: como nos prepararmos para o tribunal de Cristo? Paulo oferece três respostas.

Tema a Deus e mantenha a consciência limpa diante dos homens (5:11). Somente aqueles que temem a Deus podem manter a consciência limpa diante dos homens. Paulo andava de forma íntegra com Deus e com os homens. Ele temia a Deus, por isso, nada tinha a esconder dos homens. Seus motivos e suas ações estavam abertos diante de Deus. Não existia nenhum engano embutido em suas tentativas de persuadir os homens.[251] Fritz Rienecker diz que o temor do Senhor, nesse contexto, refere-se ao temor demonstrado pelo pensamento de comparecer perante o tribunal de Cristo e ter toda a vida exposta e avaliada.[252]

Não dependa dos elogios dos homens, mas seja exemplo para eles (5:12). Paulo, diferente de seus opositores, não dependia da recomendação dos homens nem de seus elogios para estar no ministério. Ao contrário, vivia de tal maneira que podia ser exemplo para todos. Paulo sabia que alguns em Corinto criticavam seus motivos e seus métodos, pelo que apresenta essa defesa da sua integridade.[253] Daniel Mitchell diz que Paulo não se gloriava em suas credenciais nem procurava se autoafirmar perante os coríntios, mas simplesmente sustentava sua integridade pessoal.[254] William MacDonald diz que os opositores de Paulo estavam interessados em aparência externa, e não em realidade interna.[255] Eles estavam centrados em si mesmos, e não centrados em Deus.[256] Simon Kistemaker diz que os oponentes de Paulo valorizavam cartas de recomendação (3:1), eloquência (10:10; 11:6), nascimento e herança judaica (11:22), visões e revelações (12:1) e a realização de milagres (12:12). Eles se gloriavam em possuir essas coisas externas.[257] Visões e revelações faziam parte da vida de Paulo, mas ele nunca exibiu essas experiências como distintivos de autoridade apostólica. Paulo estava interessado não em se promover, mas em expandir a Igreja de Cristo.[258] Warren Wiersbe diz que se vivermos apenas em função do louvor dos homens não receberemos o louvor de Deus no tribunal de Cristo.[259]

Não se desencoraje com as críticas dos homens, mas viva para a glória de Deus (5:13). Os críticos de Paulo o consideravam louco. A palavra grega usada pelo apóstolo indica um desequilíbrio mental, é estar fora de si ou enlouquecer.[260] Louco ele estava quando perseguia a igreja (At 26:11), mas seus inimigos diziam que ele havia perdido o juízo desde sua conversão (At 26:24). A loucura de Paulo em deixar tudo para servir a Cristo constituía-se em profunda lucidez. Se os homens o consideram louco, ele é louco por Deus. Se os homens pensam que ele conserva o juízo, é para servir à igreja.

Em segundo lugar, *o amor de Cristo* (5:14-17). O outro fator determinante que motivou Paulo a abraçar o ministério da nova aliança foi o amor de Cristo. O amor de Cristo o constrangeu, motivou-nos e empurrou-o a entregar-se ao ministério da reconciliação. Colin Kruse diz que essa pressão constrangedora objetiva não o controle, mas a ação. É força mais motivacional que direcional. A fonte dessa pressão é o amor de Cristo.[261] Ray Stedman está correto quando diz que a motivação certa para os atos da vida cristã é o amor, e não o dever (Jo 14:15). O amor torna mais fácil a obediência; o amor tem prazer em fazer aquilo que agrada ao ser amado.[262] Warren Wiersbe diz que Cristo morreu para que vivêssemos por meio dele, para ele, com ele e ainda para que experimentássemos a realidade da nova criação.[263] Examinaremos esses quatro pontos.

Cristo morreu para que vivêssemos por meio dele (5:14). A morte de Cristo é a nossa vida, pois ele morreu a nossa morte para vivermos sua vida. Isso é salvação. Ao morrer por todos, Jesus agiu como nosso representante. Quando ele morreu, nós todos morremos nele. Assim como o pecado de Adão se tornou o pecado de sua posteridade, a morte de Cristo tornou-se a morte de todos os que creem nele (Rm 5:12-21; 1Co 15:21,22).[264] Que Cristo morreu na cruz do Calvário é fato; que ele morreu por todos é evangelho. Mas como explicamos os dois termos, *por* e *todos?* A preposição grega *hyper,* "por", com relação à morte de Cristo significa substituição. Jesus é tanto nosso representante como nosso substituto. Já a palavra "todos" não pode significar todos indistintamente, pois se assim fosse todos seriam salvos. O universalismo, porém, é uma falácia. Só aqueles que em fé se aproximam da morte de Cristo é que estão incluídos na palavra *todos.*[265]

Cristo morreu para que vivêssemos para ele (5:15). Porque Cristo morreu por nós, agora devemos viver para ele. Isso é serviço. O Salvador não morreu por nós para vivermos uma vida egoísta e centrada em nós mesmos, mas morreu para vivermos para ele. Obviamente, não servimos a Cristo para sermos salvos, mas porque já fomos salvos. As nossas boas obras não são a causa da nossa salvação, mas sua consequência.

Cristo morreu para que vivêssemos com ele (5:16). Antes conhecíamos a Cristo pelas luzes da nossa razão ou pela intuição do nosso espírito. Agora, conhecemo-lo pela sua própria revelação. Isso é comunhão. Esse conhecimento pessoal e transformador de Cristo transforma nosso relacionamento com ele e com os outros. O apóstolo admite haver um tempo quando tudo quanto ele sabia sobre Cristo era o que os outros homens diziam a seu respeito. Entretanto, agora ele não o conhece mais assim.[266] Na verdade, toda a perspectiva de vida de Paulo mudou. Coisas que antes haviam sido consideradas importantes, agora se veem despidas de valor (Fp 3:4-8). Ele não se orgulha mais da posição humana, apenas de sua posição diante de Deus, que é dom da graça (5:12).[267] Ray Stedman corretamente diz que talvez a melhor evidência de que a nova aliança está operando em nós é a mudança que ocorre em relação à maneira como vemos os outros. Sua posição, casta, cor, sexo ou riqueza deixam de ser importantes. Todas as pessoas passam a ter um valor infinito, pois são feitas à imagem de Deus e podem ser remidas por intermédio de Cristo. Nada mais importa.[268]

Cristo morreu para que vivêssemos a realidade da nova criação (5:17). William MacDonald entende que Paulo não está falando aqui sobre novos hábitos, pensamentos e desejos de quem está em Cristo. Paulo não estaria descrevendo a prática do cristão, mas a posição do cristão.[269] Corroborando esse pensamento, Fritz Rienecker diz que não há aqui a ideia de mudança do passado da pessoa, mas, sim, mudança de sua posição em relação a Deus e ao mundo.[270] Estar em Cristo é participar antecipadamente da nova criação de Deus. É ter um gosto antecipado da restauração de todas as coisas. É pertencer a uma nova ordem. Isso é santificação.

Feita essa longa introdução, Paulo começa, agora, a tratar da questão crucial da reconciliação. Cinco pontos vitais são aqui abordados.

A necessidade da reconciliação (5:19)

A história já registrou muitos desastres de proporções gigantescas. Mas o maior desastre cósmico foi a Queda de nossos primeiros pais. Ela afetou toda a criação e jogou toda a raça humana no abismo do pecado. O pecado divide, desintegra e separa. O pecado provocou um abismo espiritual, pois separou o homem de Deus. Provocou um abismo social, pois separou o homem de seu próximo. Provocou um abismo psicológico, pois separou o homem de si mesmo, e provocou também um abismo ecológico, pois separou o homem da natureza, fazendo dele um depredador ou um adorador dessa mesma natureza.

O mundo está profundamente marcado pelas tensões do pecado. O homem é um ser em guerra com Deus, consigo, com o próximo e com a natureza. Nesse mundo empapuçado de ódio, ferido pelo pecado e distante de Deus, a reconciliação é uma necessidade imperiosa.

A palavra grega *katallassein*, "reconciliação", tem um rico significado. O verbo *allassein* significa "mudar". No grego clássico, *allassein* era utilizado para expressar a mudança da forma, da cor e da aparência. A palavra *katallassein*, no grego secular comum, adquire o sentido quase técnico de trocar dinheiro ou mudar por dinheiro. Depois, *katallassein* passou a significar especialmente a mudança da inimizade em amizade. Dessa forma, no grego clássico, *katallassein* é caracteristicamente a palavra que expressa a ideia de unir duas partes que estavam em conflito. A palavra *katallassein* é usada no Novo Testamento especialmente para descrever o restabelecimento das relações entre o homem e Deus.[271] Paulo diz: "[...] Deus estava em Cristo reconciliando consigo o mundo [...]" (5:19). No grego, a palavra *kosmos*, "mundo", não leva artigo definido aqui e, assim, expressa o sentido abrangente do termo. Obviamente, Paulo não está aderindo ao universalismo; antes, está dizendo que o amor de Deus em Cristo se estende tanto a judeus como a gentios do mundo todo.[272]

Ray Stedman, descrevendo o ministério da reconciliação, destaca nove pontos importantes: 1) origina-se em Deus, e não no homem (5:18); 2) é uma experiência pessoal (5:18); 3) compreende todo o universo (5:18,19); 4) elimina a condenação (5:19); 5) é entregue pessoalmente (5:19); 6) é investida de autoridade (5:20); 7) é aceita voluntariamente (5:20); 8) realiza o impossível (5:21); 9) é experimentada a cada momento (6:1,2).[273]

Destacaremos alguns pontos.

Em primeiro lugar, *o homem precisa se reconciliar com Deus porque o pecado o afasta de Deus*. A Bíblia diz que as nossas transgressões fazem separação entre nós e Deus (Is 59:2). Todos pecaram e destituídos estão da glória de Deus (Rm 3:23). Todos nós teremos que comparecer perante o tribunal de Cristo (5:10). Nesse dia, seremos julgados pelas nossas palavras, obras, omissões e pensamentos.

A reconciliação é uma necessidade vital porque existe uma barreira alienadora entre o homem e Deus, as nossas transgressões. A reconciliação é exatamente a remoção dessa barreira.

Em segundo lugar, *o homem precisa se reconciliar com Deus porque todo o impulso do seu coração é contra Deus*. Por natureza, somos filhos da ira. A inclinação da nossa carne é inimizade contra Deus. A vida que vivemos à parte de Deus é marcada pela cegueira e pela rebelião. Sem Cristo, o homem está cego, perdido, cativo e morto em seus delitos e pecados. O homem está no reino das trevas, na potestade de Satanás, na casa do valente, seguindo o curso deste mundo, fazendo a vontade da carne, andando segundo o príncipe da potestade do ar (Ef 2:1-3). Como o filho pródigo, o homem rompeu com o Pai e foi para um país distante. Somos reconciliados com Deus ou perecemos eternamente. Voltamo-nos para ele ou não há esperança para a nossa alma.

O autor da reconciliação (5:18)

Destacamos três pontos importantes para a nossa reflexão.

Em primeiro lugar, *a reconciliação é iniciativa divina* (5:18). "Ora, tudo provém de Deus [...]" (5:18). O homem é o ofensor, e Deus é o ofendido. A reconciliação deveria ter partido de nós, a parte ofensora, mas partiu de Deus, a parte ofendida. É a parte ofendida que toma a iniciativa da reconciliação. Deus restaurou o relacionamento entre si mesmo e nós.[274] O evangelho não é o homem buscando a Deus, mas Deus buscando o homem. Foi o homem quem caiu, afastou-se e rebelou-se. Mas é Deus quem busca. É Deus quem corre para abraçar. "Com amor eterno eu te amei e com benignidade eu te atraí" (Jr 31:3).

A Bíblia não fala de Deus tendo necessidade de reconciliar-se com o homem. É o homem que precisa se reconciliar com Deus. Nós mudamos; Deus nunca mudou. Seu amor por nós é eterno e incessante. William Barclay afirma corretamente que nada havia diminuído o amor de Deus; nada havia tornado esse amor em ódio; nada havia desvanecido o anelo do seu coração. O homem pecou, mas Deus continuou amando o homem da mesma maneira.[275] Os puritanos diziam que não há nada que possamos fazer para Deus nos amar mais e nada que possamos fazer para Deus nos amar menos. Seu amor é eterno e imutável.

Deus poderia ter nos tratado como tratou os anjos rebeldes. Eles foram conservados em prisões eternas (Jd 6,13) e em permanente estado de perdição. Mas Deus providenciou, para nós, um caminho de volta para ele. Cristo é esse caminho (Jo 14:6).

Em segundo lugar, *a reconciliação realizada pela cruz de Cristo é o resultado e não a causa do amor de Deus* (5:18). "[...] por meio de Cristo [...]" (5:18). É o Deus ofendido que toma a iniciativa da reconciliação e, por isso, providencia o meio para sua realização. Jesus não veio para abrandar o coração de Deus, mas para revelar seu coração amoroso. Paulo destrói a falsa ideia de que foi o meigo Jesus que inclinou o coração insensível de Deus para nós. Mais uma vez, Barclay está calçado com a verdade quando escreve: "O efeito da cruz não mudou o coração de Deus, senão o do homem. Era o homem quem necessitava ser reconciliado com Deus, e não o revés. Está contra o pensamento paulino pensar que a ira de Deus se transformou em amor; e o seu juízo, em misericórdia por causa da morte de Cristo".[276]

Na verdade, não foi a cruz de Cristo que gerou o amor de Deus; foi o amor de Deus que gerou a cruz (Jo 3:16; Rm 5:8; 8:32; 1Jo 4:10). A cruz não é a causa, mas o resultado do amor de Deus. A cruz estava cravada no coração de Deus desde a fundação do mundo (Ap 13:8).

Em terceiro lugar, *a cruz de Cristo foi o preço que Deus pagou para nos reconciliar consigo*. Deus nos amou e nos deu seu Filho. Deus nos amou, e Cristo se encarnou. Deus nos amou, e Cristo sofreu em nosso lugar. Deus nos amou, e Cristo morreu por nós. A cruz é o maior arauto do amor de Deus por nós. A cruz é a prova cabal de que Deus está de braços abertos para nos receber de volta ao lar. A nossa reconciliação com Deus custou-lhe um preço infinito, a morte do seu próprio Filho. Ele nos comprou não com coisas corruptíveis como prata ou ouro, mas com o sangue do seu Filho bendito (1Pe 1:18,19). Quando Deus criou o universo, ele apenas usou sua palavra. "Haja luz. E houve luz". Quando Deus criou o homem, ele pôs a mão no barro. Mas, quando Deus foi salvar o homem, ele entrou no barro, pois o Verbo se fez carne e habitou entre nós.

O agente da reconciliação (5:18,19)

Destacamos dois pontos.

Em primeiro lugar, *Jesus Cristo é a ponte que nos liga a Deus*. Ray Stedman diz corretamente que à parte de Cristo, ninguém pode pensar que está mais perto de Deus que outra pessoa.[277] A nossa reconciliação com Deus dá-se por meio de Cristo, e não à parte dele. Não há nada que podemos fazer para nos tornarmos aceitáveis a Deus. Foi o que Cristo fez por nós que pavimentou o nosso caminho de volta para Deus. Cristo é o único caminho de volta para Deus. Ele é a única porta de entrada no céu. Ele é o único mediador entre Deus e os homens. Ele é a escada mística de Jacó que liga a terra ao céu.

Em segundo lugar, *Jesus Cristo nos reconcilia com Deus pela sua morte*. Quando Deus criou o universo, ele falou, e tudo se fez. Quando Deus criou o homem, ele pegou o barro e o fez à sua imagem e semelhança. Quando, porém, Deus foi reconciliar o homem consigo, precisou enviar seu Filho para morrer numa cruz. O preço da reconciliação foi a morte de Cristo. Não havia outro meio de sermos reconciliados com Deus. Cristo fez a reconciliação pelo sangue da sua cruz (Cl 1:20).

Essa é a doutrina da substituição. Cristo assumiu o nosso lugar como nosso representante e fiador. Ele pagou a nossa dívida, morreu em nosso lugar e abriu para nós um novo e vivo caminho de retorno ao Pai. A cruz de Cristo é a ponte entre a terra e o céu. Nenhuma pessoa pode chegar até Deus a não ser por meio dessa ponte.

A base da reconciliação (5:19)

Aqui está a glória mais excelsa do evangelho. O justo justifica o injusto, sem deixar de ser justo pela imputação da justiça do justo ao injusto. Deus é justo e justificador daquele que tem fé em Jesus (Rm 3:26). Com base nessa verdade, Ray Stedman afirma que a cruz de Cristo é o lugar onde Satanás é sempre derrotado. Ela era o ás escondido na manga de Deus, e com o qual o diabo não contava. O grande acusador nunca poderá encontrar um fundamento pelo qual possa fazer o Deus justo se voltar contra nós, pois todos os nossos pecados foram separados de nós, para sempre, pela cruz.[278]

Paulo aborda a questão da imputação em três aspectos. Imputar algo a alguém significa pôr algo em sua conta. A imputação é um termo da área financeira e que significa, simplesmente, "pôr na conta de alguém". Quando fazemos um depósito bancário, o computador (ou o funcionário) transfere esse valor para nossa conta ou crédito. Quando Jesus morreu na cruz, todos os pecados lhe foram imputados; ou seja, foram postos em sua conta. Em decorrência disso, todos esses pecados foram pagos, e Deus não nos condena por eles. Além disso, Deus deposita a justiça de Cristo em nossa conta.[279]

A reconciliação baseia-se na imputação. Os que creem em Cristo jamais terão seus pecados imputados contra eles outra vez. Cristo foi feito pecado, da mesma maneira como nós somos feitos justiça. Cristo, que era inocente quanto ao pecado, entrou numa esfera completamente estranha a si mesmo, para que nós pudéssemos entrar numa esfera da qual nos alienamos.[280] Paulo fala no texto em apreço sobre três tipos de imputação: primeiro, Deus não imputa iniquidade aos pecadores (Sl 32:2). Segundo, ele imputa o pecado dos pecadores a Cristo, o Cordeiro imaculado (1Pe 1:19). Terceiro, ele imputa a justiça de Cristo aos pecadores (5:21).[281] Vejamos essas três imputações:

Em primeiro lugar, *Deus não pôs os nossos pecados em nossa conta* (5:19). Como o Deus justo pode ser reconciliado com o homem pecador? Como podemos ter comunhão com Deus se o nosso pecado faz separação entre nós e ele? Como podemos ter comunhão com Deus, se ele é luz, e o pecado é treva? Como podemos ser reconciliados com Deus, se ele é benigno, e o nosso pecado, maligníssimo? Como podemos encontrar abrigo nos braços de Deus, se o pecado provoca sua santa ira?

Deus não pode fazer vistas grossas ao pecado. A justiça violada de Deus precisa ser satisfeita. A alma que pecar, essa morrerá. Deus não inocentará o culpado. Deus não pode ter prazer no pecado. Ele é santo e não pode reagir favoravelmente ao pecado.

O que Deus fez então? "Ele não imputou aos homens as suas transgressões" (5:19). Essa figura é bancária. Deus não fez o lançamento da nossa dívida em nossa conta. Ele não puniu o nosso pecado em nós. Deus não é o calculador do pecado, mas o libertador do pecado. Agora, se Deus não inocenta o culpado (Ex 34:7), de quem, então, Deus cobrará essa conta?

Em segundo lugar, *Deus pôs os nossos pecados na conta de Cristo* (5:21). Cristo não conheceu pecado, mas foi feito pecado por nós. Ele que era bendito eternamente foi feito maldição por nós. Ele sofreu o castigo da lei que deveríamos sofrer. Ele bebeu o cálice da ira de Deus que deveríamos beber. Ele carregou no seu corpo, sobre o madeiro, os nossos pecados. Deus lançou sobre ele a iniquidade de todos nós. Ele foi ferido e traspassado pelas nossas transgressões.

Naquele momento o sol escondeu o seu rosto e houve trevas ao meio dia. Ele sentiu o desamparo do próprio Pai. Mas, vitoriosamente, Cristo deu um brado na cruz e gritou: "Está consumado!". A palavra grega *tetélestai* usada por Cristo na cruz significa "está pago"! Agora estamos quites com a lei e com a justiça de Deus.

Podemos ilustrar essa verdade com a carta de Paulo a Filemom. Onésimo era um escravo de Filemom. Certo dia, Onésimo roubou algo de seu senhor e fugiu para Roma. Onésimo poderia ter sido crucificado por seus crimes, mas, por providência divina, foi parar na mesma prisão onde estava Paulo. Este o gerou entre algemas, e Onésimo se converteu, tornando-se um filho amado do apóstolo. Paulo escreveu a carta a Filemom para encorajar seu amigo a perdoar Onésimo e recebê-lo de volta. "Recebe-o como se fosse a mim mesmo" (Fm 17). Paulo o envia de volta ao seu senhor com essa recomendação: "E se algum dano te fez ou se te deve alguma coisa, lança tudo em minha conta" (Fm 18). Paulo estava disposto a pagar a conta (imputação) para que Onésimo e Filemom se reconciliassem.[282]

Em terceiro lugar, *Deus pôs a justiça de Cristo em nossa conta* (5:21). Jesus não apenas pagou a nossa dívida, ele nos tornou infinitamente ricos (8:9). A justificação é mais do que perdão. No perdão, nossa dívida foi totalmente quitada; na justificação, além da dívida ter sido quitada, ainda recebemos em nossa conta um depósito de valor infinito, a justiça de Cristo. A resposta da pergunta 60 do Catecismo de Heidelberg diz: "Deus concede e credita para mim a perfeita satisfação, a justiça e santidade de Cristo, como se eu nunca tivesse pecado nem houvera sido pecador, como se eu tivesse sido perfeitamente obediente como Cristo foi obediente por mim".

Não apenas nosso débito foi cancelado, mas um depósito imenso foi feito em nossa conta. É como se você devesse um milhão de reais ao banco e estivesse completamente falido, sem um centavo. Alguém, generosamente, deposita em sua conta um milhão de reais e sua dívida é quitada. Você está livre da dívida, isso é perdão. Mas, na justificação, não apenas sua dívida é perdoada, mas Deus faz um depósito de valor incalculável em sua conta, a infinita justiça de Cristo.

O embaixador da reconciliação (5:19,20)

O embaixador é um porta-voz oficial de uma nação num país estrangeiro.[283] A palavra grega usada por Paulo para "embaixador" é *presbeuein*. Esse termo tem um rico pano de fundo. William Barclay diz que as províncias romanas estavam dividas em duas formas. Uma parte estava sob o controle direto do Senado, e a outra, sob o controle direto do imperador. As províncias pacíficas, onde não havia tropas, estavam sob a égide do Senado, e as províncias perigosas, que eram sede das tropas romanas, eram imperiais. Nelas, o *presbeutes* era o representante direto do imperador, o que administrava a província em favor do imperador. O *presbeutes* cumpria, assim, uma missão direta do imperador. Warren Wiersbe diz que este mundo encontra-se rebelado contra o Senhor. No que se refere a Deus, o mundo é uma "província imperial". Assim, Deus enviou seus embaixadores para declarar paz, e não guerra. "Rogamos que vos reconcilieis com Deus" (5:20). Que grande privilégio ser embaixador do céu para os pecadores rebeldes deste mundo.[284]

O embaixador, o *presbeutes,* tem um significado ainda mais interessante. Quando o Senado romano decidia que uma região devia converter-se em província enviava a ela dez *presbeutai* ou emissários, que junto com o general vitorioso, acertavam os termos da paz com os derrotados, determinavam os limites da nova província e promulgavam uma constituição para sua nova administração. Depois, voltavam, dando relatório de tudo ao Senado para que este ratificasse as decisões. Esses embaixadores eram, dessa forma, responsáveis por atrair os homens à família do Império Romano.[285]

Em face do exposto, podemos destacar algumas lições importantes.

Em primeiro lugar, *um embaixador tem o ministério da reconciliação* (5:18). Colin Kruse diz que Deus não só reconciliou o mundo consigo mesmo, mas também comissionou mensageiros para proclamar essas boas novas. Todos quantos derem ouvidos ao chamado para o arrependimento e a fé experimentarão a alegria da reconciliação com Deus.[286]

Antes nós éramos inimigos de Deus; agora, somos embaixadores da reconciliação. Antes estávamos perdidos; agora, buscamos os perdidos. Neste mundo marcado pelo ódio, pela guerra e por relacionamentos quebrados entre o homem e Deus e entre o homem e seu próximo temos um glorioso ministério, o ministério da reconciliação. Ray Stedman é enfático quando diz que a boa-nova não nos chega por intermédio de anjos. Não nos é anunciada dos céus por vozes fortes, impessoais. Nem nos chega por nos debruçarmos sobre empoeirados volumes do passado. Em cada geração, ela é transmitida por homens e mulheres que falam de uma experiência que eles próprios viveram. Na verdade, o cristianismo autêntico é Cristo falando aos homens, pelo Espírito, por nosso intermédio nos dias de hoje.[287]

Em segundo lugar, *um embaixador prega a mensagem da reconciliação* (5:20). O embaixador exorta aos homens, em nome de Cristo, que se reconciliem com Deus. Charles Hodge alerta para o fato de que a palavra *katallassein*, "reconciliação", aqui, está na voz passiva. O homem não tem poder de por si mesmo reconciliar-se com Deus. O homem só pode receber a reconciliação providenciada por Deus. A reconciliação é efetuada pela morte de Cristo. Deus é agora propício a nós. Ele pode agora ser justo e o justificador do injusto. O que temos que fazer é não recusar a oferta do amor de Deus.[288] Nessa mesma linha de pensamento, Daniel Mitchell diz que Paulo não chama os pecadores para mudar a si mesmos, porque ele já afirmou que Deus é quem faz a reconciliação (5:18). Em vez disso, ele roga a eles que se submetam à obra reconciliadora de Deus.[289]

Em terceiro lugar, *um embaixador ostenta uma imensa responsabilidade* (5:20). O embaixador fala em nome do seu governo e representa o seu país. Destacamos três características de um embaixador:

O embaixador vive em terra estranha. Um embaixador é um cidadão de seu país em um país estrangeiro. Vive entre pessoas que quase sempre falam um idioma distinto, que têm uma tradição diferente e um estilo de vida também diferente.[290] Nós nascemos de cima, do alto, do Espírito. O céu não é apenas nosso destino, mas também nossa origem. Nossa Pátria está no céu. Aqui somos peregrinos e estrangeiros. Vivemos em terra estranha.

O embaixador fala em nome do seu governo. O embaixador não representa a si mesmo nem fala em seu próprio nome. Ele representa o seu governo. Ele fala em nome do seu país. Quando ele fala, sua voz é a de sua pátria. Transmite a mensagem, a decisão e a política de seu país.[291] Um embaixador seria sumariamente despedido caso descumprisse as ordens de quem o envia e deixasse de representar fielmente os interesses do seu país. Ray Stedman está correto quando diz que a palavra do embaixador tem o respaldo da nação que o enviou, mas apenas quando essa palavra representar realmente o pensamento e a vontade do Estado que representa.[292]

O embaixador tem em suas mãos a honra de seu país. Seu país é julgado por meio dele. Quando as pessoas escutam suas palavras e observam suas ações, dizem: "Essa é a maneira como esse país pensa e age". O embaixador quando age, não o faz apenas como agente, mas também como o representante legítimo de seu soberano.[293] A honra de Cristo e de sua igreja está nas mãos dos embaixadores de Deus.

Em quarto lugar, *todo embaixador precisa assumir solenes compromissos.* Destacamos três compromissos que um embaixador deve assumir:

O embaixador deve transmitir a mensagem que ouviu. O embaixador só pode falar em nome do seu governo a mensagem que recebeu do seu governo. Ele não cria a mensagem, ele a transmite. O embaixador entrega a mensagem do rei com a autoridade do rei, ele não fala como substituto do rei, mas em nome deste. Mudar a mensagem do evangelho para agradar aos homens ou auferir lucro, como faziam os falsos apóstolos, é um ato de rebelião contra Deus e conspiração contra sua Palavra.

O embaixador vai para onde o seu país o envia. O embaixador não determina o lugar para aonde quer ser enviado. Ele é um servo do seu país, e não um autônomo. O embaixador de Cristo é um servo da missão, e não um autônomo que dirige sua própria agenda.

O embaixador não se naturaliza, ele é sempre um estrangeiro. Um embaixador não muda de cidadania. Ele nunca se naturaliza. Ele é sempre um representante de sua nação em terra estranha. Não devemos nos apegar a este mundo. Aqui somos embaixadores. Aqui representamos nossa Pátria. Não somos daqui. Estamos aqui em missão especial.

Em quinto lugar, *o embaixador tem uma mensagem solene e urgente* (5:20). A mensagem que anunciamos é a maior, a mais importante, a mais vital e a mais urgente mensagem que o homem pode ouvir. É a mensagem da reconciliação. O Deus que reconciliou o mundo consigo mesmo, pela morte de seu Filho, agora apela ao mundo, por intermédio de seus embaixadores, para que se reconcilie com ele.[294]

Algum juiz já implorou a um criminoso culpado para aceitar o seu perdão? Algum credor já instou com um devedor arruinado para receber o perdão completo da sua dívida? Ah! O Deus todo-poderoso apela a você. Ele clama ao seu coração. Ele exorta-o a se reconciliar com ele.

O apóstolo Paulo conclui esse tema, alertando para dois solenes perigos:

Primeiro, *o perigo de receber a graça de Deus em vão* (6:1). Depois de tudo o que Deus fez por você, da morte de Cristo em seu favor, do seu clamor eloquente e apaixonado para você se reconciliar com ele, se você desprezar essa oferta de amor, nada mais lhe resta senão uma horrível expectativa de juízo. Receber a graça de Deus em vão é rejeitar a oferta da reconciliação, é escarnecer da graça, é fazer pouco caso do amor de Deus, é virar as costas para Deus.

Segundo, *o perigo de adiar sua decisão* (6:2). Hoje é o dia oportuno de você se reconciliar com Deus. Hoje, a porta da graça está aberta. Hoje, o Espírito está apelando a você, por meio de um embaixador, em nome de Cristo, que você se reconcilie com Deus. Hoje, ainda é tempo oportuno de você se reconciliar com Deus. Amanhã pode ser tarde demais!

Notas

[250] MITCHELL, Daniel R. *The Second Epistle to the Corinthians*. Em The Complete Bible Commentary. Thomas Nelson Publishers. Nashville, TN. 1999, p. 1514.
[251] KRUSE, Colin. *II Coríntios: Introdução e Comentário*. 1994, p. 128.
[252] RIENECKER, Fritz e ROGERS Cleon. *Chave Linguística do Novo Testamento Grego*. 1985, p. 346.
[253] KRUSE, Colin. *II Coríntios: Introdução e Comentário*. 1994, p. 128.
[254] MITCHELL, Daniel R. *The Second Epistle to the Corinthians*. Em The Complete Bible Commentary. 1999, p. 1514.
[255] MACDONALD, William. *Believer's Bible Commentary*. 1995, p. 1840.
[256] CARVER, Frank G. *A Segunda Epístola de Paulo aos Coríntios*. Em Comentário Bíblico Beacon. Vol. 8. 2006, p. 432.
[257] KISTEMAKER, Simon. *2 Coríntios*. 2004, p. 261,262.
[258] KISTEMAKER, Simon. *2 Coríntios*. 2004, p. 263.
[259] WIERSBE, Warren W. *Comentário Bíblico Expositivo*. Vol. 5. 2006, p. 846.
[260] RIENECKER, Fritz e ROGERS Cleon. *Chave Linguística do Novo Testamento Grego*. 1985, p. 346.
[261] KRUSE, Colin. *II Coríntios: Introdução e Comentário*. 1994, p. 130.
[262] STEDMAN, Ray C. *A dinâmica de uma vida autêntica*. N.d., p. 134.
[263] WIERSBE, Warren W. *Comentário Bíblico Expositivo*. Vol. 5. 2006, p. 846,848.
[264] MACDONALD, William. *Believer's Bible Commentary*. 1995, p. 1840.
[265] KISTEMAKER, Simon. *2 Coríntios*. 2004, p. 265,266.
[266] MITCHELL, Daniel R. *The Second Epistle to the Corinthians*. Em The Complete Bible Commentary. 1999, p. 1515.
[267] KRUSE, Colin. *II Coríntios: Introdução e Comentário*. 1994, p. 133.
[268] STEDMAN, Ray C. *A dinâmica de uma vida autêntica*. N.d., p. 135.
[269] MACDONALD, William. *Believer's Bible Commentary*. 1995, p. 1841.
[270] RIENECKER, Fritz e ROGERS Cleon. *Chave Linguística do Novo Testamento Grego*. 1985, p. 347.
[271] BARCLAY, William. *Palabras Griegas Del Nuevo Testamento*. Casa Bautista de Publicaciones. 1977, p. 125,126.
[272] KISTEMAKER, Simon. *2 Coríntios*. 2004, p. 277.

[273] STEDMAN, Ray C. *A dinâmica de uma vida autêntica.* N.d., p. 146.
[274] KISTEMAKER, Simon. *2 Coríntios.* 2004, p. 274.
[275] BARCLAY, William. *Palabras Griegas Del Nuevo Testamento.* 1977, p. 127.
[276] BARCLAY, William. *Palabras Griegas Del Nuevo Testamento.* 1977, p. 127.
[277] STEDMAN, Ray C. *A dinâmica de uma vida autêntica.* N.d., p. 140.
[278] STEDMAN, Ray C. *A dinâmica de uma vida autêntica.* N.d., p. 145.
[279] WIERSBE, Warren W. *Comentário Bíblico Expositivo.* Vol. 5. 2006, p. 849.
[280] CARVER, Frank G. *A Segunda Epístola de Paulo aos Coríntios.* Em Comentário Bíblico Beacon. Vol. 8. 2006, p. 436.
[281] MITCHELL, Daniel R. *The Second Epistle to the Corinthians.* Em The Complete Bible Commentary. 1999, p. 1515.
[282] WIERSBE, Warren W. *Comentário Bíblico Expositivo.* Vol. 5. 2006, p. 849.
[283] STEDMAN, Ray C. *A dinâmica de uma vida autêntica.* N.d., p. 143.
[284] WIERSBE, Warren W. *Comentário Bíblico Expositivo.* Vol. 5. 2006, p. 849,850.
[285] BARCLAY, William. *I y II Corintios.* 1973, p. 219,220.
[286] KRUSE, Colin. *II Coríntios: Introdução e Comentário.* 1994, p. 136.
[287] STEDMAN, Ray C. *A dinâmica de uma vida autêntica.* N.d., p. 143,144.
[288] HODGE, Charles. *2 Corinthians.* In The Classic Bible Commentary. Editor Owen Collins. Crossway Books. Wheaton, IL. 1999, p. 1263.
[289] MITCHELL, Daniel R. *The Second Epistle to the Corinthians.* Em The Complete Bible Commentary. 1999, p. 1515.
[290] BARCLAY, William. *I y II Corintios.* 1973, p. 220.
[291] BARCLAY, William. *I y II Corintios.* 1973, p. 220.
[292] STEDMAN, Ray C. *A dinâmica de uma vida autêntica.* N.d., p. 144.
[293] BARCLAY, William. *I y II Corintios.* 1973, p. 221.
[294] KRUSE, Colin. *II Coríntios: Introdução e Comentário.* 1994, p. 137.

Capítulo 8

Uma tempestade de problemas
(2Coríntios 6:3-13)

A VIDA CRISTÃ NÃO É UM MAR DE ROSAS, mas uma tempestade na qual não faltam nuvens pardacentas e trovões aterradores. Os covardes e medrosos que têm medo de decidir não entrarão no Reino de Deus. A vida cristã não é feita de amenidades, mas tecida por lutas renhidas. Ela não é uma viagem por águas calmas, mas uma navegação turbulenta em mares revoltos e encapelados. William Barclay, citando João Crisóstomo, diz que o texto em tela retrata uma tempestade de problemas.[295]

Paulo tratou da súbita honra de ser um ministro da nova aliança (3:6), um ministro da justiça (3:9), um ministro da reconciliação (5:18); de receber a palavra da reconciliação (5:19) e ser um embaixador de Deus (5:20). Por esse motivo, ele buscava viver de forma irrepreensível a fim de que o ministério não fosse censurado (6:3).

Paulo tinha o cuidado de não fazer coisa alguma que pudesse servir de tropeço tanto a incrédulos quanto a cristãos (Rm 14:1-23). A palavra grega *proskope*, "escândalo", significa uma ocasião para tropeçar, fazer alguma coisa que leva outros a tropeçar. Indica o ato de obstruir os pés de uma pessoa, fazendo-a cair.[296] Já a palavra *momethe*, "censurado", implica ridículo e vergonha. Trata-se da desgraça e seu resultado.[297]

David Thomas alerta para o fato de que tão perverso é o homem que geralmente ele degrada alguns dos mais altos ofícios que lhe foram confiados. Há comerciantes que degradam o comércio. Há médicos que desonram a medicina. Há juízes que degradam a justiça. Há legisladores que pervertem as leis. Há reis que desonram o trono. Mas o que é pior e mais grave é que há ministros que desonram o próprio ministério.[298]

Simon Kistemaker diz corretamente que a conduta de um pastor nunca deve obstruir a obra do ministério do evangelho. Um pastor é sempre em primeiro lugar um ministro da Palavra e, depois, um servo do Senhor para o seu povo. Quando um ministro do evangelho quebra a lei moral de Deus, a Igreja não consegue mais testemunhar efetivamente para o mundo. A Igreja se torna objeto de riso, pois a poluição do pecado mostra a contradição entre atos e palavras. O ato pecaminoso condena a mensagem do evangelho.[299]

Paulo não se recomendava à igreja como os falsos obreiros buscando glórias humanas (5:12), mas recomendava-se como ministro de Deus nas variegadas provas da vida cristã (6:4). Ray Stedman diz que a recomendação a que Paulo se refere no capítulo 5 é a que é feita com palavras: uma autorrecomendação presunçosa que objetiva apenas impressionar os outros. Aqui, no capítulo 6, é uma recomendação de feitos e atitudes, que falam por si mesmos.[300]

Daniel Mitchell corretamente diz que um leitor desatento pensará que o relato de Paulo, nos versículos 4 a 10, é uma coletânea de experiências sem qualquer conexão. Contudo, uma observação mais detalhada do texto provará que Paulo fez um cuidadoso e lógico arranjo de vinte e sete categorias, dividido em três grupos de nove cada. Nos versículos 4 e 5, seus pensamentos estão sobre suas provações. Nos versículos 6 e 7, sobre a divina provisão; e nos versículos 8 a 10, sobre a vitória sobre as circunstâncias adversas.[301]

O apóstolo Paulo começa esse catálogo de provas com uma das virtudes mais robustas da vida cristã, a paciência triunfadora (6:4). A palavra grega usada, *hupomone*, não pode ser traduzida ao pé da letra. William Barclay diz que ela não descreve o tipo de mentalidade que se assenta com as mãos cruzadas e a cabeça baixa até que passe a tormenta de problemas, em resignação pacífica. Descreve, ao contrário, a habilidade de suportar as coisas de uma maneira tão triunfante que as transforma profundamente.[302] Crisóstomo, o maior pregador do Oriente, chama *hupomone* de a raiz de todo o bem, a mãe da piedade, o fruto que não seca jamais, a fortaleza que nunca pode ser conquistada, o porto que não conhece tormentas. Para Crisóstomo, *hupomone* é a rainha das virtudes, fundamento de todas as ações justas, paz no meio da guerra, calma na tempestade, segurança nos tumultos.[303]

Nessa mesma linha de pensamento, Ray Stedman diz que essa paciência não é uma capacidade natural de suportar algumas dificuldades da vida, mas um corajoso triunfo que recebe todas as pressões da vida e sai delas com um brado de alegria. Não somente essa pessoa não se deixa abater pelas dificuldades, mas mostra-se até grata pela oportunidade de passar por elas, sabendo que isso trará glória a Deus.[304]

Concordo com Colin Kruse quando diz que "paciência", aqui, é o cabeçalho geral de nove elementos que Paulo relaciona a fim de recomendar seu ministério.[305] Examinaremos o texto em apreço sob quatro perspectivas.

Quando o mar se revolta na vida cristã (6:3-5)

Paulo aborda três grupos, cada um composto de três situações, em que a paciência é aplicada.

Em primeiro lugar, *os conflitos internos da vida cristã* (6:4). O apóstolo Paulo menciona três conflitos internos que a paciência triunfadora nos capacita a vencer. Esse primeiro grupo expressa termos genéricos a que todos os cristãos estão sujeitos.[306]

As aflições (6:4). A palavra grega que Paulo usa é *thlipsis*, que significa pressão física, aflição ou tribulação. Representam aquelas situações que são cargas para o coração humano, aquelas desilusões que podem destroçar a vida.[307]

As privações (6:4). A palavra grega *anagké* significa literalmente as necessidades da vida.[308] Fritz Rienecker diz que essa palavra é usada no sentido de sofrimento, muito possivelmente torturas.[309] São aquelas cargas inevitáveis da vida que retratam necessidades materiais, emocionais e até físicas.

As angústias (6:4). A palavra grega que Paulo utiliza, *stenochoria*, significa um lugar muito apertado. Essa palavra era usada para descrever a condição de um exército encurralado num desfiladeiro estreito e rochoso, sem lugar para escapar.³¹⁰ Há momentos na vida cristã que nos sentimos entrincheirados, cercados por todos os lados e, nesses momentos, precisamos da paciência triunfadora para aguardamos o livramento de Deus.

Em segundo lugar, *as tribulações externas da vida cristã* (6:5). Mais uma vez, o apóstolo Paulo menciona três circunstâncias difíceis que ele enfrentou como ministro da nova aliança. Esse segundo grupo apresenta exemplos particulares.³¹¹

Os açoites (6:5). O sofrimento de Paulo não era apenas espiritual, mas também físico. Paulo foi açoitado várias vezes, fustigado com varas e até apedrejado. É exatamente porque os cristãos primitivos enfrentaram as fogueiras, as feras e toda sorte de castigos físicos que hoje recebemos o legado do cristianismo. O próprio Paulo dá seu testemunho: "Cinco vezes recebi dos judeus uma quarentena de açoites menos um; fui três vezes fustigado com varas; uma vez, apedrejado [...]" (11:24,25). Esses açoites lhe deixaram cicatrizes, pelo que escreveu: "Quanto ao mais, ninguém me moleste; porque eu trago no corpo as marcas de Jesus" (Gl 6:17).

As prisões (6:5). Paulo foi preso várias vezes. O livro de Atos registra sua prisão em Filipos, Jerusalém, Cesareia e Roma. Paulo passou vários anos do seu ministério na cadeia. Ele terminou os seus dias numa masmorra romana, de onde saiu para ser decapitado. Ao longo dos séculos, um séquito de crentes em Cristo suportou prisões e esteve disposto a abandonar sua liberdade em vez da fé.³¹²

Os tumultos (6:5). Paulo não enfrentou apenas a severidade da lei judaica e romana por onde passou, mas também a violência da multidão tresloucada. A palavra grega usada por Paulo, *akatastasia,* significa instabilidade, multidões em rebelião e desordens civis (At 13:50; 14:19; 16:19; 19:29). Esses tumultos referem-se àqueles perigos criados pelos homens.[313] Em quase toda cidade por onde passou, Paulo enfrentou multidões enfurecidas, incitadas principalmente pelos judeus. Em Antioquia da Pisídia, os judeus incitaram as mulheres da alta posição e os principais da cidade a expulsar Paulo de seu território (At 13:49-52). Em Icônio, houve um complô para apedrejar Paulo e ele precisou sair da cidade (At 14:5,6). Em Listra, uma ensandecida multidão apedrejou Paulo (At 14:19). Em Filipos, uma multidão alvoroçada prendeu Paulo e Silas, açoitando-os e lançando-os na prisão (At 16:22,23). Em Tessalônica, uma turba procurando Paulo alvoroçou a cidade e arremeteu-se contra Jasom e sua casa (At 17:5). Em Éfeso, houve um grande tumulto, e os amigos de viagem de Paulo foram presos (At 19:23-40). Mesmo durante o ministério de Paulo em Corinto, ele também foi preso, e procuraram levá-lo diante do governador (At 18:12-17). Simon Kistemaker diz que o pior caso de agitação civil ocorreu em Jerusalém. Ali, o povo amotinado procurou matar Paulo (At 21:30-32).[314] Por todo o lugar que Paulo pregou o evangelho, ele defrontou-se com ensandecidas multidões.[315]

Em terceiro lugar, *as tribulações naturais da vida cristã* (6:5b). As três provas que Paulo passa a mencionar não vieram de fora nem de dentro, mas foram abraçadas voluntariamente por ele. Trata-se de provações assumidas voluntariamente por ele.[316]

Os trabalhos (6:5b). A palavra grega *kopos,* usada por Paulo, é muito sugestiva, pois descreve o trabalho que leva ao esgotamento, o tipo de tarefa que exige todas as forças que o corpo, a mente e o espírito do homem podem dar.³¹⁷ Fritz Rienecker diz que *kopos* implica em trabalhar até fatigar-se, o cansaço que segue após o uso das forças ao máximo.³¹⁸ Paulo chega a declarar que trabalhou mais do que todos os outros apóstolos (1Co 15:10).

As vigílias (6:5b). Algumas vezes, Paulo passava noites em oração e, outras vezes, não conseguia dormir em virtude dos tumultos e perseguições, quase sem trégua, que vinham a ele de todos os lados. A palavra grega *agrupnia*, "vigílias", refere-se àquelas ocasiões em que Paulo voluntariamente ficava sem dormir ou encurtava suas horas de sono a fim de devotar mais tempo ao seu trabalho evangélico, ao cuidado de todas as igrejas e à oração.³¹⁹ Paulo seguiu o exemplo de Jesus (Mc 1:35; Lc 6:12), passando muitas horas da noite e da madrugada em oração.

Os jejuns (6:5b). Os jejuns referidos por Paulo podem ser tanto os voluntários como os involuntários. A palavra grega *nesteía*, "jejuns", refere-se ao jejum voluntário a fim de poder realizar mais trabalhos.³²⁰ Contudo, esses jejuns podem também se referir àqueles momentos em que Paulo passou privações (11:9) e até fome (11:27; 1Co 4:11; Fp 4:12).

Quando Deus nos capacita a enfrentar as tempestades na vida cristã (6:6,7)

O apóstolo Paulo deixa de lado as provas e tribulações, que a paciência lhe permitiu vencer, e passa a referir-se à série de elementos com os quais Deus o equipou para enfrentar as tempestades da vida cristã. Mais uma vez, ele os reúne em três grupos de três cada um.³²¹

Em primeiro lugar, *as qualidades que Deus outorga à mente* (6:6). Três virtudes basilares da vida cristã são dadas a Paulo, capacitando-o para ser um ministro da reconciliação.

A pureza (6:6). A palavra grega *hagnotes*, utilizada por Paulo nesse texto, era definida pelos gregos como "evitar cuidadosamente todos os pecados que estão contra os deuses".[322] Ser puro é estar livre de toda mancha e contaminação tanto da carne como do espírito (7:1). É ter vida pura e motivos puros.[323] É ter ações puras (1Tm 5:22) e pensamentos puros (Fp 4:8).

O saber (6:6). Esse não é conhecimento teórico, mas o conhecimento daquilo que se deve fazer. Concordo com Bruce Barton quando ele diz que Paulo não se refere aqui à riqueza de informações, mas a um claro entendimento da mensagem do evangelho. Cristo havia revelado a Paulo o mistério da salvação (Ef 3:6).[324] Nessa mesma linha de pensamento, Simon Kistemaker diz que aqui não é o conhecimento intelectual "que ensoberbece" (1Co 8:1) que está em apreço, mas o conhecimento experimental de Deus e de sua salvação.[325]

A longanimidade (6:6). A palavra grega *makrothumia*, utilizada por Paulo aqui, é paciência com pessoas difíceis, enquanto *hupomone* é paciência com circunstâncias difíceis. Longanimidade é o autodomínio que não revida o mal apressadamente.[326] A longanimidade é a habilidade de suportar as pessoas mesmo quando elas estão equivocadas ou são cruéis.[327] Refere-se a um demorado refletir mental antes de dar lugar aos sentimentos e à ação.

Em segundo lugar, *as qualidades que Deus outorga ao coração* (6:6). Mais uma vez, Paulo utiliza o método de elencar três virtudes.

A bondade (6:6). A palavra grega *chrestotes* é o oposto de severidade. É uma benevolência compassiva. Ser bom é pensar mais nos outros do que em si mesmo.[328] Barnabé foi chamado de bom (At 11:24). Ele é sempre visto na Bíblia como um homem que está investindo na vida dos outros.

O Espírito Santo (6:6). Nenhuma palavra ou ação bondosa pode ser realizada sem a intervenção do Espírito Santo. William MacDonald diz que tudo que Paulo fez, foi feito no poder e em submissão ao Espírito Santo.[329] Ele pregou no poder do Espírito (1Co 2:4; 1Ts 1:5).

O amor não fingido (6:6). A palavra grega usada por Paulo é *ágape*. Significa uma invencível benevolência. É aquele tipo de amor que não paga o mal com o mal, mas vence o mal com o bem. É o amor que não se vinga, mas se entrega sacrificialmente em favor da pessoa amada. Esse amor não é misturado com outros sentimentos egoístas.

Em terceiro lugar, *as qualidades que Deus outorga para a pregação do evangelho* (6:7). Seguindo sua metodologia, Paulo menciona mais três qualidades concedidas por Deus, equipando-o para a pregação da Palavra.

A Palavra da verdade (6:7). Paulo tinha recebido tanto a Palavra de Deus como a força para proclamá-la. Ele não gerou a Palavra, ele a recebeu. Ele não transmite o que vem de dentro, mas o que vem do alto. Não se trata de palavra de homens, mas da palavra da verdade.

O poder de Deus (6:7). Paulo anunciava a Palavra no poder de Deus (1Co 2:4; 1Ts 1:5). Sem poder não há pregação. A pregação é lógica em fogo. É a mensagem de Deus que emana da Palavra por meio de um homem que está em chamas para Deus. Paulo não apenas falava do poder, ele experimentava o poder.

As armas de justiça (6:7). Essas armas eram tanto de defesa quanto de combate. Tratava-se do escudo usado na mão esquerda; e a espada, na mão direita (10:3-5; Rm 13:12; Ef 6:10-20). O escudo era a arma de defesa; e a espada, a arma de combate. A vida cristã é um combate sem trégua. Lutamos não contra o sangue e a carne, mas contra principados e potestades (Ef 6:12). Nessa peleja não há campo neutro. Somos um guerreiro ou uma vítima. Não podemos entrar nessa refrega sem armas adequadas (10:4,5).

Os grandes paradoxos nas tempestades da vida cristã (6:8-10)

O apóstolo Paulo passa agora a mencionar nove paradoxos e antíteses da vida cristã. Trata-se de uma série de contrastes profundos. Aqui está clara a profunda diferença que existe entre a perspectiva de Deus e a perspectiva dos homens. Ray Stedman diz que o crente constitui-se num enigma para os outros, numa perpétua contradição para os que não os compreendem, pois sua vida consiste numa série de paradoxos.[330]

Colin Kruse diz corretamente que em cada uma dessas antíteses, uma parte representa uma avaliação do seu ministério "segundo a carne", e a outra parte, o verdadeiro ponto de vista de alguém que está em Cristo.[331] David Thomas diz que esses paradoxos falam dos dois lados opostos da vida de um homem de Deus: o lado secular e o lado espiritual. O lado visto pelo homem, e o lado visto por Deus.[332]

Concordo com Bruce Barton quando diz que essa passagem contrasta como Deus avaliou o ministério de Paulo com a maneira como seus críticos o avaliaram. O verdadeiro discípulo experimenta tanto o topo da montanha como as regiões mais baixas dos vales mais profundos. Ele oscila entre a honra e a desonra, entre a infâmia e a boa fama, entre a vida e a morte.[333] Consideraremos esses paradoxos.

Em primeiro lugar, *honra e desonra* (6:8). Aos olhos do mundo, Paulo era um homem despojado de toda honra. Era considerado o lixo do mundo e a escória de todos (1Co 4:13), mas aos olhos de Deus era mui honrado. A palavra grega *atimia,* usada para desonra, significa a perda dos direitos de cidadão, a privação dos direitos civis. Ainda que Paulo tivesse perdido todos os direitos como cidadão do mundo, tinha recebido a maior de todas as honras. Ele era cidadão do Reino de Deus. Ele tombou como mártir na terra, decapitado numa tosca cela romana, mas levantou-se como príncipe no céu (2Tm 4:6-8).

Em segundo lugar, *infâmia e boa fama* (6:8). Os opositores de Paulo criticavam cada uma de suas ações e palavras, além de odiá-lo com ódio consumado. Além disso, Paulo sofria infâmia de seus próprios filhos na fé. Embora Paulo e seu ministério obtivessem o reconhecimento de muitos crentes coríntios (1Co 16:15-18), outros o desonravam e falavam dele pelas costas (10:10; 11:7; 1Co 4:10-13,19). Contudo, a despeito de ser difamado na terra, recebeu certamente boa fama no céu.

Em terceiro lugar, *enganador e sendo verdadeiro* (6:8). Os críticos de Paulo o consideravam um charlatão ambulante e um impostor. Para eles, Paulo não era um autêntico apóstolo. Todavia, sua vida, sua conduta e seu ministério irrepreensível refutaram peremptoriamente as acusações levianas de seus inimigos. Paulo andou com consciência limpa diante de Deus e diante dos homens. Ele estava convicto de que sua mensagem era a verdade do próprio Deus.

Em quarto lugar, *desconhecido, entretanto bem conhecido* (6:9). Os judeus que o caluniavam diziam que Paulo era um "joão-ninguém" a quem faltava autoridade apostólica e a quem podiam denegrir à vontade. Mas, para seus filhos na fé, Paulo era conhecido e amado.

O apóstolo Paulo foi, sem sombra de dúvidas, o maior apóstolo, o maior teólogo, o maior evangelista, o maior missionário e o maior plantador de igrejas da história. A palavra grega *agooumenoi,* traduzida por "desconhecidos", traz a ideia de ser ignorante. Refere-se a "não valer nada", sem as credenciais adequadas. Paulo não recebeu reconhecimento do mundo de seu tempo, porque o mundo, a literatura, a política e a erudição não se preocupavam com ele e não faziam dele fonte de conversas diárias, nem o procuravam como grande orador.[334] Contudo, Paulo é hoje mais conhecido do que qualquer imperador romano. Importa mais receber reconhecimento de Deus do que dos homens. Importa mais ser amado pelos cristãos do que odiado pelo mundo.

Em quinto lugar, *morrendo, contudo vivendo* (6:9). Paulo viveu sob constante ameaça de morte. Foi apedrejado em Listra, açoitado em Filipos, enfrentou feras em Éfeso e foi atacado por uma multidão furiosa em Jerusalém. Simon Kistemaker diz que o poder divino que ressuscitou Jesus dos mortos impediu que Paulo sofresse uma morte prematura.[335] Sua vida despertou fúria no inferno e tumulto na terra. Paulo, porém, viveu para completar sua carreira e cumprir cabalmente seu ministério (At 20:24; 2Tm 4:6-8).

A julgar-se pelos padrões mundanos, a carreira de Paulo foi miserável. Ele esteve continuamente exposto a perigos de morte, sempre perseguido por multidões enfurecidas e por autoridades civis, mas Deus livrou-o vezes e vezes sem conta (1:8-10). Portanto, contra todas as expectativas, enquanto o propósito de Deus não se concretizou nele, ele escapou da morte.[336]

Em sexto lugar, *castigado, porém, não morto* (6:9). Muitas vezes, Paulo enfrentou açoites, cadeias, prisões, tumultos e até apedrejamento. Contudo, Deus o preservou da morte a fim de que ele cumprisse o propósito de levar o evangelho até aos confins da terra.

Fritz Rienecker diz que os cristãos não devem entender suas aflições como indicação da reprovação divina, mas, sim, devem regozijar-se nelas como oportunidades graciosamente oferecidas para glorificar o nome divino.[337] Concordo com Simon Kistemaker quando diz que Deus não castiga seu próprio povo por quem Cristo morreu, pois nossa punição pelo pecado foi posta sobre Cristo. Seu Filho sofreu em nosso lugar para que nós pudéssemos ser absolvidos. Portanto, é incorreto dizer que os crentes sofrem a ira de Deus. O castigo mencionado aqui, pelo apóstolo, são medidas corretivas de Deus, têm o objetivo de nos levar para mais perto dele.[338]

Em sétimo lugar, *entristecido, mas sempre alegre* (6:10). As tristezas de Paulo vinham das circunstâncias; sua alegria emanava de sua comunhão com Deus. Ele se alegrava não nas circunstâncias, mas apesar delas (At 16:19-26). Sua alegria não era nem presença de coisas boas nem ausência de coisas ruins. Sua alegria era uma Pessoa. Sua alegria era Jesus. A fonte da sua alegria não estava na terra, mas no céu; não nos homens, mas em Deus.

Em oitavo lugar, *pobre, mas enriquecendo a muitos* (6:10). Paulo não era como os falsos apóstolos que ganhavam dinheiro mercadejando a Palavra (2:17). Paulo era pobre. A palavra *ptokós*, usada por Paulo, significa extremamente pobre, miserável, indigente, destituído. Descreve a pobreza abjeta de quem não tem, literalmente, nada e que está num perigo real e iminente de morrer de fome.[339] Warren

Wiersbe ainda diz que *ptokós* significa penúria completa, como aquela de um mendigo.[340] Ele não tinha dinheiro, mas tinha um tesouro mais precioso do que todo o ouro da terra, o bendito evangelho de Cristo (4:7). Ele enriquecia as pessoas não de coisas materiais, mas de bênçãos espirituais.

Em nono lugar, *nada tendo, mas possuindo tudo* (6:10). Paulo não possuía riquezas terrenas, mas era herdeiro daquele que é o dono de todas as coisas. O ímpio tem posse provisória, mas o cristão é dono de todas as coisas que pertencem ao Pai (Lc 15:31). Somos herdeiros de Deus e coerdeiros com Cristo (Rm 8:17). O ímpio tendo tudo aqui, nada levará (1Tm 6:7). Nós, nada tendo aqui, possuímos tudo.

A importância do amor para enfrentar as tempestades da vida cristã (6:11-13)

O apóstolo Paulo conclui essa passagem buscando o fortalecimento de seu relacionamento com os seus filhos na fé da igreja de Corinto. A influência negativa dos falsos apóstolos havia abalado o relacionamento daqueles crentes com seu pai espiritual, mas apesar de todos os problemas e tristezas que a igreja lhe havia causado, Paulo ainda amava profundamente os cristãos de Corinto.[341] Três verdades são destacas aqui pelo apóstolo.

Em primeiro lugar, *o amor deve ser verbalizado* (6:11). "Para vós outros, ó coríntios, abrem-se os nossos lábios [...]" (6:11a). Paulo não apenas ama seus filhos na fé, mas declara esse amor. O amor precisa ser declarado, e não apenas sentido. O amor não é apenas um substantivo, mas também um verbo. É uma ação e uma atitude, mais do que um sentimento.

Em segundo lugar, *o amor deve ser demonstrado* (6:11,12). "[...] e alarga-se o nosso coração. Não tendes limites em nós; mas estais limitados em vossos próprios afetos" (6:11,12). Paulo não apenas abre os lábios, mas alarga também o coração para amar os coríntios. Ele não apenas verbaliza seu amor, mas também o demonstra com profundidade superlativa. Os crentes de Corinto estavam represando seus afetos e deixando de demonstrar a Paulo seu amor. Colin Kruse diz que eles permitiram que os acontecimentos do passado e as críticas assacadas contra Paulo restringissem seu afeto pelo apóstolo.[342] Simon Kistemaker diz que as restrições dos coríntios mostravam uma falta de amor e um excesso de suspeitas.[343] Os coríntios chegaram a criticar a pregação de Paulo (11:6; 1Co 2:1-4), suas cartas (2Co 1:13) e sua presença entre eles (10:9,10). Enquanto o amor de Paulo por eles era intenso, o afeto deles por Paulo estava esfriando. A palavra grega *splangchna,* traduzida por "afetos", significa entranhas, partes interiores. Refere-se, propriamente ao coração, fígado e pulmões e é usada para descrever a sede das emoções mais profundas.[344]

Em terceiro lugar, *o amor deve ser retribuído* (6:13). "Ora, como justa retribuição (falo-vos como a filhos), dilatai-vos também comigo" (6:13). Paulo, como pai espiritual dos coríntios dá-lhes seu amor e deseja receber amor de seus filhos. Aqueles que recebem amor devem retribuir amor. Os coríntios precisam se livrar de todos os pensamentos negativos que têm contra Paulo, e encher seus corações com amor para com ele.

Notas

295 BARCLAY, William. *I y II Corintios.* 1973, p. 222.
296 RIENECKER, Fritz e ROGERS Cleon. *Chave Linguística do Novo Testamento Grego.* 1985, p. 349.
297 RIENECKER, Fritz e ROGERS Cleon. *Chave Linguística do Novo Testamento Grego.* 1985, p. 349.
298 THOMAS, David. *II Corinthians.* Em The Pulpit Commentary. Vol. 19. Wm. B. Eerdmans Publishing Company. Grand Rapids, MI. 1978, p. 148.
299 KISTEMAKER, Simon. *2 Coríntios.* 2004, p. 300.
300 STEDMAN, Ray C. *A dinâmica de uma vida autêntica.* N.d., p. 149.
301 MITCHELL, Daniel R. *The Second Epistle to the Corinthians.* Em The Complete Bible Commentary. 1999, p. 1516.
302 BARCLAY, William. *I y II Corintios.* 1973, p. 222,223.
303 BARCLAY, William. *I y II Corintios.* 1973, p. 223.
304 STEDMAN, Ray C. *A dinâmica de uma vida autêntica.* N.d., p. 151.
305 KRUSE, Colin. *II Coríntios: Introdução e Comentário.* 1994, p. 141.
306 KRUSE, Colin. *II Coríntios: Introdução e Comentário.* 1994, p. 141.
307 BARCLAY, William. *I y II Corintios.* 1973, p. 223.
308 BARCLAY, William. *I y II Corintios.* 1973, p. 223.
309 RIENECKER, Fritz e ROGERS Cleon. *Chave Linguística do Novo Testamento Grego.* 1985, p. 349.
310 BARCLAY, William. *I y II Corintios.* 1973, p. 223.
311 KRUSE, Colin. *II Coríntios: Introdução e Comentário.* 1994, p. 141.
312 BARCLAY, William. *I y II Corintios.* 1973, p. 223.
313 RIENECKER, Fritz e ROGERS Cleon. *Chave Linguística do Novo Testamento Grego.* 1985, p. 349.
314 KISTEMAKER, Simon. *2 Coríntios.* 2004, p. 302.
315 BARTON, Bruce B e outros. *Life Application Bible Commentary on 1 & 2 Corinthians.* Tyndale House Publishers. Wheaton, IL. 1999, p. 362,363.
316 Colin, Kruse. *II Coríntios: Introdução e Comentário.* 1994, p. 141.
317 BARCLAY, William. *I y II Corintios.* 1973, p. 225.
318 RIENECKER, Fritz e ROGERS Cleon. *Chave Linguística do Novo Testamento Grego.* 1985, p. 349.
319 RIENECKER, Fritz e ROGERS Cleon. *Chave Linguística do Novo Testamento Grego.* 1985, p. 349.
320 RIENECKER, Fritz e ROGERS Cleon. *Chave Linguística do Novo Testamento Grego.* 1985, p. 349.

[321] BARCLAY, William. *I y II Corintios*. 1973, p. 225.
[322] BARCLAY, William. *I y II Corintios*. 1973, p. 225.
[323] RIENECKER, Fritz e ROGERS Cleon. *Chave Linguística do Novo Testamento Grego*. 1985, p. 349.
[324] BARTON, Bruce B. e outros. *Life Application Bible Commentary on 1 & 2 Corinthians*. 1999, p. 364.
[325] KISTEMAKER, Simon. *2 Coríntios*. 2004, p. 304.
[326] KISTEMAKER, Simon. *2 Coríntios*. 2004, p. 304.
[327] BARCLAY, William. *I y II Corintios*. 1973, p. 226.
[328] BARCLAY, William. *I e II Corintios*. 1973, p. 226.
[329] MACDONALD, William. *Believer's Bible Commentary.* 1995, p. 1843.
[330] STEDMAN, Ray C. *A dinâmica de uma vida autêntica.* N.d., p. 156.
[331] KRUSE, Colin. *II Coríntios: Introdução e Comentário*. 1994, p. 143.
[332] THOMAS, David. *II Corinthians*. Em The Pulpit Commentary. Vol. 19. 1978, p. 149.
[333] MACDONALD, William. *Believer's Bible Commentary.* 1995, p. 1844.
[334] RIENECKER, Fritz e ROGERS Cleon. *Chave Linguística do Novo Testamento Grego*. 1985, p. 349,350.
[335] KISTEMAKER, Simon. *2 Coríntios*. 2004, p. 309.
[336] KRUSE, Colin. *II Coríntios: Introdução e Comentário*. 1994, p. 143.
[337] RIENECKER, Fritz e ROGERS Cleon. *Chave Linguística do Novo Testamento Grego*. 1985, p. 350.
[338] KISTEMAKER, Simon. *2 Coríntios*. 2004, p. 310.
[339] RIENECKER, Fritz e ROGERS Cleon. *Chave Linguística do Novo Testamento Grego*. 1985, p. 350.
[340] WIERSBE, Warren W. *Comentário Bíblico Expositivo*. Vol. 5. 2006, p. 852.
[341] WIERSBE, Warren W. *Comentário Bíblico Expositivo*. Vol. 5. 2006, p. 852.
[342] KRUSE, Colin. *II Coríntios: Introdução e Comentário*. 1994, p. 144.
[343] KISTEMAKER, Simon. *2 Coríntios*. 2004, p. 315.
[344] RIENECKER, Fritz e ROGERS Cleon. *Chave Linguística do Novo Testamento Grego*. 1985, p. 350.

Capítulo 9

Realidades inegociáveis na vida cristã
(2Coríntios 6:14-7:1-16)

A PASSAGEM QUE CONSIDERAREMOS parece ser uma digressão do apóstolo. Ele introduz um novo tema, como fez em 2:14 ao sentir necessidade imperativa de dar graças e falar da nova aliança. Agora, ele introduz uma série de exortações para, em seguida, retomar o assunto abandonado em 2:13.

O texto em tela apresenta-nos cinco verdades fundamentais: uma aliança desigual (6:14-16); uma separação necessária (6:17); uma purificação abrangente (7:1); uma acolhida solicitada (7:2-4) e uma consolação restauradora (7:5-16).

Uma aliança desigual (6:14-16)

Na vida cristã, há relacionamentos que precisamos cultivar e outros que precisamos abandonar. Algumas verdades importantes são aqui abordadas.

Em primeiro lugar, *uma exigência clara* (6:14a). "Não vos ponhais em jugo desigual com os incrédulos [...]" (6:14a). A expressão *ginesthe heterozygountes,* "jugo desigual", contém a ideia de alguém estar num jugo desnivelado.[345] O pano de fundo aqui é a proibição de pôr animais de natureza diferentes sob o mesmo jugo. Havia uma proibição de "lavrar com junta de boi e jumento" (Dt 22:10) e também de fazer cruzamento de animais de diferentes espécies (Lv 19:19). Além do mais, o boi era um animal limpo, enquanto o jumento era impuro (Dt 14:1-8). A ideia que Paulo está transmitindo é que existem certas coisas que são essencialmente distintas e fundamentalmente incompatíveis, que jamais podem ser naturalmente unidas.[346] Incluídos na metáfora estão o casamento (1Co 7:12-15) e, pelo menos, todos os problemas éticos de que se tratou na primeira carta aos Coríntios (6:5-10; 10:14; 14. 4).

O chamado cristão tem a finalidade de evitar esses relacionamentos íntimos com os pagãos que comprometem a coerência cristã no culto e na ética (1Co 5:9-13). Não se pretende nenhuma exclusividade farisaica. Paulo mesmo foi sensível à cultura da época, mas não à custa da integridade da fé cristã e dos seus padrões morais (1Co 9:19-23).[347] Um crente não deve pôr-se debaixo do mesmo jugo com um incrédulo em, pelo menos, duas áreas: vida conjugal e participação em práticas cultuais pagãs. Vejamos um pouco mais detidamente essas duas áreas.

A vida conjugal. O casamento entre um crente e um incrédulo está em desacordo com a Palavra de Deus (1Co

7:39). Esse princípio foi reprisado inúmeras vezes para o povo de Israel e repetidas vezes desobedecido (Ne 9:2; 10:28; 13:1-9,23-31). No caso de um crente já estar casado com um incrédulo, essa passagem não autoriza separação ou divórcio (1Co 7:12-16).

As práticas cultuais pagãs. O contexto prova que o propósito de Paulo nesse texto é proibir os crentes de se unirem com os incrédulos no culto pagão (1Co 10:14-22). Paulo ataca com vigor a tese da união entre todas as religiões. Ele resiste fortemente ao ecumenismo universalista. O pensamento de que toda religião é boa e todo caminho leva a Deus está em completo descompasso com a Escritura. Não há comunhão verdadeira fora da verdade.

Em segundo lugar, *uma impossibilidade absoluta* (6:14b-16a). Paulo faz cinco perguntas retóricas e antitéticas e espera receber um sonoro não como resposta em todas elas. Cada pergunta aborda uma área específica da vida. William MacDonald nos oferece uma interessante análise do texto como segue:[348]

A esfera do comportamento moral. "Que sociedade pode haver entre a justiça e a iniquidade?" (6:14). A justiça e a iniquidade não podem ter comunhão. São opostos morais. Frank G. Carver diz que a incoerência é total entre a justiça do cristão (5:21) e a injustiça ou a ilegalidade do pagão.[349]

A esfera do entendimento espiritual. "Ou que comunhão, das trevas com a luz?" (6:14). As trevas e a luz não podem coexistir. Aonde a luz chega, as trevas precisam se retirar. Antes da sua conversão, o homem é filho das trevas e habita no reino das trevas. Na conversão, ele é transportado para o Reino da luz. Simon Kistemaker diz que a luz e a comunhão andam juntas, mas a luz e as trevas pertencem a duas esferas diferentes. Escuridão espiritual é destituída não só de luz, como também de amor.³⁵⁰ Quem odeia seu irmão está nas trevas.

A esfera da autoridade. "Que harmonia, entre Cristo e o Maligno?" (6:15). Paulo enfatiza o contraste entre Cristo e o Maligno como os principais governadores de suas respectivas esferas de justiça e iniquidade, luz e trevas, santidade e profanação.³⁵¹ Uma pessoa crente está debaixo da autoridade de Cristo e deleita-se em obedecê-lo. O incrédulo, entretanto, é filho da ira, é governado pelo príncipe da potestade do ar, está na casa do valente, no reino das trevas, na potestade de Satanás. Participar da mesa de ídolos é o mesmo que participar da mesa dos demônios (1Co 10:14-22). Como é impossível servir a dois senhores ao mesmo tempo, um crente não pode participar da mesa do Senhor e da mesa dos demônios ao mesmo tempo.

A esfera da fé. "Ou que união, do crente com o incrédulo?" (6:15). Com essas palavras ele não está dizendo que crentes não podem ter contato nenhum com os incrédulos, pois, nesse caso, os crentes teriam de sair do mundo (1Co 5:9,10). Ele instrui os crentes a não compartilharem do estilo de vida dos incrédulos.³⁵² O contexto aqui é relativo ao culto. Paulo não defendia uma vida eremita, monástica e isolada da sociedade, mas combatia frontalmente a ideia do crente participar de um culto pagão.

A esfera da adoração. "Que ligação há entre o santuário de Deus e os ídolos?" (6:16). O templo é o lugar onde Deus escolhe habitar, embora ele não possa ser restrito apenas a um edifício feito por mãos humanas (1Rs 8:27; 2Cr 6:18; Is 66:1,2; At 7:49,50). A comunidade cristã é o próprio templo da habitação de Deus, e, os crentes, como morada de Deus, não podem se envolver com o culto dos ídolos. Ídolos aqui não significam somente imagens de escultura, mas qualquer objeto que se interpõe entre a alma e Cristo. Esses ídolos podem ser dinheiro, prazer ou coisas materiais.³⁵³ Colin Kruse adverte que o perigo da idolatria jaz no envolvimento com os poderes demoníacos, ativos nos ídolos, provocando o zelo e a ira de Deus (1Co 8:4-6; 10:19-22).³⁵⁴

Cada uma dessas palavras (sociedade, comunhão, harmonia, união e ligação) refere-se à presença de algo em comum. O termo "harmonia", por exemplo, dá origem à nossa palavra "sinfonia" e se refere à bela música resultante quando os músicos leem a mesma partitura e seguem o mesmo regente. Que confusão seria se cada músico tocasse à própria maneira, diz Warren Wiersbe.³⁵⁵

Em terceiro lugar, *uma conclusão inequívoca* (6:16b). "Porque nós somos santuário do Deus vivente, como ele próprio disse: Habitarei e andarei entre eles; serei o seu Deus, e eles serão o meu povo" (6:16b). Deus habita no crente individualmente (1Co 6:16-20) e também habita na igreja (1Co 3:16,17). O Deus que nem os céus dos céus podem contê-lo habita plenamente na igreja. O Pai (Ef 3:19), o Filho (Ef 1:23) e o Espírito Santo (Ef 5:18) habitam em cada crente. Somos a morada de Deus. Ele habita entre nós e em nós. Somos o seu povo, e ele é o nosso Deus. Simon Kistemaker menciona os três estágios dessa habitação de Deus entre seu povo: a encarnação (Jo 1:14), a habitação interior de Cristo no coração do crente (Ef 3:17) e a habitação de Deus com seu povo na nova terra (Ap 21:3).³⁵⁶

Ter sociedade com a justiça, comunhão com as trevas, harmonia com o Maligno, união com o incrédulo e ligação com os ídolos é conspirar contra essa verdade bendita.

A lógica de Paulo é que os crentes devem efetuar essa ruptura porque a igreja é o templo do Deus vivente. O termo grego *naós*, "templo", refere-se ao santuário interno onde a presença divina estava localizada, como distinção de toda a área do templo (*hieron*).[357]

Uma separação necessária (6:17,18)

O apóstolo Paulo prossegue e diz: "Por isso, retirai-vos do meio deles, separai-vos, diz o Senhor; não toqueis em coisas impuras; e eu vos receberei, serei vosso Pai, e vós sereis para mim filhos e filhas, diz o Senhor Todo-poderoso" (2Co 6:17,18). Warren Wiersbe diz que a ordem de Deus para seu povo é "retirai-vos", indicando um ato decisivo da parte deles. "Separai-vos", por outro lado, sugere devoção a Deus com um propósito especial. A separação não é apenas um ato negativo de se retirar. Devemos nos separar do pecado para Deus.[358]

Duas coisas devem ser aqui ressaltadas:

Em primeiro lugar, *uma separação exigida* (6:17). "Por isso, retirai-vos do meio deles, separai-vos, diz o Senhor; não toques em coisas impuras [...]" (6:17). Deus escolheu a igreja para ser um povo separado do mundo, embora no mundo. A igreja está no mundo, mas não é do mundo. A igreja deve estar no mundo, mas o mundo não deve estar na igreja, assim como um barco deve estar na água, mas a água não deve estar no barco. A igreja estava vivendo numa sociedade pagã, mas não devia fazer parte de suas práticas pagãs. O crente convive com pessoas não convertidas, mas não deve se associar às suas práticas pecaminosas. O crente deve se afastar de qualquer forma de mal, seja comercial, social ou religioso.

Essa separação é uma advertência encontrada em toda a Bíblia. Deus advertiu Israel a não se misturar com as nações pagãs (Nm 33:50-56). Os profetas insistiram com o povo de

Israel para deixar os ídolos pagãos e adorar exclusivamente ao Senhor. Jesus falou sobre a necessidade de ser guardado da contaminação do mundo (Jo 17:14-17). A igreja foi exortada a não receber aqueles que rejeitam a doutrina de Cristo (2 Jo 10,11).

William Barclay fala sobre três áreas que, muitas vezes, um crente precisava abandonar ao converter-se a Cristo. Primeiro, o seu ofício. Algumas profissões no mundo antigo estavam ligadas à idolatria. Em Éfeso, por exemplo, muitas pessoas viviam da fabricação de imagens da deusa Diana. Ainda hoje há pessoas que trabalham com bebidas alcoólicas, tabaco, jogo, artigos religiosos ligados à idolatria e feitiçaria e várias outras coisas incompatíveis com a fé cristã. F. W. Cherrington era um homem rico, herdeiro de uma grande cervejaria. Certa feita, ele viu um homem bêbado saindo de um bar e espancando a esposa. Ao olhar mais detidamente, ele viu que aquele bar ostentava um grande cartaz da sua cervejaria. Imediatamente, tomou uma decisão: "O golpe que esse homem desferiu não derrubou apenas sua mulher, mas também a minha empresa". No mesmo dia, ele tomou a decisão de mudar de ramo. Segundo, a vida social. Os crentes eram convidados a se assentar com os incrédulos em mesas de ídolos. As festas pagãs e os sindicatos comerciais, com seus padroeiros, eram coisas comuns no mundo pagão. Os crentes tinham que fazer uma escolha entre a prosperidade e a fidelidade; entre a popularidade e a obediência a Cristo. Terceiro, a vida familiar. A conversão, muitas vezes, trouxe grandes conflitos na família. Maridos, esposas e filhos eram abandonados pelos demais membros da família após sua conversão.[359]

Em segundo lugar, *uma comunhão oferecida* (6:17b,18). "[...] e eu vos receberei, serei vosso Pai, e vós sereis para mim filhos e filhas, diz o Senhor Todo-poderoso" (6:17b,18). Na mesma medida em que o crente se aparta do mundo, aproxima-se de Deus. Ele rompe vínculos com o mundo e estreita o relacionamento com Deus.

É um ledo engano fazer amizade com o mundo com o propósito de ganhá-lo para Deus. A amizade do mundo é inimizade contra Deus (Tg 4:4). Amar ao mundo é desprezar o amor de Deus (1Jo 2:15-17). Conformar-se com o mundo, é deixar de ser transformado por Deus (Rm 12:1,2). Viver no mundo é ser condenado com ele (1Co 11:32).

Uma purificação abrangente (7:1)

"Tendo, pois, ó amados, tais promessas, purifiquemo-nos de toda impureza, tanto da carne como do espírito, aperfeiçoando a nossa santidade no temor de Deus" (7:1). A ruptura ética com o antigo modo de vida deve ser decisiva (tempo aoristo) e, ao mesmo tempo, abrangente, "de toda impureza da carne e do espírito", ou seja, de pecados exteriores e interiores.[360] Simon Kistemaker diz que a referência à carne e ao espírito deve ser interpretada como a pessoa completa a serviço de Deus.[361] Duas coisas são destacadas aqui pelo apóstolo Paulo:

Em primeiro lugar, *o lado negativo da santificação* (7:1a). A impureza da carne inclui todas as formas de impurezas físicas, enquanto a impureza do espírito cobre as impurezas interiores da vida, motivações, desejos e pensamentos.[362] O filho pródigo cometeu o pecado da carne, mas seu irmão mais velho "virtuoso" cometeu o pecado do espírito. Não era sequer capaz de se relacionar com o próprio pai.[363] A palavra grega *molysmos,* "impureza", encontra-se apenas aqui, em todo o Novo Testamento, e só três vezes na Septuaginta. Em todos os casos denota conspurcação religiosa.[364]

Em segundo lugar, *o lado positivo da santificação* (7:1b). Deus não somente dá o lado negativo da santificação, mas também o lado positivo. "[...] aperfeiçoando a nossa santidade no temor de Deus". Não somente devemos descartar e despojar-nos de todo tipo de contaminação e impureza, mas também nos tornarmos progressivamente semelhantes a Jesus. A santificação é um processo contínuo que dura enquanto dura a vida na terra. Devemos caminhar de força em força, de fé em fé, sendo transformados de glória em glória na imagem de Cristo. Nosso alvo é atingir a estatura do varão perfeito. É conhecida a oração de Robert McCheyne: "Senhor, faz-me tão santo quanto é possível a um homem ser santo deste lado de cá do céu".[365]

Uma acolhida solicitada (7:2-4)

Depois da digressão feita em 6:14-7:1, Paulo volta a tratar de seu relacionamento pessoal com a igreja de Corinto. Frank G. Carver diz que, às aparentes divagações de Paulo, nós devemos alguns dos mais ricos tesouros bíblicos (2:14-7:4; 1Co 13; Fp 2:5-11).[366] Era nesses interlúdios que ele compartilhava, com a igreja, as lições mais profundas.

Paulo já havia escancarado as comportas do seu coração para expressar seu profundo amor pela igreja (6:11,12). Ele também já havia rogado a retribuição de seu amor (6:13). Agora, ele, mais uma vez, pede hospedagem no coração dos crentes e elenca algumas razões pelas quais solicita o acolhimento.

Em primeiro lugar, *ele não tratou ninguém com injustiça* (7:2). Paulo não foi um mercenário, mas um pastor. Ele esteve em Corinto não para explorar o rebanho de Deus, mas para apascentar as ovelhas de Cristo. Seu propósito não foi explorar os crentes, mas servi-los. Hoje, vemos muitos líderes inescrupulosos se abastecendo das ovelhas, em vez de pastorear as ovelhas.

Em segundo lugar, *ele não corrompeu ninguém* (7:2). Paulo não causou mal algum à igreja. Seu exemplo e ensino não corromperam ninguém nem incentivaram o comportamento imoral.[367] Há muitos escândalos hoje que provocam verdadeiros terremotos morais na igreja. Há líderes que em vez de guiar o povo de Deus pelas sendas da verdade, desvia-os pelos atalhos da heterodoxia e do descalabro moral.

Em terceiro lugar, *ele não explorou ninguém* (7:2). O verbo grego *pleonekteo* é usado com a ideia de explorar as pessoas, com o objetivo de lucro financeiro.[368] Fritz Rienecker diz que essa palavra significa tirar vantagem de alguém, defraudar, agir desonestamente para lucro próprio. Refere-se à atitude egoísta de alguém que está disposto a fazer tudo para satisfazer seus desejos.[369] Paulo não cobiçou de ninguém nem prata nem ouro. Ele trabalhou com suas próprias mãos para se sustentar e ainda ajudar os necessitados. Ele não estava atrás do dinheiro do povo, mas velando por suas almas.

Em quarto lugar, *ele sempre manteve uma lealdade sincera* (7:3). "Não vos falo para vos condenar; porque já vos tenho dito que estais em nosso coração para, juntos, morrermos e vivermos". Colin Kruse diz que a ideia básica é que as pessoas assim envolvidas nutrem entre si uma amizade que se sustentará ao longo da vida e as manterá unidas até mesmo na morte.[370] A comunhão cristã é tão sólida, tão profunda e tão duradoura que nem mesmo a morte pode encerrá-la. Somos um aqui e seremos um por toda a eternidade (Jo 17:24).

Em quinto lugar, *ele sempre acreditou na lealdade dos irmãos* (7:4). A despeito do ataque desferido contra a integridade do apóstolo pelo ofensor (7:12), Paulo ainda cria fortemente na lealdade básica dos coríntios para com ele. Tal lealdade precisava apenas ser liberta das restrições oriundas dos dolorosos eventos passados e das críticas com respeito à integridade do apóstolo.[371]

Uma consolação restauradora (7:5-16)

Podemos examinar esse tema da consolação sob três perspectivas diferentes: a consolação de Tito a Paulo, de Paulo aos coríntios e dos coríntios a Tito.

Em primeiro lugar, *Tito consola a Paulo* (7:5-7). Paulo retoma o assunto deixado no capítulo 2:13. Depois de sua visita traumática a Corinto, chegou a Trôade e mesmo tendo uma porta aberta para a evangelização, não teve paz em seu espírito e foi para a Macedônia com o propósito de encontrar Tito (2:12,13). Sua estada na Macedônia foi extremamente atribulada. Ele não teve nenhum alívio, ao contrário, teve lutas por fora e temores por dentro (7:5).

Uma vez que a visita de Paulo a Corinto não lograra êxito, enviou à igreja uma carta dolorosa por intermédio de Tito. Essa carta tinha como propósito orientar a igreja a disciplinar o membro faltoso que liderava a oposição contra Paulo na igreja. Agora, estava ansioso e até mesmo aflito para saber as notícias oriundas de Corinto.

A chegada de Tito com notícias alvissareiras foi um bálsamo para o apóstolo. O próprio Deus, Pai de toda consolação (1:3), consolou-o com a chegada de Tito (7:6). Simon Kistemaker diz corretamente que Deus nunca abandona seu próprio povo, mas, no tempo certo, ele lhes manda livramento. Seus olhos estão nos seus filhos que passam por sofrimentos, tanto físicos como mentais, por amor do seu reino. Ele ouve as orações deles e responde às necessidades, quando estão desanimados e humilhados.[372] O consolo de Paulo foi triplo: ele ficou feliz com a resposta positiva da igreja à sua carta; ficou feliz pela maneira fidalga com que a igreja tratou Tito e também ficou feliz pela expressão eloquente da saudade, do pranto e do zelo da igreja por ele (7:7).

Em segundo lugar, *Paulo consola os coríntios* (7:8-13a). Paulo explica para a igreja que o propósito de enviar-lhes a carta dolorosa não foi para feri-los com a espada da tristeza, mas curá-los com o bisturi do genuíno arrependimento. O propósito de Paulo em escrever a carta dolorosa não foi apenas para desmascarar o malfeitor nem mesmo se defender, mas para que a igreja pudesse manifestar seu amor por ele diante de Deus (7:12).

Paulo está feliz porque os coríntios estão tristes (7:9). Só que essa tristeza é a tristeza do arrependimento, a tristeza que produz vida. Paulo fala sobre dois tipos de tristeza: a tristeza piedosa e a tristeza mundana. Uma conduz à vida; a outra desemboca na morte. Podemos ver alguns casos de tristeza "segundo Deus" na Bíblia: Davi (2Sm 12:13; Sl 51), Pedro (Mc 14:72) e o Filho Pródigo (Lc 15:17-24). Temos também alguns casos de "tristeza segundo o mundo", como o de Esaú (Hb 12:15-17) e Judas Iscariotes (Mt 27:3-5).[373] Consideraremos esses tipos de tristeza:

A tristeza piedosa produz vida (7:9,10a). A tristeza segundo Deus é a ferida que cura, é a assepsia da alma, é a faxina da mente. É a tristeza que leva o homem a fugir do pecado para Deus, e não de Deus para o pecado. É a tristeza que leva o homem a abominar o pecado, e não apenas as consequências dele. A tristeza pelo pecado produz arrependimento verdadeiro, e o arrependimento atinge três áreas vitais da vida: razão, emoção e vontade.

Arrependimento é em primeiro lugar mudança de mente. É transformação intelectual. É abandonar conceitos e valores errados e adotar os princípios e valores de Deus.

Arrependimento é também mudança de emoções. É sentir tristeza pelo erro, e não apenas pelas consequências dele. É sentir nojo do pecado.

Mas, finalmente, arrependimento implica em uma mudança da vontade. É dar meia-volta e seguir um novo caminho. Judas Iscariotes passou pelas duas primeiras fases do arrependimento: intelectual e emocional. Ele reconheceu seu erro, confessou-o, sentiu tristeza por ele, mas não se voltou para Deus. Essa é a diferença entre remorso e arrependimento. A tristeza piedosa não pára no primeiro ou segundo estágio, mas avança para o terceiro, que é uma volta para Deus! Foi assim com Pedro. Ele não apenas reconheceu seu erro e chorou por ele, mas voltou-se para Cristo. Foi assim com o filho pródigo. Não apenas caiu em si, mas voltou para a casa do Pai, arrependido.

A tristeza mundana produz morte (7:10b). A tristeza do mundo produz morte. Essa é a tristeza daqueles que se enroscam no cipoal da culpa e caem no atoleiro da autoflagelação. É a tristeza daqueles que açoitam a si mesmos não porque estão quebrantados, mas porque foram apanhados em seu pecado. É o sentimento daquela pessoa que está triste não porque roubou, mas porque foi flagrada e apanhada no ato do roubo. Essa tristeza produz morte, pois não vem acompanhada de arrependimento verdadeiro. Essa é a tristeza do remorso.

Em terceiro lugar, *os coríntios consolam a Tito* (7:13b-16). "[...] e acima desta nossa consolação, muito mais nos alegramos pelo contentamento de Tito, cujo espírito foi recreado por todos vós" (7:13). Tito também estava profundamente preocupado com o tipo de recepção que encontraria em Corinto. Assim, a alegria de Paulo foi dobrada quando ele soube que o espírito de Tito foi recreado por toda a igreja.

A razão para a alegria de Paulo, acima e além do seu consolo, era porque ele não tinha sido "envergonhado" por ter se gloriado junto a Tito sobre o comportamento esperado dos coríntios (7:14).[374] Eles o haviam aceitado como a autoridade representativa do apóstolo (7:15). Paulo, então, fecha o círculo dessa consolação restauradora, dizendo: "Alegro-me porque, em tudo, posso confiar em vós" (7:16).

Frank Carver diz que esse é o delicado eixo ao redor do qual gira toda a epístola, pois serve como uma perfeita transição ao que vem a seguir no restante da carta. À luz da sua justificada confiança nos coríntios, Paulo tem a coragem de levantar o tema da sua responsabilidade em relação aos cristãos que passavam por necessidades (capítulos 8 e 9) e de denunciar os falsos apóstolos que estavam minando a sua autoridade na igreja (capítulos 10 a 13).[375]

Paulo encera essa seção importante de sua carta com uma expressão de confiança na igreja: "Alegro-me porque em tudo posso confiar em vós" (7:16). O sentimento de alegria do apóstolo (7:13-16) está intimamente ligado ao completo bem-estar daqueles com quem ele está amorosamente preocupado, seja o seu cooperador (7:13,14) sejam os seus filhos espirituais (7:15,16).[376]

Notas

345 KRUSE, Colin. *II Coríntios: Introdução e Comentário.* 1994, p. 145.
346 BARCLAY, William. *I y II Corintios.* 1973, p. 231.
347 CARVER, Frank G. *A Segunda Epístola de Paulo aos Coríntios.* Em Comentário Bíblico Beacon. Vol. 8. 2006, p. 441.
348 MACDONALD, William. *Believer's Bible Commentary.* 1995, p. 1845.
349 CARVER, Frank G. *A Segunda Epístola de Paulo aos Coríntios.* Em Comentário Bíblico Beacon. Vol. 8. 2006, p. 441.
350 KISTEMAKER, Simon. *2 Coríntios.* 2004, p. 322.
351 KISTEMAKER, Simon. *2 Coríntios.* 2004, p. 323.
352 KISTEMAKER, Simon. *2 Coríntios.* 2004, p. 324.
353 MACDONALD, William. *Believer's Bible Commentary.* 1995, p. 1845.
354 KRUSE, Colin. *II Coríntios: Introdução e Comentário.* 1994, p. 147.
355 WIERSBE, Warren W. *Comentário Bíblico Expositivo.* Vol. 5: 2006, p. 853.
356 KISTEMAKER, Simon. *2 Coríntios.* 2004, p. 326.
357 CARVER, Frank G. *A Segunda Epístola de Paulo aos Coríntios.* Em Comentário Bíblico Beacon. Vol. 8. 2006, p. 441.
358 WIERSBE, Warren W.. *Comentário Bíblico Expositivo.* Vol. 5. 2006, p. 853.
359 BARCLAY, William. *I y II Corintios.* 1973, p. 232,233.
360 CARVER, Frank G. *A Segunda Epístola de Paulo aos Coríntios.* Em Comentário Bíblico Beacon. Vol. 8. 2006, p. 442.
361 KISTEMAKER, Simon. *2 Coríntios.* 2004, p. 330.
362 MACDONALD, William. *Believer's Bible Commentary.* 1995, p. 1846.
363 WIERSBE, Warren W. *Comentário Bíblico Expositivo.* Vol. 5. 2006, p. 854.
364 KRUSE, Colin. *II Coríntios: Introdução e Comentário.* 1994, p. 149.
365 MACDONALD, William. *Believer's Bible Commentary.* 1995, p. 1846.
366 CARVER, Frank G. *A Segunda Epístola de Paulo aos Coríntios.* Em Comentário Bíblico Beacon. Vol. 8. 2006, p. 444.
367 KRUSE, Colin. *II Coríntios: Introdução e Comentário.* 1994, p. 151.
368 KRUSE, Colin. *II Coríntios: Introdução e Comentário.* 1994, p. 151.
369 RIENECKER, Fritz e ROGERS Cleon. *Chave Linguística do Novo Testamento Grego.* 1985, p. 351,352.
370 KRUSE, Colin. *II Coríntios: Introdução e Comentário.* 1994, p. 152.
371 KRUSE, Colin. *II Coríntios: Introdução e Comentário.* 1994, p. 152.
372 KISTEMAKER, Simon. *2 Coríntios.* 2004, p. 347.
373 KRUSE, Colin. *II Coríntios: Introdução e Comentário.* 1994, p. 156.
374 CARVER, Frank G. *A Segunda Epístola de Paulo aos Coríntios.* Em Comentário Bíblico Beacon. Vol. 8. 2006, p. 446.

[375] CARVER, Frank G. *A Segunda Epístola de Paulo aos Coríntios*. Em Comentário Bíblico Beacon. Vol. 8. 2006, p. 446,447.
[376] CARVER, Frank G. *A Segunda Epístola de Paulo aos Coríntios*. Em Comentário Bíblico Beacon. Vol. 8. 2006, p. 447.

Capítulo 10

Uma filosofia bíblica acerca da contribuição cristã
(2Coríntios 8:1-24)

ANTES DE TRATAR DO TEMA contribuição cristã, precisamos entender o contexto. No governo do imperador romano Cláudio, houve um período de grande fome em todo o mundo, fato esse profetizado por Ágabo (At 11:27,28). Nesse mesmo tempo, os judeus que moravam em Roma foram expulsos (At 18:2), e uma pobreza assoladora atingiu os cristãos da Judeia. Os discípulos de Cristo em Antioquia, conforme suas posses, enviaram socorro aos irmãos que moravam na Judeia por intermédio de Barnabé e Saulo (At 11:29,30). O apóstolo Paulo, ao ser enviado aos gentios, assumiu o compromisso de não se esquecer dos pobres, o que efetivamente esforçou-se por cumprir (Gl 2:9,10). Durante suas viagens missionárias nas províncias da Macedônia, Acaia e Ásia Menor esforçou-se para levantar uma oferta especial destinada aos pobres da Judeia (1Co 16:1-4; 2Co 8:1-24; 2Co 9:1-15). Paulo deu testemunho à igreja de Roma acerca dessa oferta, levantada pelos irmãos da Macedônia e Acaia, destinada aos pobres dentre os santos que viviam em Jerusalém (Rm 15:25-27). Paulo não só levantou essa oferta entre as igrejas gentílicas, mas a entregou com fidelidade (At 24:16-18). O volume dessa oferta deve ter sido grande, uma vez que o próprio rei Félix esperava receber algum dinheiro de Paulo (At 24:25,26).

A contribuição cristã é uma prática bíblica, legítima e contemporânea. Andrew Murray diz que o homem é julgado pelo seu dinheiro tanto no reino deste mundo quanto no reino dos céus. O mundo pergunta: quanto esse indivíduo possui? Cristo pergunta: como esse homem usa o que tem? O mundo pensa, sobretudo, em ganhar dinheiro; Cristo, na forma de dá-lo. E quando um homem dá, o mundo ainda pergunta: quanto dá? Cristo pergunta: como dá? O mundo leva em conta o dinheiro e sua quantidade; Cristo, o homem e seus motivos. Nós perguntamos quanto um indivíduo dá. Cristo pergunta quanto lhe resta. Nós olhamos a oferta. Cristo pergunta se a oferta foi um sacrifício.[377]

Com respeito à contribuição cristã há dois extremos que devem ser evitados:

Em primeiro lugar, *ocultar o tema*. Há igrejas que jamais falam sobre dinheiro com medo de escandalizar as pessoas. Há aqueles que ainda hoje pensam que dinheiro é um tema indigno de ser tratado na igreja. O apóstolo não pensava assim. Ele, na verdade, assumiu o compromisso em seu apostolado de jamais esquecer-se dos pobres (Gl 2:10). Agora, está cumprindo sua promessa, fazendo um grande levantamento de ofertas para os pobres da Judeia.

Em segundo lugar, *desvirtuar o tema*. Há ainda o grande perigo de pedir dinheiro com motivações erradas e para finalidades duvidosas. Há muitos pregadores inescrupulosos que usam de artifícios mentirosos e arrancam dinheiro dos incautos para abastecer-se. Há igrejas que usam métodos heterodoxos e escusos para fazer levantamento de gordas ofertas destinadas não à assistência dos necessitados, mas ao enriquecimento de obreiros fraudulentos.

No texto em tela, Paulo aborda vários princípios que devem reger a contribuição cristã. Examinemo-os.

A contribuição cristã é uma graça de Deus concedida à igreja (8:1)

"Também, irmãos, vos fazemos conhecer a graça de Deus concedida às igrejas da Macedônia" (8:1). Paulo ensinou à igreja que contribuir é um ato de graça. Ele usou nove palavras diferentes para referir-se à oferta, mas a que emprega com mais frequência é graça.[378] Paulo dá testemunho à igreja de Corinto sobre a graça da contribuição que Deus concedeu às igrejas da Macedônia (Filipos, Tessalônica e Bereia). O propósito do apóstolo é estimular a igreja de Corinto, que vivia numa região rica, a crescer também nessa graça, uma vez que a generosidade dos macedônios, que viviam numa região pobre, era uma expressão da graça de Deus em suas vidas.[379]

Nesse texto, o apóstolo Paulo usa a palavra *graça* seis vezes em relação ao ato de contribuir (8:1,4,6,9,19;9:14). A graça é um favor divino independentemente do merecimento humano. A graça, em Deus, é sua compaixão pelos que são indignos. Sua graça é maravilhosamente gratuita. Sempre é concedida sem levar em conta o mérito. Deus dedica a sua vida a dar e tem deleite em dar.[380] A contribuição, portanto, não é um favor que fazemos aos necessitados, mas um favor imerecido que Deus faz a nós. A graça é a força, o poder, a energia da vida cristã, tal como ela age em nós por intermédio do Espírito Santo. A graça ama e se regozija em dar, em oferecer. Se temos a graça de Deus em nós, ela se mostrará no que oferecemos aos outros. E em tudo o que dermos, devemos fazê-lo estando conscientes que é a graça de Deus que opera em nós.[381]

Ralph Martin diz que a graça da contribuição é a atividade inspirada pela graça de Deus que nos leva a dar.[382] Paulo sabia, também, que essa coleta era uma dívida que os gentios tinham para com os judeus (Rm 15:27) e um fruto de sua vida cristã (Rm 15:28).[383]

A igreja de Corinto havia assumido o compromisso de participar dessa oferta (16:1-4), mas, embora manifestasse progresso noutras áreas (8:7), estava lerda na prática dessa graça. Podemos ser zelosos em outras áreas da vida cristã e sermos remissos na área da generosidade. Podemos ser zelosos da doutrina, mas termos um coração insensível para socorrer os necessitados. A igreja de Corinto estava aparelhada de várias graças, mas estava estacionada no exercício da graça da contribuição.

A contribuição cristã é paradoxal em sua ação (8:2)

Os crentes da Macedônia enfrentavam tribulação e pobreza. Eles eram perseguidos pelas pessoas e oprimidos pelas circunstâncias. Eles eram pressionados pela falta de quietude e pela falta de dinheiro. Essas duas situações adversas, entretanto, não os impediu de contribuírem com generosidade e alegria. Frank Carver diz que sob perseguições e na pobreza, a graça produziu, na Macedônia, "duas das mais adoráveis flores do caráter cristão: a alegria e a generosidade".[384] Dois paradoxos são aqui ventilados por Paulo:

Em primeiro lugar, *tribulação* versus *alegria*. "Porque, no meio de muita prova de tribulação, manifestaram abundância de alegria [...]" (8:2). Os macedônios tinham muitas aflições. Eles foram implacavelmente perseguidos (At 16:20; Fp 1:28,29; 1Ts 1:6; 2:14; 3:39), mas isso não foi impedimento para eles contribuírem com generosidade. Longe de se capitularem à tristeza, murmuração e amargura por causa da tribulação, os crentes macedônios exultavam com abundante alegria. A reação deles foi transcendental. Mui frequentemente quando passamos por tribulações perdemos a alegria e nos encolhemos pensando apenas em nós mesmos. Os macedônios mostraram que a alegria do crente não é apenas presença de coisas boas nem apenas ausência de coisas ruins. Nossa alegria não vem de fora, mas de dentro. Sua fonte não está nas circunstâncias, mas em Cristo. Colin Kruse diz corretamente que os cristãos macedônios conheciam a alegria de ser recipiendários da rica liberalidade de Deus e, nessa alegria, contribuíram generosamente.[385]

Em segundo lugar, *profunda pobreza* versus *grande riqueza*. "[...] e a profunda pobreza deles superabundou em grande riqueza da sua generosidade" (8:2b). Os macedônios não ofertaram porque eram ricos, mas apesar de serem pobres. Eles eram pobres, mas enriqueciam a muitos; nada tinham, mas possuíam tudo (6:10). Eles não deram do que lhes sobejava, mas apesar do que lhes faltava. A extrema pobreza deles os impulsionou a serem ricos em generosidade.

Eles eram generosos, embora fossem também necessitados. Andrew Murray diz que é digno de nota que haja mais generosidade nos pobres do que nos ricos. Isso, porque a ilusão da riqueza ainda não os empederniu; aprenderam a confiar em Deus com vistas ao dia de amanhã.[386]

A expressão "profunda pobreza" significa "miséria absoluta" e descreve um mendigo que não tem coisa alguma, nem mesmo a esperança de receber algo. Embora a área da Macedônia, que incluía Filipos, Tessalônica e Bereia, tivesse sido rica, os romanos haviam tomado posse das minas de ouro e prata, e controlavam o país, deixando-o pobre e sem união política.[387] Nessa mesma linha de pensamento Simon Kistemaker diz que, durante o século 1 da era cristã, a economia havia se deteriorado, e a província foi levada a uma grande pobreza. Guerras, invasões de bárbaros, a colonização romana e a reestruturação da província contribuíram para uma posição financeira deprimente. Ao mesmo tempo em que as cidades da Macedônia estavam empobrecidas, Corinto florescia financeiramente por causa do volume de comércio de seus portos. Em suma, havia uma diferença clara entre a Macedônia e Corinto em termos econômicos. Paulo refere-se a esse contraste.[388] O argumento de Paulo é que quando experimentamos a graça de Deus em nossa vida, não usamos as circunstâncias difíceis como desculpa para deixar de contribuir.[389]

A contribuição cristã é transcendente em sua oferta (8:3-5)

Para encorajar os crentes de Corinto a crescer na graça da contribuição, Paulo aborda dois exemplos de contribuição transcendente: 1) o exemplo da doação humana, retratada na oferta sacrificial dos macedônios (8:3-5), e o exemplo da doação de Cristo, fazendo-se pobre para nos fazer ricos

(8:9).[390] O exemplo da contribuição dos macedônios foi transcendente em três aspectos:

Em primeiro lugar, *na disposição voluntária de dar além do esperado*. "Porque eles, testemunho eu, na medida de suas posses e mesmo acima delas, se mostraram voluntários" (8:3). Os macedônios não deram apenas proporcionalmente, mas deram acima de suas posses. Eles fizeram uma oferta sacrificial. É digno de destaque que eles contribuíram sacrificialmente num contexto de tribulação e pobreza. A oferta deles foi uma oferta de fé, pois deram além de sua capacidade. João Calvino lamentava, no seu tempo, que os pagãos contribuíssem mais aos seus deuses para expressar suas superstições, do que o povo cristão contribuía para Cristo, para expressar seu amor. Geralmente os que mais contribuem não são os que mais têm, mas os que mais amam e os que mais confiam no Senhor. De um coração generoso sempre parte uma oferta sacrificial (1Jo 3:16-18).

Em segundo lugar, *na disposição de dar mesmo quando não é solicitado*. "Pedindo-nos, com muitos rogos, a graça de participarem da assistência aos santos" (8:4). Paulo usa, nesse versículo, três palavras magníficas: *charis* (graça), *koinonia* (participarem) e *diakonia* (assistência). A contribuição financeira era entendida como um ministério cristão.[391] Os macedônios não contribuíram em resposta aos apelos humanos, mas como resultado da graça de Deus concedida a eles. Não foi Paulo quem rogou para que contribuíssem com os pobres da Judeia, foram eles que rogaram a Paulo o privilégio de fazê-lo. Não foi iniciativa de Paulo pedir dinheiro aos macedônios para os pobres da Judeia, foi iniciativa dos macedônios oferecerem dinheiro a Paulo para assistir os santos da Judeia. Os cristãos da

Macedônia entenderam a verdade das palavras de Jesus: "Mais bem-aventurado é dar que receber" (At 20:35).

Na vida cristã existem três motivações: 1) você precisa fazer: é a lei; 2) você deve fazer: é a responsabilidade moral; 3) você quer fazer: é a graça. Maria, irmã de Marta, deu com alegria ao Senhor o que tinha de melhor. Deu com espontaneidade, com prodigalidade e com a mais santa e pura das motivações (Jo 12:1-3). O bom samaritano deu o melhor que tinha para alguém a quem nem mesmo conhecia. Warren Wiersbe está correto quando diz que a graça nos liberta não apenas do pecado, mas também de nós mesmos. A graça de Deus abre nosso coração e nossa mão.[392]

Em terceiro lugar, *na disposição de dar a própria vida, e não apenas dinheiro.* "E não somente fizeram como nós esperávamos, mas também se deram a si mesmos primeiro ao Senhor, depois a nós, pela vontade de Deus" (8:5). Os macedônios não deram apenas uma prova de sua generosidade e comunhão, deram a eles próprios. A verdadeira generosidade só existe quando há a entrega do próprio eu.[393] Precisamos investir não apenas dinheiro, mas também vida. Precisamos dar não apenas nossos recursos, mas também a nós mesmos. Concordo com Jim Elliot, o mártir do cristianismo entre os índios aucas do Equador: "Não é tolo aquele que dá o que não pode reter para ganhar o que não pode perder". Quando perguntaram para o missionário Charles Studd, que deixara as glórias do mundo esportivo na Inglaterra para ser missionário na China, se não estava fazendo um sacrifício grande demais, ele respondeu: "Se Jesus Cristo é Deus e ele deu sua vida por mim, não há sacrifício tão grande que eu possa fazer por amor a ele". Os macedônios se deram ao Senhor e ao apóstolo Paulo antes de ofertarem aos santos da Judeia. Quando o nosso coração se abre, o nosso bolso se abre também. Antes de trazermos nossas ofertas, precisamos oferecer a nossa própria vida.

A contribuição cristã é progressiva em sua prática (8:6,7,10:11)

Destacamos três pontos importantes aqui.

Em primeiro lugar, *um bom começo não é garantia de progresso na contribuição* (8:6). "O que nos levou a recomendar a Tito que, como começou, assim também complete esta graça entre vós" (8:6). Não somos o que prometemos, somos o que fazemos. Há uma grande diferença entre prometer e cumprir.[394] A igreja de Corinto manifestara um bom começo na área da contribuição, mas depois retrocedeu. Tito é enviado a eles para despertá-los a crescerem também nessa graça. Não era suficiente apenas boas intenções. As vitórias do passado não são suficientes para nos conduzir em triunfo no presente.

Em segundo lugar, *progresso em outras áreas da vida cristã não é garantia de crescimento na generosidade* (8:7). "Como, porém, em tudo, manifestais superabundância, tanto na fé e na palavra como no saber, e em todo cuidado, e em nosso amor para convosco, assim também abundeis nesta graça" (8:7). A igreja de Corinto teve um expressivo progresso espiritual depois das exortações feita pelo apóstolo Paulo na primeira carta. A igreja demonstrou progresso em quatro áreas: 1) ela era ortodoxa: abundava em fé; 2) ela era evangelística: abundava em palavra; 3) ela era estudiosa: abundava em ciência; 4) ela era bem organizada: abundava em cuidado. Mas havia uma deficiência na igreja. Ela não estava crescendo na graça da generosidade, a graça da contribuição. Ainda hoje encontramos crentes cheios de fé, hábeis na Palavra, cultos e diligentes. Mas na contribuição, eles são nulos.

Em terceiro lugar, *não se assiste os necessitados apenas com boas intenções* (8:10). No ano anterior, os crentes de Corinto tinham começado não só a prática da contribuição, mas também tinham o desejo sincero de prosseguir nessa graça (8:10). A prática tinha precedido o querer. Mas, agora, por lhes faltar o querer, a prática estava inativa. Paulo, então, os encoraja a não ficarem apenas nas boas intenções, mas avançarem para uma prática efetiva. Não se assiste os santos com boas intenções. O apóstolo Paulo escreve: "Completai, agora, a obra começada, para que, assim como revelastes prontidão no querer, assim a levais a termo, segundo as vossas posses" (8:11). Warren Wiersbe diz que a disposição não é um substituto para a ação.[395]

A contribuição cristã não é resultado da pressão dos homens, mas do exemplo de Cristo (8:8,9)

Há igrejas que estão desengavetando as indulgências da Idade Média e vendendo as bênçãos de Deus, cobrando taxas escorchantes por seus serviços. Há igrejas que levantam dinheiro apenas para se enriquecer, lançando mão de metodologias abusivas. A igreja não pode imitar o mundo. Este enriquece tirando dos outros; o cristão enriquece dando aos outros.[396] A contribuição cristã não deve ser compulsória. Não devemos contribuir por pressão psicológica. Contribuição cristã não é uma espécie de barganha com Deus.

Paulo destaca duas motivações legítimas para a contribuição cristã:

Em primeiro lugar, *a contribuição deve ser motivada pelo amor ao próximo.* Paulo diz que devemos contribuir não por constrangimento, mas espontaneamente; não com tristeza, mas com alegria, porque Deus ama a quem dá com alegria. Agora o apóstolo Paulo diz: "Não vos falo na forma de mandamento [...]" (8:8a). A motivação da generosidade, da contribuição é o amor. Paulo prossegue: "[...] mas, para provar, pela diligência de outros, a sinceridade do vosso amor" (8:8b). Sem amor, até mesmo nossas doações mais expressivas são pura hipocrisia. A natureza humana acaricia a hipocrisia, as motivações impróprias, a pretensão e a contribuição para ser vista pelos homens. A palavra "sincero" vem de duas palavras latinas que significam "sem cera". Os artífices dos países do Oriente Médio fabricavam estatuetas preciosas de porcelana fina. Eram de natureza tão frágil que todo cuidado era pouco para que não rachassem quando fossem queimados nos fornos. Negociantes desonestos aceitavam as estatuetas rachadas a um preço muito mais baixo e, então, enchiam as rachaduras com cera, antes de pô-las à venda. Mas os negociantes honestos exibiam a sua porcelana perfeita com os dizeres: *sine cera* ou "sem cera". A mordomia cristã não é resultado da legislação eclesiástica, nem um esquema para arrancar o dinheiro dos homens. É a consequência natural de uma experiência com Deus, a reação natural do coração que foi tocado pelo Espírito Santo.

O apóstolo Paulo disse que podemos dar todos os nossos bens aos pobres, mas se isso não é motivado pelo amor, não terá nenhum valor (1Co 13:3).

Em segundo lugar, *a contribuição é resultado do exemplo de Cristo*. O apóstolo Paulo escreve: "Pois conheceis a graça de nosso Senhor Jesus Cristo, que, sendo rico, se fez pobre por amor de vós, para que, pela sua pobreza, vos tornastes ricos" (8:9). Cristo foi o maior exemplo de generosidade. Graça por graça. Damos dinheiro? Cristo deu sua vida! Damos bens matérias? Ele nos deu a vida eterna. Cristo, sendo rico, fez-se pobre para nos fazer ricos. Cristo esvaziou-se, deixando as glórias excelsas do céu para se fazer carne e habitar entre nós. Ele nasceu numa cidade pobre, numa família pobre e viveu como um homem pobre que não tinha onde reclinar a cabeça. Jesus nasceu numa manjedoura, cresceu numa carpintaria e morreu numa cruz. Ele constitui-se para nós o exemplo máximo de generosidade. Se Cristo deu tudo por nós, incluindo sua própria vida, para nos fazer ricos da sua graça, devemos de igual modo, oferecer nossa vida e nossos bens numa expressão de terna generosidade.

A contribuição cristã é proporcional na sua expressão (8:12-15)

A contribuição cristã deve ser segundo a prosperidade (1Co 16:2) e segundo as posses (2Co 8:11). Não dá liberalmente quem não oferta proporcionalmente. Não dá com alegria quem não dá proporcionalmente. A proporção é a prova da sinceridade. Uma condição decorre da outra. Deus é o juiz. Jesus elogiou a pequena oferta da viúva pobre, dizendo que ela havia sido maior do que a dos demais ofertantes. Os outros haviam dado sobras; a oferta da viúva era sacrificial. Duas verdades devem ser destacadas aqui sobre a proporcionalidade da oferta.

Em primeiro lugar, *a contribuição proporcional deve ser vista como um privilégio, e não como um peso*. "Porque não é para que os outros tenham alívio, e vós, sobrecarga; mas para que haja igualdade" (8:13). Paulo propõe um privilégio, e não um peso. Deve existir igualdade de bênçãos e igualdade de responsabilidades. Não seria justo que só a Macedônia suportasse a despesa, como não seria conveniente que só ela desfrutasse da bênção de contribuir.

Quando há proporcionalidade na oferta não há sobrecarga para ninguém. Quem muito recebe, muito pode dar. Quem pouco recebe, do pouco que tem ainda oferece uma oferta sacrificial. Devemos contribuir de acordo com a nossa renda, para que Deus não torne a nossa renda de acordo com a nossa contribuição.

Em segundo lugar, *a contribuição proporcional promove igualdade, e não desequilíbrio*. "Suprindo a vossa abundância, no presente, a falta daqueles, de modo que a abundância daqueles venha a suprir a vossa falta, e, assim, haja igualdade, como está escrito: O que muito colheu não teve demais; e o que pouco colheu, não teve falta" (8:14,15). Os bens que Deus nos dá não são para ser acumulados, mas distribuídos. Não devemos desperdiçar o que Deus nos dá nem acumular bens egoisticamente. Os que tentavam armazenar e guardar o maná descobriram que isso não era possível, pois o alimento se deteriorava e cheirava mal (Êx 16:20). A lição é clara: devemos guardar o que precisamos e compartilhar o que podemos.[397] A semente que multiplica não é a que comemos, mas a que semeamos. Hoje, suprimos a necessidade de alguém. Amanhã, esse alguém pode suprir a nossa necessidade. A vida dá muitas voltas. O provedor de hoje pode ser o necessitado de amanhã, e o necessidade de hoje pode ser o provedor de amanhã. O bem que semeamos hoje colheremos amanhã. O próprio campo onde semeamos hoje tornar-se-á a lavoura frutuosa que nos alimentará amanhã.

A contribuição cristã é marcada por honestidade em sua administração (8:16-24)

É preciso ter coração puro e mãos limpas para lidar com dinheiro. Há muitos obreiros que são desqualificados no ministério porque não lidam com transparência na área financeira. Judas Iscariotes, embora apóstolo de Cristo, era ladrão. Sua maneira desonesta de lidar com o dinheiro o levou a vender a Jesus por míseras trinta moedas de prata. Muitos pastores e líderes, ainda hoje, perdem o ministério porque não administram com transparência o dinheiro que arrecadam na igreja.

Paulo mostra a necessidade de administrar com honestidade os recursos arrecadados na igreja. Destacaremos cinco pontos importantes.

Em primeiro lugar, *a fidelidade de Paulo à sua promessa* (8:19). Paulo assumiu o compromisso de cuidar dos pobres (Gl 2:10) e, agora, afirma que ministrava essa graça da contribuição às igrejas (8:19). Promessa feita, promessa cumprida. O maior teólogo do cristianismo não divorciava evangelização de assistência aos necessitados.

Em segundo lugar, *o propósito de Paulo em arrecadar ofertas* (8:19). "[...] para a glória do próprio Senhor e para mostrar a nossa boa vontade". O fim último das ofertas levantadas entre as igrejas gentílicas era a glória de Cristo. Quando os santos são assistidos, o Senhor da igreja é glorificado. O propósito de Paulo não era reter o dinheiro arrecadado em suas mãos, mas demonstrar sua disposição em servir os santos.

Em terceiro lugar, *o cuidado preventivo de Paulo* (8:20). O apóstolo prossegue, e diz: "Evitando, assim, que alguém nos acuse em face desta generosa dádiva administrada por nós" (8:20). Paulo sabia que tinha inimigos e críticos dispostos a acusá-lo de desonestidade na administração dessas ofertas.[398] Ele, então, toma medidas práticas para se prevenir. A palavra grega *stellomenoi* significa "tomar precauções". Essa palavra era usada como uma metáfora náutica com o significado de "recolher ou encurtar a vela, quando se ia aproximando da praia, a fim de evitar perigos na navegação.³⁹⁹ Paulo é diligente em despertar a igreja para contribuir, mas também é cuidadoso na forma de arrecadar as ofertas e administrá-las. Paulo não lida sozinho com dinheiro. Ele está acompanhado de Tito (8:16,17) e de mais dois irmãos altamente conceituados nas igrejas (8:18,22,23).

Em quarto lugar, *a honestidade de Paulo* (8:21). "Pois o que nos preocupa é procedermos honestamente, não só perante o Senhor, como também diante dos homens" (8:21). Paulo é integro e também prudente. Ele cuida da sua piedade e também da sua reputação. Ele não apenas age com transparência diante de Deus, mas também com lisura diante dos homens. Ele não deixa brecha para suspeitas nem dá motivos para acusações levianas. Frank Carver diz que esse versículo indica que Paulo reconhecia a importância não somente de ser honesto, mas também de parecer honesto diante dos homens.⁴⁰⁰ Desconsiderar a opinião pública é na verdade uma grande tolice.

Em quinto lugar, *os elogios de Paulo* (8:16-18,22-24). Paulo elogia seus companheiros de ministério, especialmente aqueles que militam com ele no levantamento e administração dessa oferta (8:16-18,22-24) e também elogia a igreja (8:24). Paulo tinha o dom de ver o lado positivo das coisas e das pessoas. Paulo não somente pensava o bem acerca das pessoas, mas tinha a coragem de dizer isso para elas. Paulo era um aliviador de tensões e um construtor de pontes de amizade. Suas palavras eram aspergidas pelo óleo terapêutico do encorajamento.

Warren Wiersbe sintetiza e conclui o texto que acabamos de expor, oferecendo-nos quatro importantes princípios sobre a contribuição cristã; 1) ela começa com a entrega da nossa própria vida ao Senhor (8:1-7); 2) ela é motivada pela graça (8:8,9); 3) ela requer fé (8:10-15); 4) ela requer também fidelidade (8:16-24).[401]

Notas

[377] MURRAY, Andrew. *O dinheiro*. Danprewan Editora. Rio de Janeiro, RJ. 1994, p. 12,13.
[378] WIERSBE, Warren W. *Comentário Bíblico Expositivo*. Vol. 5. 2006, p. 857.
[379] KRUSE, Colin. *II Coríntios: Introdução e Comentário*. 1994, p. 160.
[380] MURRAY, Andrew. *O dinheiro*. 1994, p. 39.
[381] MURRAY, Andrew. *O dinheiro*. 1994, p. 40.
[382] MARTIN, Ralph P. *II Corinthians*. Word Biblical Commentary 40. Waco. 1986, p. 255.
[383] WIERSBE, Warren W. *Comentário Bíblico Expositivo*. Vol. 5. 2006, p. 857.
[384] CARVER, Frank G. *A Segunda Epístola de Paulo aos Coríntios*. Em Comentário Bíblico Beacon. Vol. 8. 2006, p. 450.
[385] KRUSE, Colin. *II Coríntios: Introdução e Comentário*. 1994, p. 161.
[386] MURRAY, Andrew. *O dinheiro*. 1994, p. 41.
[387] RIENECKER, Fritz e ROGERS Cleon. *Chave Linguística do Novo Testamento Grego*. 1985, p. 354.
[388] KISTEMAKER, Simon. *2 Coríntios*. 2004, p. 380.
[389] WIERSBE, Warren W. *Comentário Bíblico Expositivo*. Vol. 5. 2006, p. 857,858.
[390] OLFORD, Stephen. *A graça de dar*. Editora Vida. Miami, FL. 1986, p. 42,43.
[391] KRUSE, Colin. *II Coríntios: Introdução e Comentário*. 1994, p. 162.
[392] WIERSBE, Warren W. *Comentário Bíblico Expositivo*. Vol. 5. 2006, p. 858.
[393] RIENECKER, Fritz e ROGERS Cleon. *Chave Linguística do Novo Testamento Grego*. 1985, p. 354.
[394] WIERSBE, Warren W. *Comentário Bíblico Expositivo*. Vol. 5. 2006, p. 859.
[395] WIERSBE, Warren W. *Comentário Bíblico Expositivo*. Vol. 5. 2006, p. 859.
[396] CARVER, Frank G. *A Segunda Epístola de Paulo aos Coríntios*. Em Comentário Bíblico Beacon. Vol. 8. 2006, p. 456.
[397] WIERSBE, Warren W. *Comentário Bíblico Expositivo*. Vol. 5. 2006, p. 860.
[398] BARCLAY, William. *I y II Corintios*. 1973, p. 241.
[399] RIENECKER, Fritz e ROGERS Cleon. *Chave Linguística do Novo Testamento Grego*. 1985, p. 356.

[400] CARVER, Frank G. *A Segunda Epístola de Paulo aos Coríntios.* Em Comentário Bíblico Beacon. Vol. 8. 2006, p. 454.
[401] WIERSBE, Warren W. *With the Word.* Thomas Nelson Publishers. Nashville, TN. 1991, p. 761.

Capítulo 11

A contribuição pela graça
(2Coríntios 9:1-15)

A EVANGELIZAÇÃO E A AÇÃO SOCIAL caminham de mãos dadas. Paulo foi o maior desbravador do cristianismo no século 1, e também o grande bandeirante da assistência aos necessitados. Não somente foi enviado aos gentios para levar-lhes o evangelho, mas, também, comprometeu-se a se lembrar dos pobres (Gl 2:10).

Por onde Paulo passou, desincumbiu-se fielmente dessa tarefa. Ele usou o exemplo das igrejas da Galácia (Derbe e Listra) para estimular os irmãos da Acaia, especialmente os de Corinto (1Co 16:1). Ele usou o exemplo da disposição inicial da igreja de Corinto (9:1-3) para estimular as igrejas da Macedônia

(Filipos, Tessalônica e Bereia) e também a resposta alegre, surpreendente e sacrificial dos crentes macedônios para despertar os crentes coríntios (8:1-6). Finalmente, Paulo usou o exemplo da oferta levantada em benefício dos pobres da Judeia, pela Macedônia e Acaia, para testemunhar aos crentes de Roma (Rm 15:25,26).

William Barclay fala sobre quatro maneiras de contribuir: 1) por obrigação; 2) para agradar a si mesmo; 3) para alimentar o orgulho; 4) pela compulsão do amor.[402]

O texto que exporemos mostra-nos cinco resultados da contribuição pela graça. Vamos aqui considerá-los.

Quando você contribui, sua oferta estimula outras pessoas (9:1-5)

A disposição inicial dos crentes de Corinto em participar da oferta ao santos da Judeia encorajou as igrejas da Macedônia a ser surpreendentemente generosas (9:1-3). Mas a igreja de Corinto, passado um ano da promessa feita, perdeu o entusiasmo, e Paulo usa o exemplo das igrejas da Macedônia para despertá-la novamente (8:1-6). A Palavra de Deus nos ensina a estimular-nos uns aos outros ao amor e às boas obras (Hb 10:24). Não se trata aqui de imitação carnal, mas de emulação espiritual.[403]

Nós estamos sempre influenciando alguém, seja para o bem, seja para o mal. Não somos neutros. Com grande tato pastoral, o apóstolo destaca quatro pontos importantes aqui acerca da oferta.

Em primeiro lugar, *nosso engajamento na obra de Deus estimula outros* (2Co 9:1,2). O apóstolo Paulo escreve: "Ora, quanto à assistência a favor dos santos, é desnecessário escrever-vos, porque bem reconheço a vossa presteza, da qual me glorio junto aos macedônios, dizendo que a Acaia está preparada desde o ano passado; e o vosso zelo tem estimulado a muitíssimos" (9:1,2). Paulo gloriou-se do exemplo dos coríntios junto aos macedônios, e essa atitude inicial dos coríntios despertou muitíssimos irmãos a abraçarem a obra da assistência aos necessitados da Judeia. Um exemplo positivo vale mais do que mil palavras. Quando abraçamos a obra de Deus, outras pessoas são despertadas a fazer o mesmo.

Em segundo lugar, *disposição e ação precisam caminhar juntas* (9:3,4). A igreja de Corinto havia perdido o entusiasmo inicial de contribuir para os pobres da Judeia (8:6,7), e Paulo não queria ficar envergonhado diante dos macedônios nem deixar os próprios crentes de Corinto em situação constrangedora. Por isso, enviou-lhes Tito (8:6,7) e também mais dois irmãos (9:3) para ajudá-los a abundar também na graça da contribuição. Leiamos o relato de Paulo:

> Contudo, enviei os irmãos, para que o nosso louvor a vosso respeito, neste particular, não se desminta, a fim de que, como venho dizendo, estivésseis preparados, para que, caso alguns macedônios forem comigo e vos encontrem desapercebidos, não fiquemos nós envergonhados (para não dizer, vós) quanto a esta confiança (9:3,4).

O ensino de Paulo é claro: não basta disposição, é preciso ação. Não somos o que prometemos, mas o que fazemos. Não se constroem templos, não se sustenta missionários nem se assiste aos necessitados apenas com promessas e intenções, mas com ações concretas de contribuição. Não basta apenas ter boa intenção de contribuir. O caixa do supermercado não quitará seus compromissos só por você dizer: "Pretendia trazer o pagamento, mas tive que gastar o dinheiro em coisa mais urgente".

Em terceiro lugar, *a contribuição precisa ser metódica* (9:5). Paulo escreve: "Portanto, julguei conveniente recomendar aos irmãos que me precedessem entre vós e preparassem de antemão a vossa dádiva já anunciada [...]" (9:5a). Em 1Coríntios 16:1 Paulo já havia ensinado à igreja de Corinto que a oferta precisa ser periódica ("no primeiro dia da semana"), pessoal (cada um de vós), previdente ("ponha de parte"), proporcional ("conforme a sua prosperidade") e fiel ("e vá ajuntando para que não façam coletas quando eu for"). Agora, Paulo reforça seu argumento dizendo aos coríntios que eles precisavam se preparar de antemão para essa oferta (9:5a). Se as necessidades são constantes, nossa contribuição não pode ser esporádica.

Em quarto lugar, *a contribuição precisa ser generosa* (9:5b). Paulo conclui: "[...] para que esteja pronta como expressão de generosidade e não de avareza" (9:5b). Deus é generoso em sua dádiva. Ele deu o melhor, deu tudo, deu a si mesmo, deu o seu próprio Filho. Jesus é generoso em sua dádiva. Ele deu sua própria vida. O apóstolo João escreve: "Nisto conhecemos o amor: que Cristo deu a sua vida por nós; e devemos dar nossa vida pelos irmãos" (1Jo 3:16). Porque somos filhos de Deus precisamos expressar o caráter e as ações do nosso Pai na manifestação de nossa generosidade. A palavra grega *pleonexia,* avareza, indica o desejo ávaro de ter mais, à custa dos outros.[404] *Pleonexia* é o oposto de generosidade.[405] Enquanto o avarento quer tudo que tem só para si e inclusive o que é do outro, o generoso reparte com alegria o que tem com os outros. Só existem três filosofias de vida com respeito ao dinheiro. 1) a avareza: os que vivem para explorar os outros. Essa filosofia pode ser sintetizada assim: "O que é meu, é meu; e o que é seu deve ser meu também"; 2) a indiferença: os que vivem de forma insensível à necessidade dos outros. Essa filosofia pode ser resumida assim: "O que é seu é seu; o meu é meu"; 3) a generosidade: os que vivem para fazer o bem aos outros. Essa filosofia pode ser definida assim: "O que é seu é seu; mas o que é meu pode ser seu também". Concordo com Frank Carver quando disse que o mundo enriquece tirando dos outros; o cristão, dando aos outros.[406]

William Barclay diz corretamente que nunca ninguém perdeu nada por ser generoso. Ao contrário, a pessoa generosa será rica em amor, rica em amigos, rica em ajuda e rica para com Deus.[407]

Quando você contribui, sua oferta abençoa a você mesmo (9:6-11)

Frank Carver diz que nossas ofertas têm um tríplice efeito: abençoam aos outros, abençoam a nós e glorificam a Deus.[408] O apóstolo Paulo diz que nossa contribuição não apenas estimula a outros, mas também abençoa a nós. Somos os principais beneficiados quando contribuímos. A contribuição é uma semeadura que fazemos em nosso próprio campo. Esse é um investimento que fazemos em nós mesmos. Quanto mais distribuímos, mais temos. Quanto mais semeamos, mais colhemos. Quanto mais abençoamos, mais somos abençoados. Concordo com Warren Wiersbe quando disse que ofertar não é algo que fazemos, mas algo que somos. É um estilo de vida para o cristão que compreende a graça de Deus.[409]

O apóstolo Paulo oferece-nos quatro importantes princípios acerca da contribuição no texto em apreço.

Em primeiro lugar, *o princípio da proporção* (9:6). Diz o apóstolo Paulo: "E, isto afirmo: aquele que semeia pouco, pouco também ceifará; e o que semeia com fartura com abundância também ceifará" (9:6). Essa é uma figura tirada da agricultura, mas que se aplica também à vida moral e espiritual. Paulo diz que aquilo que o homem semear, isso também ceifará (Gl 6:7). A colheita é proporcional à semeadura. Colin Kruse é mais específico quando diz que o tamanho da colheita é sempre diretamente proporcional ao tamanho da sementeira espalhada.[410] O dinheiro é uma semente. Devemos semeá-lo em vez de armazená-lo. A semente que se multiplica não é a que comemos, mas a que semeamos. Jamais devemos comer todas as sementes. Precisamos replantar continuamente as sementes de nossos rendimentos. Quando Deus nos dá uma colheita, voltamos a arar a terra outra vez; e, ainda, muitas outras vezes. Jesus disse que se a semente não morrer, fica ela só, mas se morrer produzirá muitos frutos (Jo 12:24). Antes de podermos efetuar uma ceifa financeira, nosso dinheiro deve morrer. Devemos desistir dele. Devemos semeá-lo. A viúva pobre semeou duas moedas (Mt 12:41-44), e sua colheita é conhecida no mundo inteiro. A Bíblia diz que quando você semeia dinheiro, você colhe dinheiro. "A quem dá liberalmente, ainda se lhe acrescenta mais e mais; ao que retém mais do que é justo, ser-lhe-á em pura perda. A alma generosa prosperará, e quem dá de beber será dessedentado" (Pv 11:24,25). Jesus ensinou: "Dai, e dar-se-vos-á; boa medida, recalcada, sacudida, transbordante, generosamente vos darão [...]" (Lc 6:38). A Palavra de Deus diz que "o generoso será abençoado" (Pv 22:9), "o que dá ao pobre não terá falta" (Pv 28:27), "quem se compadece do pobre ao Senhor empresta, e este lhe paga seu benefício" (Pv 19:27).

Quando semeamos dinheiro, colhemos não apenas dinheiro, mas também, e, sobretudo, bênçãos espirituais.

O apóstolo Paulo diz: "Certos de que cada um, se fizer alguma coisa boa, receberá isso outra vez do Senhor [...]" (Ef 6:8). Ouçamos ainda a voz do profeta Isaías:

> Se abrires a tua alma ao faminto e fartares a alma aflita, então, a tua luz nascerá nas trevas, e a tua escuridão será como o meio-dia. O Senhor te guiará continuamente, fartará a tua alma até em lugares áridos e fortificará os teus ossos; serás como um jardim regado e como um manancial cujas águas jamais faltam (Is 58. 10,11).

Em segundo lugar, *o princípio da motivação* (9:7). Paulo escreve: "Cada um contribua segundo tiver proposto no coração, não com tristeza ou por necessidade; porque Deus ama a quem dá com alegria" (9:7). É importante ressaltar que Paulo não está tratando nesse texto de dízimo, mas de oferta para assistência aos crentes pobres da Judeia. Quanto ao dízimo não podemos retê-lo, subtraí-lo nem administrá-lo; antes, devemos entregá-lo com fidelidade à casa do tesouro (Ml 3:8-10). Quanto, porém, à intencionalidade das ofertas, precisamos observar duas coisas:

A oferta não deve ser uma obrigação imposta, mas uma ação voluntária. Simon Kistemaker diz que Paulo não emite uma ordem, não promulga um decreto ou regulamento, não exerce força.[411] A contribuição não deve ser por coerção, mas por compulsão. Deus se importa não apenas com a contribuição, mas também com a motivação. Não basta dar, é preciso dar com a intenção correta. Podemos fazer uma coisa certa como ofertar, com a motivação errada, promover a nós mesmos. Os fariseus davam esmolas com uma mão e tocavam trombeta com a outra (Mt 6:2-4). Ananias e Safira contribuíram não para promover a obra de Deus nem para assistir aos necessitados, mas para exaltarem a si mesmos (At 5:1-11). Muitas pessoas contribuem para os necessitados para angariar méritos diante de Deus. Pensam que podem ser salvas pelas suas obras. A Bíblia, porém, diz que devemos fazer boas obras não para sermos salvos, mas porque fomos salvos. Nossa contribuição deve ser resultado da graça de Deus em nós, e não a causa dela por nós.

A oferta não deve ser dada com tristeza, mas com alegria. William MacDonald diz que é possível contribuir e fazê-lo sem alegria. É possível contribuir sob a pressão de um apelo emocional ou público constrangimento.[412] Não devemos contribuir apenas porque outros estão fazendo ou por um desencargo de consciência. Não devemos contribuir por necessidade nem com tristeza, mas com alegria, pois Deus ama a quem dá com alegria. O princípio de Jesus é: "Mais bem-aventurado é dar que receber" (At 20:35). Devemos contribuir com grande exultação. O privilégio de dar é mais sublime do que a alegria de receber. A palavra grega usada por Paulo é *hilaron*, da qual vem nossa palavra hilariante. Deveríamos pular de alegria pelo fato de Deus nos conceder a graça de contribuir.

Em terceiro lugar, *o princípio da distribuição* (9:8,9). O argumento de Paulo é eloquente: "Deus pode fazer-vos abundar em toda graça, a fim de que, tendo sempre, em tudo, ampla suficiência, superabundeis em toda boa obra, como está escrito: Distribuiu, deu aos pobres, a sua justiça permanece para sempre" (9:8,9). Ao longo do versículo 8 o conceito *todo* aparece cinco vezes: *toda graça; tudo; todo tempo, todas as coisas, toda boa obra.*[413] Deus nos abençoa para sermos abençoadores. Deus semeia no nosso campo para semearmos no campo alheio. Deus nos supre para suprirmos outros. Deus nos enriquece com suas bênçãos para sermos ricos de boas obras. Deus nos dá com fartura para distribuirmos generosamente aos pobres. Aqui está o ministério do pobre e o ministério do rico. É pura perda reter mais do que é justo. É como receber salário e pô-lo num saco furado. É ter sem usufruir. É possuir sem desfrutar. É comer sem fartar-se. É beber sem saciar. É vestir-se sem se aquecer (Ag 1:6). Os ricos que armazenam apenas para si descobrem que aquilo que entesouram com avareza se transforma em combustível para sua própria destruição (Tg 5:3).

Simon Kistemaker diz que o fluxo espiritual e material de dádivas que vêm de Deus ao crente nunca pode parar no beneficiário. Deve ser passado adiante para aliviar as necessidades de outras pessoas na igreja e na sociedade (Gl 6:10; 1Tm 6:17,18; 2Tm 3:17). O crente deve ser sempre um canal humano por meio do qual a graça divina flui para enriquecer a outros.[414]

O termo "suficiência" significa recursos interiores adequados.[415] A palavra grega usada por Paulo é *autarkeia*. Era uma palavra favorita dos estoicos. Não descreve a suficiência do homem que possui todo tipo de coisas em abundância, mas o estado do homem que não tem dedicado sua vida a acumular possessões, mas a eliminar necessidades. Descreve o homem que tem aprendido a contentar-se com muito pouco e a não desejar nada. É óbvio que tal pessoa poderá dar muito mais aos que a rodeiam devido ao fato que deseja muito pouco para si mesma. Muitas vezes queremos tanto para nós mesmos que não deixamos nada para os demais.[416] Fritz Rienecker diz que *autarkeia* indica a independência em relação a circunstâncias externas, especialmente em relação ao serviço de outras pessoas. O sentido aqui é que quanto menos um homem requer de si mesmo, mais ele terá para suprir as necessidades dos outros.[417] Colin Kruse, nessa mesma linha de pensamento, ainda lança luz sobre esse assunto quando escreve,

> O sentido da palavra *autarkeia* tem recebido certas conotações pelo seu emprego nas discussões éticas desde o tempo de Sócrates. Na filosofia cínica e na estoica, essa palavra era utilizada para caracterizar a pessoa autossuficiente. Assim foi que Sêneca, estoico e contemporâneo de Paulo entendia *autarkeia* como sendo a orgulhosa independência das circunstâncias exteriores, e de outras pessoas, e que constituía a verdadeira felicidade. Paulo empregava essa palavra de modo diferente. Para o apóstolo, *autarkeia* denota não a autossuficiência humana, mas a suficiência oriunda da graça de Deus; como tal, *autarkeia* possibilitava não a independência dos outros, mas a capacidade de abundar em boas obras a favor dos outros.[418]

Corroborando a Kruse, Kistemaker diz que *autarkeia* não pode ser interpretado como autossuficiência ou autoconfiança no sentido de "autodependência", pois somos todos completamente dependentes de Deus para nos suprir em cada necessidade. Deus nos provê suficientemente para o propósito de nossa dependência dele e para o apoio a nossos semelhantes.[419]

Concordo com Frank Carver quando disse que a graça de Deus é uma graça que doa e que é capaz de engordar a alma mais magra e mesquinha.[420]

Em quarto lugar, *o princípio da provisão* (9:10,11). O apóstolo Paulo deixa claro que tudo que temos vem de Deus, pois é ele quem dá semente ao que semeia. Também ensina que jamais nos faltará semente sempre que abrirmos as mãos para semearmos na vida de outras pessoas, uma vez que é Deus quem supre nossa sementeira. Paulo ainda ensina que quanto mais damos, mais temos para dar, pois Deus é quem aumenta a nossa sementeira e multiplica os frutos da nossa justiça. Atentemos para o que escreve o apóstolo:

> Ora, aquele que dá semente ao que semeia e pão para alimento também suprirá e aumentará a vossa sementeira e multiplicará os frutos da vossa justiça; enriquecendo-vos, em tudo, para toda generosidade, a qual faz que, por nosso intermédio, sejam tributadas graças a Deus (9:10,11).

Quando você contribui, sua oferta abençoa outros (9:12)

O apóstolo escreve: "Porque o serviço desta assistência não só supre a necessidade dos santos, mas também redunda em muitas graças a Deus" (9:12). Quando contribuímos com generosidade e alegria, essa contribuição promove dois resultados abençoadores.

Em primeiro lugar, *supre necessidades materiais dos necessitados* (9:12a). A igreja é uma família, e nessa família nenhuma pessoa deveria passar necessidade. O que Deus nos dá com abundância deve estar a serviço de Deus na assistência aos necessitados. Os recursos de Deus para suprir os necessitados estão em nossas mãos. Toda a provisão de Deus para o avanço do seu reino está em nossas mãos. Somos mordomos de Deus, e não donos de seus recursos. Somos diáconos de Deus, e os recursos de Deus que estão em nossas mãos devem estar disponíveis para suprirmos a mesa dos pobres. Essa assistência é um serviço que prestamos não apenas aos homens, mas, sobretudo, a Deus. A palavra usada por Paulo para "assistência" é *leitourgia,* da qual vem a nossa palavra "liturgia". No grego clássico a palavra era usada acerca de cidadãos ricos que faziam serviços públicos, financiando coros para as peças de teatro. No uso judaico e no grego koinê, indica o serviço ou culto religioso.[421] Colin

Kruse diz que Paulo considera a contribuição cristã não apenas um serviço prestado aos necessitados, mas também um ato de culto (serviço) prestado a Deus.[422]

Os cristãos gentios poderiam ter encontrado várias desculpas para não contribuir, como, por exemplo: "A escassez de alimentos e a pobreza na Judeia não são culpa nossa"; ou: "As igrejas mais próximas da Judeia é que deveriam ajudar"; ou ainda: "Cremos na importância de ofertar, mas também acreditamos que devemos cuidar primeiro de nossos necessitados". A graça nunca procura um motivo, busca apenas uma oportunidade.[423]

Em segundo lugar, *promove gratidão a Deus no coração dos assistidos* (9:12b). As mãos que se abrem para contribuir abrem os corações para agradecer. Quando abrimos o bolso para dar, os corações se abrem para render graças a Deus. Jesus já havia ensinado esse mesmo princípio: "Assim brilhe também a vossa luz diante dos homens, para que vejam as vossas boas obras e glorifiquem a vosso Pai que está nos céus" (Mt 5:16).

Quando você contribui, sua oferta glorifica a Deus (9:13)

O apóstolo escreve: "Visto como, na prova desta administração, glorificam a Deus pela obediência da vossa confissão, quanto ao evangelho de Cristo e pela liberalidade com que contribuís para eles e para todos" (9:13). A generosidade da igreja promove a glória de Deus, pois aqueles que são beneficiários do nosso socorro glorificam a Deus pela nossa obediência. Paulo destaca dois pontos importantes nesse versículo:

Em primeiro lugar, *quando a teologia se transforma em ação Deus é glorificado* (9:13a). Os judeus crentes glorificaram a Deus ao ver que os gentios não apenas confessavam a teologia ortodoxa, mas também agiam de maneira ortoprática. Jesus falou do sacerdote e do levita que passaram ao largo ao ver um homem ferido (Lc 10:31,32). Não basta ter boa doutrina, é preciso pôr essa doutrina em prática. Os crentes da Judeia glorificaram a Deus não apenas porque os gentios creram, mas, sobretudo, porque obedeceram. A palavra grega *homologia*, "confissão", usada por Paulo, refere-se a uma confissão objetiva que tem que ver especialmente com "confessar a Cristo ou ao ensino de sua Igreja".[424] Warren Wiersbe relata o caso de um cristão rico que, em seu culto doméstico diário, orava pelas necessidades dos missionários que sua igreja sustentava. Certo dia, depois que o pai terminou de orar, o filho pequeno lhe disse: "Pai, se eu tivesse seu talão de cheques, poderia responder a suas orações".[425]

Em segundo lugar, *quando o amor deixa de ser apenas de palavras Deus é glorificado* (9:13b). Os gentios contribuíram com liberalidade não apenas para os crentes da Judeia, mas, também, para outros necessitados. Eles não amaram apenas de palavras, mas de fato e de verdade (1Jo 3:17,18). O amor não é aquilo que ele diz, mas aquilo que ele faz.

Quando você contribui, sua oferta produz camaradagem espiritual entre os irmãos (9:14)

O apóstolo Paulo diz: "Enquanto oram eles a vosso favor, com grande afeto, em virtude da superabundante graça de Deus que há em vós" (9:14). Os crentes judeus, vendo a infinita graça de Deus em operação nos crentes gentios, nutriram afeto por eles e oraram por eles. Dessa forma, um dos maiores propósitos da coleta, no que concerne a Paulo, era promover a unidade da igreja.[426] Os legalistas da igreja haviam acusado Paulo de opor-se aos judeus e à Lei. As igrejas gentias estavam afastadas da igreja de Jerusalém, tanto em termos geográficos quanto culturais. Paulo deseja evitar uma divisão da igreja, e essa oferta fazia parte de seu plano de prevenção.[427]

Duas coisas podem ser vistas como resultado da nossa contribuição cristã.

Em primeiro lugar, *a intercessão por nós* (9:14a). Quando nossas mãos se abrem, os joelhos se dobram. Quando abrimos o coração para dar, os corações se aquecem para interceder. A contribuição produz comunhão. As dádivas materiais promovem bênçãos espirituais. Nunca estamos tão próximos de alguém como quando oramos por ele. É impossível orar por alguém sem amá-lo ao mesmo tempo. Por isso, Paulo diz que os crentes judeus oravam pelos gentios com grande afeto.

Em segundo lugar, *o reconhecimento da graça de Deus em nós* (9:14b). As pessoas veem em nós a superabundante graça de Deus não apenas quando falamos coisas bonitas, mas quando praticamos ações certas. Aqueles que são receptáculo da graça devem ser canais dela para outras pessoas.

O apóstolo Paulo termina sua exposição sobre a contribuição pela graça afirmando que tudo quanto dermos ainda não é retribuição adequada pelo dom inefável de Deus: "Graças a Deus pelo seu dom inefável!" (9:15). A palavra grega *dorea,* traduzida por "dom" nesse versículo, é o presente indescritível e soberano de si mesmo em seu Filho. Aqui está a fonte de toda a graça e todo o amor que fluem pelas igrejas, como resultado da oferta.[428] Simon Kistemaker diz que essa dádiva de Deus ao mundo é o nascimento, o ministério, o sofrimento, a morte, a ressurreição, a ascensão e a volta final de seu Filho. Para Paulo, a ideia de Deus entregar seu Filho à humanidade é espantosa.[429] Já a palavra grega *anekdiegetos*, "inefável", refere-se a alguma coisa que não pode ser descrita com palavras, recontada, ou explicada em detalhes. A ação de Deus não pode ser descrita com palavras humanas.[430] Essa palavra não se encontra no grego clássico nem nos papiros. Ela só aparece aqui em todo o Novo Testamento, e parece que foi cunhada pelo apóstolo Paulo a fim de descrever o inefável dom de Deus.[431] Simon Kistemaker diz que nesta terra nunca poderemos sondar a profundidade do amor de Deus por nós, o valor infinito de nossa salvação e o dom da vida eterna. A dádiva de Deus é realmente indescritível.[432]

Concordo com Colin Kruse quando afirma que, para Paulo, todas as contribuições cristãs devem ser efetuadas à luz do dom inefável de Deus, devem ser feitas com alegria no coração e como expressão de gratidão a Deus e, também, como demonstração de nosso interesse amoroso pelos necessitados que a receberão e nossa união com eles.[433]

Aqueles que receberam a maior dádiva de Deus, o seu Filho bendito, devem expressar sua gratidão sendo generosos na partilha do que têm recebido. Jamais poderemos atingir esse nível de doação. Estaremos sempre aquém da generosidade de Deus.

NOTAS

[402] BARCLAY, William. *I y II Corintios*. 1973, p. 242,243.
[403] WIERSBE, Warren W. *Comentário Bíblico Expositivo*. Vol. 5. 2006, p. 863.

[404] RIENECKER, Fritz e ROGERS Cleon. *Chave Linguística do Novo Testamento Grego*. 1985, p. 356.
[405] CARVER, Frank G. *A Segunda Epístola de Paulo aos Coríntios*. Em Comentário Bíblico Beacon. Vol. 8. 2006, p. 455.
[406] CARVER, Frank G. *A Segunda Epístola de Paulo aos Coríntios*. Em Comentário Bíblico Beacon. Vol. 8. 2006, p. 456.
[407] BARCLAY, William. *I y II Corintios*. 1973, p. 244,245.
[408] CARVER, Frank G. *A Segunda Epístola de Paulo aos Coríntios*. Em Comentário Bíblico Beacon. Vol. 8. 2006, p. 455.
[409] WIERSBE, Warren W. *Comentário Bíblico Expositivo*. Vol. 5. 2006, p. 864.
[410] KRUSE, Colin. *II Coríntios: Introdução e Comentário*. 1994, p. 175,176.
[411] KISTEMAKER, Simon. *2 Coríntios*. 2004, p. 436.
[412] MACDONALD, William. *Believer's Bible Commentary*. 1995, p. 1854.
[413] KISTEMAKER, Simon. *2 Coríntios*. 2004, p. 437.
[414] KISTEMAKER, Simon. *2 Coríntios*. 2004, p. 438.
[415] WIERSBE, Warren W. *Comentário Bíblico Expositivo*. Vol. 5. 2006, p. 865.
[416] BARCLAY, William. *I y II Corintios*. 1973, p. 245.
[417] RIENECKER, Fritz e ROGERS Cleon. *Chave Linguística do Novo Testamento Grego*. 1985, p. 357.
[418] KRUSE, Colin. *II Coríntios: Introdução e Comentário*. 1994, p. 177.
[419] KISTEMAKER, Simon. *2 Coríntios*. 2004, p. 438,439.
[420] CARVER, Frank G. *A Segunda Epístola de Paulo aos Coríntios*. Em Comentário Bíblico Beacon. Vol. 8. 2006, p. 456.
[421] RIENECKER, Fritz e ROGERS Cleon. *Chave Linguística do Novo Testamento Grego*. 1985, p. 358.
[422] KRUSE, Colin. *II Coríntios: Introdução e Comentário*. 1994, p. 179.
[423] WIERSBE, Warren W. *Comentário Bíblico Expositivo*. Vol. 5. 2006, p. 866.
[424] RIENECKER, Fritz e ROGERS Cleon. *Chave Linguística do Novo Testamento Grego*. 1985, p. 358.
[425] WIERSBE, Warren W. *Comentário Bíblico Expositivo*. Vol. 5. 2006, p. 867.
[426] KRUSE, Colin. *II Coríntios: Introdução e Comentário*. 1994, p. 180.
[427] WIERSBE, Warren W. *Comentário Bíblico Expositivo*. Vol. 5. 2006, p. 867.
[428] CARVER, Frank G. *A Segunda Epístola de Paulo aos Coríntios*. Em Comentário Bíblico Beacon. Vol. 8. 2006, p. 457.
[429] KISTEMAKER, Simon. *2 Coríntios*. 2004, p. 451.

[430] RIENECKER, Fritz e ROGERS Cleon. *Chave Linguística do Novo Testamento Grego.* 1985, p. 358.
[431] KRUSE, Colin. *II Coríntios: Introdução e Comentário.* 1994, p. 180.
[432] KISTEMAKER, Simon. *2 Coríntios.* 2004, p. 451.
[433] KRUSE, Colin. *II Coríntios: Introdução e Comentário.* 1994, p. 180.

Capítulo 12

O ministério como um campo de batalha
(2Coríntios 10:1-18)

O MINISTÉRIO DE PAULO foi vitorioso, mas não sem lutas. Por onde passava havia tumultos, revoltas, motins, açoites, apedrejamento e prisões. Ele enfrentou ataques dos judeus e dos gentios. Foi encurralado por pessoas difíceis e circunstâncias adversas. Suportou provações e privações. Ele, além de trazer no corpo as marcas de Cristo em virtude da fome, frio, encarceramento, apedrejamento e inúmeros açoites, trazia na alma, também, a preocupação com todas as igrejas. De todas as igrejas que fundou, nenhuma foi tão amada como a igreja de Corinto, e nenhuma lhe deu tanto trabalho.

Nessa carta, Paulo está defendendo seu ministério. Seus inimigos vinham de fora e também de dentro da igreja. A oposição ao apóstolo era apoiada por uma minoria na igreja que acolhia os falsos apóstolos, dando guarida a seus falsos ensinos.

Werner de Boor diz que nos capítulos 1 a 7, Paulo olha retrospectivamente para a dolorosa tensão entre ele e a igreja, tensão que agora obteve uma solução feliz. Nos capítulos 10 a 13, ele olha para o futuro, para a nova visita em Corinto. Essa visita não tornará a acontecer "em tristeza" (2:1), porém, provavelmente, trará consigo uma última luta com aqueles que desencaminharam e confundiram a igreja.[434]

Paulo muda completa e drasticamente seu estilo nos últimos quatro capítulos. Alguns estudiosos chegam até a pensar que essa última parte da carta seja a carta dolorosa que Paulo escreveu à igreja. Nossa compreensão é que a transição de Paulo tem por finalidade desbancar a onda de oposição contra ele, surgida em sua ausência, ao mesmo tempo em que desmascara a petulância dos falsos apóstolos. Concordo com Daniel Mitchell quando disse que nos nove primeiros capítulos Paulo escreveu para a maioria da congregação que o amava e o apreciava. Nos quatro últimos capítulos, dirigiu-se ao pequeno grupo que resistia a ele.[435]

Paulo não se defendia pessoalmente, mas defendia seu ministério e sua autoridade apostólica. Não se envolveu em uma "competição de personalidades" com outros ministros.[436] Simon Kistemaker está correto quando diz que Paulo pode até suportar ataques ao seu caráter, pois sabe que está longe de ser perfeito. Mas não pode permitir ataques contra a obra do Espírito, na igreja, por intermédio dele.[437] Paulo admite que vive no mundo, mas não se sujeita a seus padrões.

O texto em tela nos fala sobre o ministério como um campo de batalha. Destacamos quatro importantes lições para nossa reflexão.

A posição defensiva do obreiro (10:1-3)

Paulo começa a parte mais densa e pesada da sua carta com palavras amáveis e cheias de ternura. Três verdades merecem ser destacadas:

Em primeiro lugar, *uma apresentação despretensiosa* (10:1,2a). "E eu mesmo, Paulo, vos rogo, pela mansidão e benignidade de Cristo, eu que, na verdade, quando presente entre vós, sou humilde; mas, quando ausente, ousado para convosco, sim, eu vos rogo que não tenha de ser ousado, quando presente [...]" (10:1,2a). Paulo tinha autoridade para dar ordens à igreja, mas ele pede. A palavra grega *parakaleo,* usada por Paulo, traz a ideia de rogar, solicitar, pedir com humildade. Paulo não se põe numa torre de marfim, encastelado em sua prepotência para humilhar as pessoas com sua autoridade. Ele pede e roga com mansidão e benignidade. Que motivo mais poderoso poderia invocar?

A palavra grega *prautes*, "mansidão", significa poder sob controle. As pessoas mais enérgicas e ousadas não são aquelas que dominam os outros pela força, mas as que dominam a si mesmas pela mansidão. Aristóteles definiu *prautes* como o termo médio entre estar demasiadamente enojado e nunca enojar-se. Trata-se daquela virtude que não se ofende quando a insulta é pessoal, mas reage firmemente quando se trata de fazer justiça a outrem.[438] Fritz Rienecker diz que *prautes* denota a atitude humilde e gentil que se expressa em uma aceitação paciente de ofensas, livre de malícia e desejos de vingança.[439] A mansidão era uma virtude social altamente valorizada, sendo o contrário da fúria repentina e grosseira. Mansidão não é moleza nem complacência com o pecado. Cristo foi manso quando, cheio de compaixão, recebeu pecadores, sem, contudo, minimizar seus pecados. É à luz dessa mansidão afetuosa que Paulo roga à igreja.[440]

A palavra grega *epieikeia*, "benignidade", tem um significado muito rico. Os gregos a definiam como "aquele que é justo e ainda melhor que o justo". O homem que tem *epieikeia* é aquele que sabe que em última análise a norma cristã não é a justiça, mas o amor. Dessa forma, Paulo está dizendo que não está buscando seus direitos, aferrado à lei para impor regras, mas considera a situação com o amor de Cristo.[441] Fritz Rienecker diz que *epieikeia* denota uma firmeza paciente, humilde, capaz de submeter-se às injustiças e maus tratos, sem ódio nem maldade, confiando em Deus a despeito de tudo.[442]

Em segundo lugar, *uma acusação maliciosa* (10:2b). "[...] alguns que nos julgam como se andássemos em disposições de mundano proceder" (10:2b). Os homens que se opunham a Paulo eram judeus (11:22) que afirmavam ser apóstolos de Cristo (11:13). Eles foram à igreja de Corinto, trabalharam lá por um curto período e, a seguir apoderaram-se do crédito por tudo que foi realizado (10:12-18). Eles eram homens arrogantes, prepotentes e tirânicos (10:12; 11:18,20).[443]

Os opositores de Paulo o acusavam de ser inconsistente em seu caráter, difuso em sua conduta, dúbio em sua postura e desprovido de autoridade. Acusavam Paulo de ser grave e forte nas cartas, mas fraco em pessoa e desprezível nas palavras (10:10). Acusavam Paulo de não ter coragem de dizer pessoalmente a eles o que escrevia em suas cartas. Os falsos apóstolos foram duros e cáusticos com Paulo, taxando-o de homem de duas caras, de viver em duplicidade. Os falsos apóstolos interpretaram a benignidade de Paulo como fraqueza.

Colin Kruse, por outro lado, entende que a acusação dos opositores de Paulo se direcionava também a outra área. Acompanhemos seu raciocínio,

> Andar na carne, no conceito dos adversários de Paulo, provavelmente significava agir sem autoridade alguma (11:20,21), sem experimentar visões e revelações (12:1), sem executar sinais miraculosos (12:11,12), não sendo uma pessoa mediante quem Cristo estaria falando (13:3). Na verdade, diriam talvez esses inimigos de Paulo, "andar na carne" significava executar um empreendimento puramente humano utilizando o engano e a malícia (12:16-18).[444]

Em terceiro lugar, *uma resposta audaciosa* (10:3). "Porque, embora andando na carne, não militamos segundo a carne" (3:3). O apóstolo Paulo não aceita a acusação leviana assacada contra ele nem se cala diante da afronta. Seus acusadores queriam esvaziar sua autoridade apostólica e denegrir sua integridade moral. Paulo responde a seus opositores que, embora viva na carne; ou seja, está sujeito à fraqueza da natureza humana, não milita segundo a carne; ou seja, não anda segundo os ditames da carne. "Andar na carne" significa participar da existência humana normal com todas as suas limitações. "Não militar segundo a carne" significa não desempenhar o ministério cristão com meros recursos humanos, isento do poder de Deus, com a tendência concomitante a empregar meios duvidosos (1:17; 4:2; 12:16-18).[445]

Colin Kruse diz que Paulo reage diante das levianas acusações de seus opositores usando abundantemente metáforas militares (10:3-6). O apóstolo emprega inúmeras imagens bélicas (10:3b), armas, milícia, destruição de fortalezas (10:4), destruição de altivez (literalmente "todas as coisas elevadas"; isto é, torres), cativeiro (10:5) e prontidão para punir toda desobediência (isto é, levar à corte marcial) (10:6).⁴⁴⁶

A posição ofensiva do obreiro (10:4-6)

O conflito entre as forças de Deus e as de Satanás é espiritual e precisa ser travado com armas espirituais. As armas do mundo encarnam o inverso das regras de Deus: a mentira em lugar da verdade; as trevas em lugar da luz; a tristeza em lugar da alegria e a morte em lugar da vida.⁴⁴⁷ Paulo lança mão de uma linguagem militar para fazer sua defesa. Como soldado de Cristo põe-se na ofensiva e nos ensina algumas preciosas lições.

Em primeiro lugar, *a natureza das nossas armas* (10:4). "Porque as armas da nossa milícia não são carnais e sim poderosas em Deus [...]" (10:4a). A vida cristã não é um parque de diversões, mas um campo de guerra. Estamos numa milícia, e não numa estufa espiritual. A palavra grega *hopla*, "armas", é uma palavra genérica usada tanto para armas de defesa como de ataque.⁴⁴⁸ O termo "milícia" significa "campanha". O ataque do inimigo nessa cidade fazia parte de uma grande campanha militar. Os poderes do inferno atacavam a igreja e era importante não ceder nenhum território.⁴⁴⁹ Nesse campo de guerra, as armas carnais são impróprias e inadequadas. Nossas armas são poderosas em Deus. São armas que constroem em vez de destruir. São armas que dão vida em vez de matar.

Em segundo lugar, *o poder das nossas armas* (10:4b-5). "[...] para destruir fortalezas; anulando sofismas e toda altivez que se levante contra o conhecimento de Deus, e levando cativo todo pensamento à obediência de Cristo" (10:4b-5). Essas armas espirituais, poderosas em Deus, são eficazes para algumas finalidades.

Elas destroem a resistência do inimigo (10:4). Essas armas destroem fortalezas. A palavra grega *ochuroma*, encontra-se apenas aqui em todo o Novo Testamento. "Fortaleza" nos papiros tinha o significado de prisão.[450] Essas fortalezas são muralhas que resistem, portas que se fecham, e paredes que aprisionam. Simon Kistemaker diz que essas fortalezas aparecem em formas múltiplas, mas são essencialmente a mesma: são sistemas, esquemas, estruturas e estratégias que Satanás maquina para frustrar e obstruir o progresso do evangelho de Cristo.[451] O inimigo tem suas fortalezas. Essas fortalezas parecem inexpugnáveis. Mas as armas que usamos podem detonar essas muralhas, fazer ruir essas resistências. O evangelho é a dinamite de Deus que quebra pedreiras graníticas, arrebenta rochas sedimentadas e demole toda oposição.

Elas anulam as estratégias do inimigo (10:4). Essas armas anulam sofismas. A palavra grega *logismos* significa raciocínio, reflexão, pensamento. A batalha é travada no campo das ideias. Essa guerra não é travada contra as pessoas em si, mas contra padrões de pensamentos, filosofias, teorias, visões e táticas.[452] O diabo cega o entendimento dos incrédulos (4:4). Ele distorce a verdade, dissemina o erro e espalha a mentira. As nossas armas desmantelam esses sofismas, desnudam esses artifícios e aniquilam esses raciocínios falazes.

Elas acabam com o orgulho do inimigo (10:5). Essas armas são poderosas em Deus para anular toda altivez que se levante contra o conhecimento dele. Colin Kruse diz que tanto a fortaleza (10:4) quanto a torre ou altivez (10:5) simbolizam os argumentos intelectuais, as racionalizações erigidas pelos seres humanos contra o evangelho. Bruce Barton relembra o fato de que Paulo já havia dito para os coríntios que o evangelho da cruz era considerado tolice e loucura para aqueles que viam o mundo pelas lentes da filosofia grega (1Co 1:18-25). Quando Paulo pregou o evangelho para os filósofos atenienses, eles desprezaram sua mensagem. Para os filósofos, o evangelho era pura tolice (At 17:32).[453] Entretanto, mediante a proclamação do evangelho, essa argumentação oca é destruída, e os pecadores são salvos.[454] Há muitos falsos intelectuais que tentam ridicularizar a verdade de Deus. Há muitos homens soberbos que escarnecem da fé cristã, blasonando do alto de sua prepotência, palavras ácidas contra o conhecimento de Deus. Esses homens soberbos e insolentes escarnecem da inerrância da Bíblia e pisam com escárnio suas doutrinas. William MacDonald diz que isso pode ser aplicado hoje aos arrazoados dos cientistas, evolucionistas, filósofos e livres pensadores que não têm espaço para Deus em seus esquemas e cosmovisão.[455] Mas quando usamos a verdade de Deus, essa altivez arrogante cai por terra e cobre-se de pó.

Elas aprisionam o pensamento do inimigo (10:5). Paulo continua ampliando a metáfora militar. Quando se conquista uma fortaleza também se fazem prisioneiros. As armas espirituais não aprisionam homens, mas ideias. Elas libertam os homens, levando todo pensamento cativo à obediência de Cristo. Colin Kruse diz que essa imagem é a de uma fortaleza rompida; os que ali dentro se abrigavam, por detrás de muralhas, estão sendo levados em cativeiro. Portanto, o propósito do apóstolo não é apenas demolir os falsos argumentos, mas também conduzir os pensamentos das pessoas sob o senhorio de Cristo.[456]

Aqui, "levar cativo" no tempo presente do verbo indica que o ato de fazer prisioneiros está em andamento, a batalha está sendo ganha e a vitória é inclusiva (todo pensamento). A conquista não visa subjugar pessoas, mas pensamentos. Não há menção de derramamento de sangue e matança nesse campo de batalha. Antes, todas as teorias são capturadas e forçadas a obedecer a Cristo. A cultura aqui é conquistada para Cristo e permanece intacta, mas seus componentes são transformados para servi-lo. Quando as pessoas se arrependem, experimentam uma inversão completa em seu modo de pensar que, a partir daí, dirigem suas ações à obediência a Cristo.[457] Por essa obediência a Cristo, a razão escapa da escravidão do erro e do pecado e volta a encontrar sua verdadeira liberdade para a qual foi criada (Jo 8:32).[458]

Em terceiro lugar, *a eficácia das nossas armas* (10:6). "[...] e estando prontos para punir toda desobediência, uma vez completa a vossa submissão" (10:6). Paulo, como um guerreiro espiritual da milícia de Cristo, trajando armas espirituais, não só desmantela a resistência, as estratégias, a soberba e os pensamentos do inimigo, mas também tem autoridade para punir a desobediência daqueles que se entregam ao erro. A linguagem usada por Paulo é que os rebeldes seriam levados à corte marcial e punidos por sua desobediência. Era uma desobediência que tratava com leviandade a verdade do evangelho (11:4), em razão do que seus detratores poderiam ser chamados de "falsos apóstolos, obreiros fraudulentos" e até mesmo servos de Satanás (11:13-15).[459]

A autoridade espiritual do obreiro (10:7-11)

No Reino de Cristo a autoridade não se demonstra pela força, mas pela mansidão e benignidade. Maior é o que serve, e não o que é servido. Os que fazem uma viagem arrogante para o topo da pirâmide despencam para o chão, mas aqueles que se humilham são elevados pelo próprio

Deus ao ápice da pirâmide. Warren Wiersbe diz que Paulo usava sua autoridade para fortalecer a igreja, enquanto os judaizantes usavam a igreja para fortalecer a autoridade deles.[460] Nossa autoridade não emana de nós mesmos, ela vem de Cristo. Três verdades devem ser aqui destacadas:

Em primeiro lugar, *o fundamento da autoridade* (10:7). "Observai o que está evidente. Se alguém confia em si que é de Cristo, pense outra vez consigo mesmo que, assim como ele é de Cristo, também nós o somos" (10:7). Os falsos apóstolos confiavam em si mesmos que eram de Cristo. Pensavam que Cristo era um monopólio deles. Estavam estribados numa base falsa. Eles haviam alistados a si mesmos, mas não pertenciam ao comandante nem seguiam suas pegadas. Paulo, porém, foi alistado no exército de Deus não por si mesmo, mas convocado pelo próprio comandante. Concordo com William Barclay quando escreveu que o problema do cristão arrogante é que ele acha que Cristo lhe pertence, e não que ele pertence a Cristo.[461]

Em segundo lugar, *a delegação da autoridade* (10:8,9). "Porque, se eu me gloriar um pouco mais a respeito da nossa autoridade, a qual o Senhor nos conferiu para edificação e não para destruição vossa, não me envergonharei, para que não pareça ser meu intuito intimidar-vos por meio de cartas" (10:8,9). A autoridade de Paulo vem de Jesus e não dele mesmo. Ele não consagrou a si mesmo apóstolo, ele foi chamado por Cristo para ser apóstolo. Ele não precisava de cartas de recomendação como os falsos apóstolos. A própria igreja de Corinto era sua carta. Sua autoridade não procedia da terra, mas do céu; não de homens, mas do próprio Deus.

Paulo exercia seu apostolado para a edificação, e não para destruição. Paulo não exercia uma autoridade arrogante.

Ele não exigia respeito pela intimidação, ele o conquistava pelo seu exemplo. Sua liderança não inspirava medo, mas obediência. Concordo com Simon Kistemaker quando diz que Jesus nos concede poder, nunca para uso pessoal, mas sempre para o avanço de sua causa.[462]

Em terceiro lugar, *o uso da autoridade* (10:10,11). "As cartas, com efeito, dizem, são graves e fortes; mas a presença pessoal dele é fraca, e a palavra, desprezível. Considere o tal isto: que o que somos na palavra por cartas, estando ausentes, tal seremos em atos, quando presentes" (10:10,11). Os inimigos de Paulo de plantão o acusavam de inconsistência, duplicidade e hipocrisia. Denegriam seu caráter, dizendo que não tinha coragem de enfrentar as pessoas nem os problemas cara a cara. Maculavam sua honra dizendo que era um obreiro covarde, que só rugia como leão à distância, mas quando estava perto era tímido e fraco como um cordeiro. A acusação aqui não é à oratória de Paulo, mas ao caráter do apóstolo. Ele, porém, se defende dizendo que a tese dos acusadores será desmantelada. Ele irá à igreja e não poupará os insubmissos e rebeldes.

Frank Carver afirma que os falsos apóstolos estavam acusando Paulo pelo fato dele ter ido a Corinto não "com ostentação de linguagem ou de sabedoria" (1Co 2:1,2), mas apenas anunciando "a Jesus Cristo, e a este crucificado" (1Co 1:23). Esse discurso não os teria impressionado nem alcançado os padrões da retórica grega.[463]

A aprovação do obreiro (10:12-18)

Nos versículos 12 a 18, Paulo assume a ofensiva e satiriza seus adversários que se autoelogiam. Ele desbanca a pretensa autoridade e legitimidade dos falsos apóstolos e faz uma defesa irresistível do seu apostolado. Segundo

Warren Wiersbe, Paulo trata basicamente de duas coisas aqui: parâmetros falsos (10:12) e parâmetros verdadeiros (10:13-18).[464] Consideraremos essas duas verdades:

Em primeiro lugar, *parâmetros falsos* (10:12). "Porque não ousamos classificar-nos ou comparar-nos com alguns que se louvam a si mesmos; mas eles, medindo-se consigo mesmos e comparando-se consigo mesmos, revelam insensatez" (10:12). Os falsos apóstolos comissionavam a si mesmos e legitimavam seu próprio apostolado. O chamado deles não vinha de Cristo. O poder deles não procedia do Espírito Santo. A pregação deles não estava baseada nas Escrituras, e a vida deles não estava arraigada na integridade. Consequentemente, eles eram falsos apóstolos, falsos obreiros e falsos crentes.

É insensatez escolher a si mesmo, aprovar a si mesmo e elogiar a si mesmo. É uma consumada loucura bater palmas e aclamar a si mesmo e cantar: "Quão grande és tu", diante do espelho.

Colin Kruse diz que um método popular usado pelos mestres a fim de atrair discípulos, nos dias de Paulo, era comparar-se a si mesmos com outros mestres. Os falsos apóstolos em Corinto procuravam aparência física imponente e eloquência arrebatadora (10:1,10; 11:20,21), cobravam uma taxa sobre cada sermão pregado (11:7-11), exibiam ascendência judaica impecável (11:21b-22), experiências espirituais impressionantes (12:1-6), realização de sinais apostólicos (12:12) e outra exibição de autoridade e poder (11:19,20) a fim de comprovar que Cristo estava falando por meio deles (13:3). Observe-se a natureza triunfalista desses critérios. Não há espaço para expressões de fraqueza, sofrimento, perseguição e prisão que, com frequência, constituíam a porção de Paulo, e que o próprio Jesus afirmara ser a experiência de todos quantos o seguissem.[465]

Em segundo lugar, *parâmetros verdadeiros* (10:13-18). O apóstolo Paulo deixa claro que o seu apostolado não teve sua origem em sua própria escolha, nem mesmo veio por delegação da igreja ou por cartas de recomendação de algum líder religioso. Ele foi chamado, capacitado e enviado por Cristo. Três perguntas elucidam a questão aqui discutida.[466]

Eu estou no lugar que Deus reservou para mim? (10:13,14). "Nós, porém, não nos gloriaremos sem medida, mas respeitamos o limite da esfera de ação que Deus nos demarcou e que se estende até vós. Porque não ultrapassamos os nossos limites como se não devêssemos chegar até vós, posto que já chegamos até vós com o evangelho de Cristo" (10:13,14). A palavra grega *kanon*, "limite", que Deus delineou para Paulo consiste em seu trabalho missionário em terras gentílicas.[467] Paulo tinha autorização e autoridade para pregar em Corinto. Seu ministério era legítimo. Ele havia sido comissionado por Cristo para pregar aos gentios (At 9:15; 22:21; Gl 2:9; Ef 3:1-13), e não para edificar sobre um fundamento posto por outros homens (Rm 15:20). Dentro desses limites, ele havia trabalhado como um missionário pioneiro junto aos gentios, até mesmo em Corinto. Paulo não estava indo além daquilo que lhe havia sido comissionado. Ele foi o primeiro a chegar em Corinto com o evangelho (1Co 3:6). Ele lançou o fundamento (1Co 3:10,11) e se tornou o pai espiritual dos coríntios no evangelho (1Co 4:15). Assim, com aguda ironia, Paulo mostrou que seus oponentes são, de fato, desqualificados como seus competidores. Eles nada mais eram do que proselitistas que, como todos de sua classe, se ocupam com a invasão do trabalho de outros.[468]

Paulo não estava invadindo campo alheio; os falsos apóstolos, sim, esses eram impostores, obreiros fraudulentos que não tinham entrado no redil pelas portas, antes, haviam pulado o muro como ladrões e salteadores e estavam devorando o rebanho de Deus.

Frank Carver diz que como um atleta corredor nos jogos ístmicos, Paulo se mantém dentro da faixa que lhe é designada, em vivo contraste com seus oponentes, a quem Deus "não havia designado nenhuma faixa, nem mesmo alguma que levasse a Corinto".[469]

Deus é glorificado por intermédio do meu ministério? (10:15-17). Paulo prossegue em sua defesa com palavras firmes:

> Não nos gloriando, fora de medida nos trabalhos alheios e tendo esperança de que, crescendo a vossa fé, seremos sobremaneira engrandecidos entre vós, dentro da nossa esfera de ação, a fim de anunciar o evangelho para além das vossas fronteiras, sem com isto nos gloriarmos de coisas já realizadas em campo alheio. Aquele, porém, que se gloria, glorie-se no Senhor (10:15-17).

Paulo tinha um ministério aprovado. Os crentes de Corinto eram seus filhos na fé, e eles mesmos eram sua carta de recomendação. Paulo estava cônscio de que o crescimento espiritual dos coríntios destacava seu ministério e abria-lhe portas para conquistar horizontes mais largos. Paulo, todavia, não se envaidece do seu trabalho. Ele não busca glória para si mesmo. Ele tem consciência que tudo vem de Deus, por meio de Deus e para Deus. Ele se gloria em Cristo, e não nos resultados otimistas do seu trabalho. Paulo tem consciência de que haverá de prestar conta do seu ministério. A prova final se dará no tribunal de Cristo "e, então, cada um receberá seu louvor da parte de Deus" (1Co 4:5).

Eu sou aprovado por Deus e estou recebendo elogio dele? (10:18). "Porque não é aprovado quem a si mesmo se louva, e sim aquele a quem o Senhor louva" (10:18). Podemos elogiar a nós mesmos ou receber elogios dos outros e, ainda assim, sermos reprovados por Deus. A igreja de Laodiceia exaltou-se dando nota máxima a si mesma em todas as áreas. Mas Cristo a reprovou em todos os itens. O autoelogio é desprezível. A Bíblia diz: "Seja outro o que te louve, e não a tua boca" (Pv 27:2). Deus detesta o louvor próprio. Jesus explicitou essa verdade na parábola do fariseu e do publicano. Aquele que se exaltou foi humilhado, mas o que se humilhou, desceu para sua casa justificado.

De igual modo não devemos fundamentar nosso ministério em elogio de homens. Nossa aprovação deve vir de Deus. A palavra grega *dokimos,* "aprovado", carrega a ideia de aprovação depois de um teste. Pouco importa o que o indivíduo mesmo diga à guisa de autoelogio, e tampouco o julgamento feito pelos outros. O que importa é o elogio que o Senhor mesmo proferir (1Co 4:1-5). Foi sob essa rubrica que Paulo desenvolveu seu trabalho apostólico.[470]

Frank Carver diz que a aprovação de Deus é a única marca de legitimidade no ministério. Paulo se gloria não por ser apóstolo, mas por Deus ter feito dele um apóstolo. O servo de Cristo só pode gloriar-se do que Cristo fez, do que está fazendo e do que ele prometeu fazer.[471]

Warren Wiersbe, ao comentar o texto em tela, disse que Satanás procura cegar as mentes para a luz do evangelho de Deus (4:3-6), fortalecer as mentes contra a verdade de Deus (10:1-6) e seduzir as mentes a apartarem-se do amor de Deus (11:1-4).[472] O mesmo autor afirma ainda que, no capítulo 10 da segunda carta aos Coríntios, Paulo oferece alguns conselhos práticos para termos vitória nessa batalha espiritual.[473]

Primeiro, *seja semelhante a Cristo* (10:1). A ousadia deve ser balanceada com a mansidão, uma vez que o poder de Deus é experimentado em humildade. Satanás é o nosso inimigo, e não as pessoas que ele subjuga.

Segundo, *use armas espirituais* (10:2-6). Possivelmente Paulo tinha em mente a vitória de Josué em Jericó quando as muralhas ruíram pela fé. O próprio apóstolo nos ensina a usar toda a armadura de Deus (Ef 6:10-20).

Terceiro, *mantenha seus olhos no Senhor* (10:7-11). O fato de alguns crentes coríntios terem acusado Paulo de inconsistência, deu a Satanás oportunidade para trabalhar em suas vidas.

Quarto, *aceite a esfera do trabalho que Deus lhe confiou* (10:12-16). Cada cristão, como um soldado de Cristo, tem uma área específica de atuação. Se cada um fizer sua parte fielmente, seguindo as ordens de Cristo, a igreja ganhará a batalha.

Quinto, *busque somente a glória de Deus* (10:17,18). Como poderíamos nos gloriar de vitórias que somente Deus pode dar? Paulo cita Jeremias 9:24 para nos relembrar que a glória só pertence a Deus.

NOTAS

[434] BOOR, Werner de. *Cartas aos Coríntios*. Editora Evangélica Esperança. Curitiba, PR. 2004, p. 440.
[435] MITCHELL, Daniel R. *The Second Epistle to the Corinthians*. Em the Complete Bible Commentary. Thomas Nelson Publishers. Nashville, TN. 1999, p. 1522.
[436] WIERSBE, Warren W. *Comentário Bíblico Expositivo*. Vol. 5. 2006, p. 869.
[437] KISTEMAKER, Simon. *2 Coríntios*. 2004, p. 463.

[438] BARCLAY, William. *I y II Corintios*. 1973, p. 248.
[439] RIENECKER, Fritz e ROGERS Cleon. *Chave Linguística do Novo Testamento Grego*. 1985, p. 359.
[440] KRUSE, Colin. *II Coríntios: Introdução e Comentário*. 1994, p. 183.
[441] BARCLAY, William. *I y II Corintios*. 1973, p. 248,249.
[442] RIENECKER, Fritz e ROGERS Cleon. *Chave Linguística do Novo Testamento Grego*. 1985, p. 359.
[443] CARVER, Frank G. *A Segunda Epístola de Paulo aos Coríntios*. Em Comentário Bíblico Beacon. Vol. 8. 2006, p. 458.
[444] KRUSE, Colin. *II Coríntios: Introdução e Comentário*. 1994, p. 184,185.
[445] KRUSE, Colin. *II Coríntios: Introdução e Comentário*. 1994, p. 185.
[446] KRUSE, Colin. *II Coríntios: Introdução e Comentário*. 1994, p. 185.
[447] KISTEMAKER, Simon. *2 Coríntios*. 2004, p. 468.
[448] RIENECKER, Fritz e ROGERS Cleon. *Chave Linguística do Novo Testamento Grego*. 1985, p. 359.
[449] WIERSBE, Warren W. *Comentário Bíblico Expositivo*. Vol. 5. 2006, p. 870.
[450] RIENECKER, Fritz e ROGERS Cleon. *Chave Linguística do Novo Testamento Grego*. 1985, p. 359.
[451] KISTEMAKER, Simon. *2 Coríntios*. 2004, p. 469.
[452] KISTEMAKER, Simon. *2 Coríntios*. 2004, p. 469.
[453] BARTON, Bruce B., e outros. *Life Application Bible Commentary on 1 & 2 Corinthians*. 1999, p. 417.
[454] KRUSE, Colin. *II Coríntios: Introdução e Comentário*. 1994, p. 186.
[455] MACDONALD, William. *Believer's Bible Commentary*. 1995, p. 1856.
[456] KRUSE, Colin. *II Coríntios: Introdução e Comentário*. 1994, p. 186.
[457] KISTEMAKER, Simon. *2 Coríntios*. 2004, p. 471.
[458] BONNET, L. e SCHROEDER A. *Comentario del Nuevo Testamento*. Tomo 3. 1982, p. 380,381.
[459] KRUSE, Colin. *II Coríntios: Introdução e Comentário*. 1994, p. 187.
[460] WIERSBE, Warren W. *Comentário Bíblico Expositivo*. Vol. 5. 2006, p. 871.
[461] BARCLAY, William. *I y II Corintios*. 1973, p. 253.
[462] KISTEMAKER, Simon. *2 Coríntios*. 2004, p. 478.
[463] CARVER, Frank G. *A Segunda Epístola de Paulo aos Coríntios*. Em Comentário Bíblico Beacon. Vol. 8. 2006, p. 462.
[464] WIERSBE, Warren W. *Comentário Bíblico Expositivo*. Vol. 5. 2006, p. 872,873.
[465] KRUSE, Colin. *II Coríntios: Introdução e Comentário*. 1994, p. 191.
[466] WIERSBE, Warren W. *Comentário Bíblico Expositivo*. Vol. 5. 2006, p. 873,874.
[467] KRUSE, Colin. *II Coríntios: Introdução e Comentário*. 1994, p. 192.

468 CARVER, Frank G. *A Segunda Epístola de Paulo aos Coríntios.* Em Comentário Bíblico Beacon. Vol. 8. 2006, p. 463.
469 CARVER, Frank G. *A Segunda Epístola de Paulo aos Coríntios.* Em Comentário Bíblico Beacon. Vol. 8. 2006, p. 462.
470 KRUSE, Colin. *II Coríntios: Introdução e Comentário.* 1994, p. 194.
471 CARVER, Frank G. *A Segunda Epístola de Paulo aos Coríntios.* Em Comentário Bíblico Beacon. Vol. 8. 2006, p. 464.
472 WIERSBE, Warren W. *With the Word.* Thomas Nelson Publishers. Nashville, TN. 1991, p. 762.
473 WIERSBE, Warren W. *With the Word.* 1991, p. 762,763.

Capítulo 13

A defesa do apostolado de Paulo
(2Coríntios 11:1-33)

Os FALSOS MESTRES haviam chegado a Corinto. Eles eram judeus e proclamavam-se apóstolos de Cristo. Traziam cartas de recomendação e ostentavam suas credenciais. Quanto ao talento, eram oradores profissionais. Quanto ao desempenho, gabavam-se de feitos miraculosos. Quanto à personalidade, eram arrogantes. Quanto à integridade, eram impostores, avarentos e aproveitadores do rebanho, buscando o dinheiro do povo, e não o seu bem-estar espiritual. Paulo os chama de falsos apóstolos e obreiros fraudulentos.

Quem eram esses falsos apóstolos que ameaçavam a igreja de Corinto? Alguns estudiosos entendem que eram os mesmos judaizantes que atacaram as igrejas da Galácia (Gl 1:6-9). Esses falsos mestres exigiam dos gentios rituais adicionais à fé para ser salvos. Eles negavam a salvação pela graça e impunham sobre o povo pesados fardos da lei. Eram legalistas que pregavam outro evangelho, diferente e oposto ao evangelho de Cristo.

Outros eruditos, porém, defendem que os falsos apóstolos, confrontados pelo apóstolo Paulo nessa carta, eram hereges de outro estofo.[474] A questão aqui não é o legalismo, mas o triunfalismo. Esses falsos apóstolos pregavam um evangelho sem cruz. Vangloriavam-se em seus feitos, e não em suas fraquezas. A ênfase que encontramos aqui são eloquência e conhecimento (11:6), exibição de autoridade (11:20), visões e revelações (12:1) e execução de sinais apostólicos (12:12,13).[475]

Diante do ataque insolente desses falsos apóstolos a Paulo e sua mensagem, no texto em tela, Paulo faz uma eloquente defesa do seu apostolado. Concordo com Simon Kistemaker quando diz que Paulo reconhece que se os falsos apóstolos forem capazes de destruir o fundador da igreja de Corinto, eles terão toda a liberdade para ensinar suas heresias (11:4).[476] Obviamente, o propósito do apóstolo não é apenas resgatar sua imagem diante da igreja de Corinto, mas restabelecer a verdade do evangelho que estava sendo atacada naquela igreja. Não se trata de uma defesa meramente personalista. Mas da defesa da fé, uma vez, entregue aos santos.

Hoje, como naquele tempo, a verdade de Deus tem sido também atacada por muitos falsos mestres. Precisamos nos acautelar e defender, com firmeza, a fé evangélica que nos foi confiada.

Acompanharemos esse veterano apóstolo nessa empreitada.

O cuidado pastoral de Paulo pela igreja (11:1-6)

Paulo era o pai espiritual dos crentes de Corinto (1Co 4:15). Não podia ver passivamente seus filhos na fé serem atacados pelos falsos mestres. O que estava em jogo não era apenas sua reputação como apóstolo, mas o próprio evangelho de Cristo.

Paulo inicia sua defesa, dizendo: "Quisera eu me suportásseis um pouco mais na minha loucura. Suportai-me, pois" (11:1). A loucura a que Paulo se refere nesse versículo é a de empregar os mesmos métodos dos falsos mestres para combatê-los; ou seja, destacar seus próprios feitos e adotar um princípio que ele mesmo já havia reprovado: "Porque não é aprovado quem a si mesmo se louva, e sim aquele a quem o Senhor louva" (10:18). Paulo considera a exibição de suas credenciais (11:21-12:13), uma verdadeira insensatez. Mas dadas as circunstâncias de Corinto, ele é forçado a fazê-lo.

Destacamos quatro aspectos importantes acerca do cuidado pastoral de Paulo pela igreja.

Em primeiro lugar, *seu zelo* (11:2). "Porque zelo por vós com zelo de Deus; visto que vos tenho preparado para vos apresentar como virgem pura a um só esposo, que é Cristo" (11:2). Paulo assume aqui a posição de um pai que vela pela pureza da filha até o dia do casamento. A igreja é a noiva de Cristo e deve apresentar-se a ele, nas bodas, como uma virgem pura e incontaminada. Como pai espiritual dos coríntios, Paulo tem zelo por eles e não admite que sejam enganados por falsos amores e falsos amantes. Simon Kistemaker diz que Paulo vigia os crentes como um pai que fica atento para proteger sua filha antes de ela ser dada em casamento ao seu futuro esposo.[477] A igreja é a noiva de Cristo, e ela deve apresentar-se a ele santa, gloriosa, imaculada, sem ruga nem defeito (Ef 5:27)

Colin Kruse lança luz sobre o assunto quando escreve:

> O casamento entre os judeus do tempo de Paulo compunha-se de duas cerimônias separadas: o noivado e a cerimônia nupcial, que consumava o casamento. Em geral, entre uma e outra cerimônia decorria um ano, mas durante esse período a noiva era considerada legalmente a esposa do noivo, embora permanecesse virgem. O contrato de noivado tinha valor legal, e só podia ser rompido pela morte ou por uma carta formal de divórcio. A infidelidade ou a violência de uma noiva assim desposada era considerada adultério, e como tal recebia punição legal. Esse costume matrimonial nos dá o contexto cultural da afirmação de Paulo aqui.[478]

Em segundo lugar, *seu temor* (11:3). "Mas receio que, assim como a serpente enganou a Eva com a sua astúcia, assim também seja corrompida a vossa mente e se aparte da simplicidade e pureza devidas a Cristo" (11:3). Os falsos apóstolos estavam pregando em Corinto uma nova versão do evangelho. Eles eram servos de Satanás, e não de Deus. Estavam a serviço da mentira, e não da verdade. O propósito deles era enganar, e não edificar. A bandeira deles era desviar os crentes da simplicidade e pureza devidas a Cristo. O termo traduzido por "simplicidade" significa "sinceridade, devoção única". Um coração dividido conduz a uma vida corrompida e a um relacionamento destruído.[479]

A arma desses falsos apóstolos era a mesma da serpente, a astúcia. No jardim do Éden a serpente enganou Eva questionando a Palavra de Deus, negando a Palavra de Deus e, por fim, substituindo-a pela própria mentira.[480] De igual forma, os falsos apóstolos torciam a Palavra de Deus com o propósito de enganar. Suas setas eram dirigidas à mente. Enganam-se aqueles que pensam que o sexo era o fruto proibido, que os nossos primeiros pais comeram. A sedução da serpente atingiu a mente de Eva. O primeiro ataque de Satanás não é moral, mas teológico. Primeiro, as pessoas se desviam da verdade, depois, elas corrompem-se, moralmente. Primeiro, a mente corrompe-se, depois, o coração endurece. Primeiro, vem a impiedade, depois, a corrupção (Rm 1:18).

Bruce Barton lança luz sobre o assunto quando escreve,

> O foco aqui é a mente dos coríntios. O pecado começa com os pensamentos. A serpente, primeiro tentou convencer Eva que a Palavra de Deus não era o melhor para ela, que havia mais vantagens em desobedecer a Deus do que obedecê-lo. Satanás sabia que se a mente fosse convencida, as ações seguiriam imediatamente. Eva foi persuadida pela mentira de Satanás, e, em seguida, comeu do fruto proibido. Da mesma forma, os falsos mestres eram servos de Satanás, enganando os coríntios para abandonarem sua devoção a Cristo. Paulo sabia que a mente é o principal campo de batalha na guerra espiritual (10:5). Por essa razão, tratou com os falsos mestres de forma tão incisiva.[481]

Em terceiro lugar, *sua denúncia* (11:4). "Se, na verdade, vindo alguém, prega outro Jesus que não temos pregado, ou se aceitais espírito diferente que não tendes recebido, ou evangelho diferente que não tendes abraçado, a esse, de boa mente, o tolerais" (11:4). A igreja de Corinto estava sendo tolerante com os falsos apóstolos e intolerante com Paulo. Esses falsos apóstolos traziam na bagagem três coisas absolutamente diferentes.

Eles pregavam um outro Jesus (11:4). O Jesus dos falsos apóstolos não era o Jesus da Bíblia. Eles pregavam um Jesus triunfalista, o Jesus dos milagres, das curas, das coisas espetaculares, e não o Jesus crucificado (1Co 1:23) que experimentou fraqueza, humilhação, perseguição, sofrimento e morte.[482] Esse outro Jesus, apenas de glória e poder, parece mais atraente, mas não é o Jesus verdadeiro. A centralidade da Bíblia não está nos milagres de Jesus, mas na sua morte vicária em nosso favor. Vemos hoje uma grande ênfase na prosperidade, curas e milagres e pouca pregação sobre o sacrifício, a abnegação e o sofrimento.

Eles tinham um outro espírito (11:4). O espírito deles era de arrogância, e não de humildade. Era autoritário, e não manso (11:20). Era inspirado por Satanás, e não por Deus (11:13-15). Eles se vangloriavam de suas obras, de seus talentos e de sua procedência, e não de suas fraquezas. Eles exaltavam-se a si mesmos, aplaudiam a si mesmos e repudiavam qualquer postura de abnegação.

Eles abraçavam um outro evangelho (11:4). Só há um evangelho, é o evangelho da cruz, da graça, do favor imerecido de Deus, do arrependimento do pecado e da fé em Cristo. É o evangelho que glorifica a Deus, exalta a Cristo e exige do homem arrependimento e fé em Cristo para ser salvo. Os falsos apóstolos apresentavam uma nova versão do evangelho, e essa versão era não apenas diferente, mas, um falso evangelho.

Em quarto lugar, *sua convicção* (11:5,6). "Porque suponho em nada ter sido inferior a esses tais apóstolos. E, embora seja falto no falar, não o sou no conhecimento; mas, em tudo e por todos os modos, vos temos feito conhecer isto" (11:5,6). Com insolente arrogância, os falsos apóstolos se apresentaram à igreja de Corinto não apenas solapando a autoridade apostólica de Paulo, mas também pondo a si mesmos como superiores a ele.

Como mestres da retórica grega davam mais ênfase à forma do que ao conteúdo, mais valor à eloquência do que à verdade, mais importância à embalagem do que ao produto. Paulo não está se desqualificando como orador. Temos vários de seus discursos registrados na Bíblia, e, neles, Paulo revela pleno domínio da retórica. Mas Paulo não se apresenta como um erudito da oratória, mas como um mestre da verdade. A comparação que os falsos apóstolos faziam entre eles e Paulo, dando a si mesmos nota máxima, era uma consumada tolice. A tendência de falar mal dos outros é uma das maneiras mais aviltantes de autoelogio.

A abnegação pessoal de Paulo pela igreja (11:7-15)

Os falsos apóstolos, como os oradores e mestres profissionais da época, cobravam por seus discursos. Quanto mais caro um orador cobrava, mais importante ele parecia ser aos olhos do povo.

Werner de Boor diz que naquela época havia muitos pregadores itinerantes que divulgavam uma série de filosofias, visões de mundo, religiões ou cultos. Muitos deles apenas visavam obter o dinheiro de seus ouvintes (2:17). Paulo queria se diferenciar de modo radical e claro desses personagens duvidosos.[483]

Os coríntios avaliavam um orador pela quantidade de dinheiro que ele conseguia arrancar do seu auditório. Um bom orador podia amealhar uma grande quantidade de dinheiro, mas um orador medíocre nada conseguia. Uma vez que Paulo não pedia dinheiro quando pregava, os falsos mestres o taxavam de pregador amador.[484] Agora, eles acusam Paulo de ser um apóstolo sem credencial por ter pregado de graça aos coríntios. Eles diziam que Paulo se negava a aceitar dinheiro, porque seu ensino não valia nada.[485] Paulo enfrenta seus críticos ousadamente. Destacamos quatro pontos importantes para a nossa reflexão.

Em primeiro lugar, *uma pergunta perturbadora* (11:7). "Cometi eu, porventura, algum pecado pelo fato de viver humildemente, para que fôsseis vós exaltados, visto que gratuitamente vos anunciei o evangelho de Deus?" Paulo não estava fazendo pouco caso dos coríntios nem estava se rebaixando pelo fato de não ter cobrado salário da igreja. Os opositores estavam invertendo os fatos. Paulo não humilhava os crentes com essa atitude, mas os exaltava. Não era falta de amor por eles, mas demonstração de abnegado afeto.

Os falsos apóstolos usavam a política financeira de Paulo como "prova" de que ele não era um verdadeiro apóstolo. Afinal, diziam eles, se ele fosse mesmo um apóstolo teria aceito ser sustentado por eles. Mas, Paulo pregava de graça o verdadeiro evangelho para a igreja, enquanto seus opositores pregavam um falso evangelho e ainda roubavam da igreja.[486] Werner de Boor diz que a "pobreza" de Paulo era uma espécie de escândalo para os coríntios. Afinal, essa situação não era digna de um verdadeiro enviado de Deus! Um autêntico "emissário" do grande Rei não podia ser tão humilde e precário.[487] Ainda hoje, há aqueles que pensam que um crente fiel precisa necessariamente ser rico, e que toda ostentação de riqueza é sinal da bênção de Deus. Ledo engano. Há muitos ricos pobres e muitos pobres ricos (Pv 13:7).

Em segundo lugar, *um testemunho ousado* (11:8,9). "Despojei outras igrejas, recebendo salário, para vos poder servir, e, estando entre vós, ao passar privações, não me fiz pesado a ninguém; pois os irmãos, quando vieram da Macedônia, supriram o que me faltava; e, em tudo, me guardei e me guardarei de vos ser pesado" (11:8,9). Paulo não estava atrás do dinheiro dos coríntios (12:14). A motivação dele não era o lucro. Ele não fazia do ministério um negócio para se enriquecer. Não via a igreja como uma oportunidade para locupletar-se. Hoje, há muitos pastores que fazem da igreja uma empresa familiar e transformam o evangelho num produto, o púlpito num balcão, o templo em praça de negócio e os crentes em consumidores.

Embora Paulo considerasse legítimo o obreiro ser sustentado pela igreja (1Co 9:1-12; 1Tm 5:17; Gl 6:6), para não criar obstáculos ao avanço do evangelho e não dar munição aos seus críticos (11:12), ele abriu mão de receber salário das igrejas durante o tempo em que as pastoreava. E isso, por amor ao evangelho (1Co 9:15-18), por amor aos pecadores (1Co 9:19-23) e por amor a si mesmo (1Co 9:24-27).

Paulo dá testemunho que durante seu pastorado de dezoito meses em Corinto passou privações e necessidades. Nesse tempo, ele despojou outras igrejas para servir a igreja de Corinto. A palavra grega *sylao,* "despojar", é muito forte. Nos papiros era usada com o sentido de "pilhar" e, no grego clássico, era empregada de modo predominante em contextos militares com o significado de "despojar" (um soldado morto de sua armadura).[488] Os irmãos pobres da Macedônia (2Co 8:2) supriram suas necessidades; enquanto os coríntios que viviam na abastança lhe fecharam o coração. Paulo não recebeu dinheiro da igreja no passado nem receberá no futuro. Ele não está atrás dos bens dos crentes, mas luta por suas almas (12:14).

Em terceiro lugar, *uma defesa eloquente* (11:10-12). "A verdade de Cristo está em mim; por isso, não me será tirada esta glória nas regiões da Acaia. Por que razão? É porque não vos amo? Deus o sabe. Mas o que faço e farei é para cortar ocasião àqueles que a buscam com o intuito de serem considerados iguais a nós, naquilo em que se gloriam" (10:10-12). Diante da acusação falsa dos apóstolos impostores, de que Paulo não amava os crentes por não receber salário deles, Paulo reafirma seu amor pelos crentes (11:11) e sua disposição de não dar munição aos inimigos que se vangloriavam, querendo ser iguais a ele (11:12).

Em quarto lugar, *uma condenação categórica* (11:13-15). "Porque os tais são falsos apóstolos, obreiros fraudulentos, transformando-se em apóstolos de Cristo. E não é de admirar, porque o próprio Satanás se transforma em anjo de luz. Não é muito, pois, que os seus próprios ministros se transformem em ministros de justiça; e o fim deles será conforme as suas obras" (11:13-15). Paulo, agora descerra a cortina e arranca as máscaras desses embusteiros da fé. Eles não têm legitimidade. São falsos apóstolos. Nunca foram enviados por Cristo. Eles se fizeram apóstolos e se disfarçam de apóstolos de Cristo. Eles revestiram a si mesmos dessa autoridade.

A motivação deles não era a glória de Deus, mas o dinheiro. São obreiros fraudulentos. A palavra grega *dolios,* significa "enganador, trapaceiro, fraudulento". O significado básico da palavra é "isca para peixe", daí, qualquer estratagema para enganar ou prender.[489] Eles não são verdadeiros nem a mensagem deles está estribada na verdade.

O mesmo Satanás que se transforma em anjo de luz para enganar fez desses falsos apóstolos ministros de justiça. O fim deles, porém, será a condenação no tribunal de Cristo (5:10).

A loucura deliberada de Paulo pela igreja (11:16-23a)

Paulo emprega, agora, as mesmas armas dos inimigos para combatê-los. Paulo não concorda com a atitude deles de se gabarem de seus feitos. Na verdade, acha isso uma loucura (11:1) e uma insensatez (11:16). Paulo sabe que o autoelogio conduz à destruição (Sl 12:13; Pv 16:18). Sabe que a vanglória rouba a Deus da honra que só ele merece (Sl 96:8; 97:6). Sabe que só Deus pode ser glorificado (1Co 10:31). Mas, Paulo tem de fazê-lo, não por si mesmo, mas pelo evangelho que está pregando.

Concordo com Warren Wiersbe quando disse que Paulo só estava se gloriando para o bem da igreja, enquanto os falsos mestres se gloriavam visando o benefício próprio; ou seja, aquilo que poderiam obter da igreja. A motivação de Paulo era pura; a motivação deles era egoísta.[490]

Paulo está consciente de que o ato de gloriar-e que está prestes a cometer é um ato de insensatez, mas ele não quer que os coríntios o considerem um insensato por fazê-lo. Não fora a ingenuidade deles em face das asserções dos falsos apóstolos, Paulo não precisaria gloriar-se (12:11).[491]

Destacamos, aqui, três pontos importantes.

Em primeiro lugar, *a metodologia aplicada* (11:16-19). O autoelogio já havia sido considerado por Paulo como algo reprovado (10:18). Mas tendo em vista que os coríntios valorizavam os falsos apóstolos por esse critério e que o que estava em jogo não era sua reputação, mas o evangelho de Cristo, Paulo escreve:

> Outra vez digo: ninguém me considere insensato; todavia, se o pensais, recebei-me como insensato, para que também me glorie um pouco. O que falo, não o falo segundo o Senhor e sim como por loucura, nesta confiança de gloriar-me. E, posto que muitos se gloriam segundo a carne, também eu me gloriarei. Porque, sendo vós sensatos, de boa mente tolerais os insensatos (11:16-19).

Paulo reconhece que não fala segundo o Senhor, e sim como por loucura. Já que os falsos apóstolos batiam no peito e arrotavam suas vantagens pessoais e seus feitos portentosos, Paulo enumera também suas credenciais.

O propósito do apóstolo é desbancar a arrogância desses obreiros fraudulentos e mostrar à igreja que nesse quesito seus adversários sofrem uma derrota fragorosa quando se comparam com ele.

Nessa mesma linha de pensamento, William Barclay diz que Paulo tem que adotar métodos que lhe são absolutamente desagradáveis. Tem de afirmar sua autoridade, apresentar suas credenciais, falar acerca de si mesmo e comparar-se com aqueles que buscavam seduzir a igreja de Corinto. Essa tarefa não lhe agrada. Instintivamente está contra ela e se desculpa cada vez que tem de falar dessa maneira. Mas Paulo sabia que o que estava em jogo não era sua dignidade, mas a honra de Jesus Cristo.[492]

Em segundo lugar, *a tolerância reprovada* (11:20). "Tolerais quem vos escravize, quem vos devore, quem vos detenha, quem se exalte, quem vos esbofeteie no rosto" (11:20). Os crentes de Corinto prestigiavam os falsos mestres que os oprimiam ao mesmo tempo em que eram intolerantes com Paulo, seu pai espiritual. As descrições feitas por Paulo, que vão de escravização, roubo, controle e orgulho a violência física, mostram um aumento na severidade.[493] Paulo destaca cinco atitudes desses falsos apóstolos.

Eles escravizam seus seguidores. Esses falsos apóstolos são agentes de escravidão em vez de serem arautos da liberdade. Eles ensinavam uma doutrina legalista contrária ao evangelho da graça. Eles também iludiam o povo com uma mensagem triunfalista, porém, mentirosa.

Eles se apropriam gananciosamente de seus bens. Eles devoram as ovelhas em vez de apascentá-las. Estão interessados no dinheiro dos crentes, e não suas vidas. Eles abocanham tudo que o podem da igreja. Colin Kruse diz que a palavra grega *katesthiei*, "consumir", provavelmente se refere às ambiciosas exigências dos intrusos quanto à remuneração.⁴⁹⁴

Eles enganam seus seguidores. O verbo "deter" tem o sentido de enganar. A imagem é de um pássaro preso em uma armadilha ou de um peixe enroscado num anzol. Os falsos mestres haviam lançado a isca e fisgado os coríntios.⁴⁹⁵

Eles se comportam com arrogância. Exaltam a si mesmos em vez de exaltarem a Cristo. Buscam seus próprios interesses em vez de buscar a edificação dos crentes.

Eles eram truculentos em suas atitudes. Esbofeteiam os crentes em vez de velar por suas almas (At 23:2). O verbo grego *dero* significa "esfolar" um animal e, mais comumente, "bater, espancar".⁴⁹⁶ É provável que se trate de uma referência a ataques verbais, não a violência física; os judaizantes não hesitavam em humilhar os coríntios em público.⁴⁹⁷

Paulo reprova essa atitude passiva dos crentes de Corinto em relação aos falsos apóstolos. A tolerância deles era um sinal de sua decadência espiritual.

Em terceiro lugar, *o desafio proposto* (11:21-23a). "Ingloriamente o confesso, como se fôramos fracos. Mas, naquilo em que qualquer tem ousadia, com insensatez o afirmo, também eu a tenho. São hebreus? Também eu. São israelitas? Também eu. São da descendência de Abraão? Também eu. São ministros de Cristo? (Falo como fora de mim.) Eu ainda mais [...]" (11:21-23a). Os coríntios pensavam que a mansidão de Paulo era um sinal de fraqueza, e a arrogância dos judaizantes, um sinal de poder.⁴⁹⁸ O apóstolo pega uma a uma as coisas de que seus adversários se gabam: o "pedigree" israelita e a presunção de serem servos de Cristo (11:22,23), visões e revelações (12:1) e a execução de sinais portentosos (12:12). A seguir, Paulo refestela-se em vanglória de si mesmo para demonstrar que em ponto nenhum é inferior a qualquer daqueles homens. Todavia, tanto aqui (11:21-23) como em outros três lugares do discurso (11:30); 12:1,11), Paulo demonstra como se sente mal ao gloriar-se - "falo como fora de mim".[499]

Já que os falsos apóstolos estavam se exaltando ao se compararem com Paulo, dizendo que eram superiores a ele, Paulo aceita o desafio ainda que admita que essa era uma atitude insensata.

Os falsos apóstolos não logram êxito em relação a Paulo em nenhum dos quesitos de comparação. Paulo evoca quatro comparações.

Pretendiam ser hebreus. William Barclay diz que essa palavra se refere especialmente aos judeus que recordavam e falavam o antigo idioma judeu em sua forma aramaica, que era corrente na época de Paulo. Havia judeus espalhados por todo o mundo. Muitos deles haviam esquecido sua língua nativa e falavam apenas o grego. Os judeus da Palestina que haviam preservado o seu idioma desprezavam esses judeus estrangeiros. Seguramente os que se opunham a Paulo em Corinto acusavam Paulo de ser um cidadão de Tarso e não um judeu de sangue puro como eles.[500] Concordando com Barclay, Fritz Rienecker diz que o termo "hebreu" enfatiza o judeu puro, sem mistura de raça e, algumas vezes, pode enfatizar um judeu que fala hebraico ou um judeu da Palestina.[501] Se eles se consideravam hebreus da gema que mantinham a tradição da língua materna, Paulo tirava nota dez nesse item.

Pretendiam ser israelitas. Essa palavra descreve o judeu como membro do povo escolhido de Deus (Dt 6:4). O termo enfatiza o caráter social e religioso, bem como as promessas e bênçãos nacionais provindas de Deus.[502] Se eles se consideravam israelitas legítimos, e não apenas prosélitos, Paulo alcançava nota máxima também nesse quesito.

Pretendiam ser descendentes de Abraão. Se eles se julgavam descendência de Abraão, herdeiros da promessa, segundo a aliança, Paulo era totalmente aprovado também nesse particular (Fp 3:5,6). Colin Kruse sugere que "hebreus" deve ser entendido de modo étnico; e "israelitas", de modo religioso e social, enquanto "descendência de Abraão" deveria ser entendido teologicamente.[503]

Pretendiam ser ministros de Cristo. Se eles se julgavam ministros de Cristo, embora não o fossem, Paulo era um verdadeiro ministro de Cristo, um servo do Deus Altíssimo. As credenciais que Paulo vai enumerar doravante não são uma coleção de medalhas, mas uma lista de cicatrizes. Até aqui Paulo fez um prelúdio daquilo que será doravante uma extensa lista de seus sofrimentos pela igreja.

O sofrimento intenso de Paulo pela igreja (11:23b-33)

Aquilo que os falsos apóstolos consideram uma vergonha, Paulo ostenta como triunfo. Enquanto eles se vangloriam de sua retórica, Paulo se gloria em suas fraquezas. Enquanto eles se ufanam de receber dinheiro da igreja, Paulo era esmagado pela preocupação com todas as igrejas. Enquanto mostram seus troféus, Paulo mostra o catálogo de seus sofrimentos por Cristo. Destacamos seis aspectos do sofrimento de Paulo.

Em primeiro lugar, *trabalhos extenuados* (11:23b). "[...] em trabalhos, muito mais [...]" (11:23b). Paulo foi imbatível nesse item. Não apenas suplantou em muito os falsos apóstolos nesse particular, mas trabalhou até mesmo mais do que os legítimos apóstolos de Cristo (1Co 15:10). O ministério de Paulo não teve pausa. Ele trabalhou diuturnamente, sem intermitência, com saúde ou doente; em liberdade ou na prisão, na fartura ou passando necessidades jamais deixou de trabalhar pela causa de Cristo.

Em segundo lugar, *castigos físicos extremados* (11:23b-25). "[...] muito mais em prisões; em açoites, sem medida; em perigos de morte, muitas vezes. Cinco vezes recebi dos judeus uma quarentena de açoites menos um; fui três vezes fustigado com varas; uma vez, apedrejado [...]" (11:23b-25). Destacamos aqui os vários castigos sofridos por Paulo.

As prisões. Paulo foi preso várias vezes. O livro de Atos relata sua prisão em Filipos, em Jerusalém, em Cesareia e em Roma. Paulo passou preso boa parte da sua atividade apostólica. Ele podia estar encarcerado, mas a Palavra de Deus não estava algemada. Era um embaixador em cadeias. Jamais se sentiu prisioneiro de homens, mas sempre prisioneiro de Cristo.

Os açoites. Não foram poucas as vezes que Paulo foi açoitado. O livro de Atos não é exaustivo nesses relatos. Temos informação que ele foi açoitado em Filipos, mas muitas outras vezes seu corpo foi surrado a ponto de dizer para os gálatas que trazia no corpo as marcas de Cristo (Gl 6:17). Cinco vezes recebeu dos judeus trinta e nove açoites. Esse castigo era tão severo que muitos sucumbiam a ele. Fritz Rienecker descreve assim esses açoites:

> Era o método judaico baseado em Deuteronômio 25:2-5. A pessoa tinha as suas duas mãos presas a um poste e suas roupas eram removidas, de modo que seu peito ficava a descoberto. Com um chicote feito de uma correia de bezerro e duas de couro de jumento ligadas a um longo cabo, a pessoa recebia um terço das trinta e nove chicotadas no tórax e dois terços nas costas.[504]

Os perigos de morte. O ministério de Paulo foi turbulento. Não teve folga nem descanso. Aonde ele chegava havia um tumulto para matá-lo. Foi perseguido em Damasco, apedrejado em Listra, açoitado em Filipos, escorraçado de Tessalônica, enxotado de Bereia, levado ao tribunal em Corinto, perturbado em Éfeso, preso em Jerusalém, acusado em Cesareia, mordido por uma víbora em Malta e decapitado em Roma.

O flagelo de ser fustigado com varas. Se a quarentena de açoites era um castigo judaico (Dt 25-1-3), fustigar com varas era um castigo romano. Paulo sofreu castigo tanto de judeus como de gentios. O livro de Atos só relata os açoites que Paulo sofreu em Filipos. Mas, aqui ele nos informa que três vezes foi fustigado com varas.

O apedrejamento. Paulo foi apedrejado em Listra e foi arrastado da cidade como morto. Deus o levantou milagrosamente para prosseguir seu trabalho missionário. A vida de Paulo é um milagre; seu sofrimento, um monumento; suas cicatrizes, seu vibrante testemunho.

Em terceiro lugar, *viagens perigosas* (11:25,26). "[...] em naufrágio, três vezes; uma noite e um dia passei na voragem do mar; em jornadas, muitas vezes; em perigos de rios, em perigos de salteadores, em perigos entre patrícios, em perigos entre gentios, em perigos na cidade, em perigos no deserto, em perigos no mar, em perigos entre falsos irmãos" (11:25,26). As viagens de Paulo foram aventuras épicas, cercadas sempre de muitos perigos. O livro de Atos só relata o naufrágio que Paulo enfrentou em sua viagem para Roma, e obviamente quando Paulo escreveu essa carta, ele ainda não havia ocorrido. Portanto, Paulo enfrentou quatro naufrágios. Não sabemos onde nem quando, mas um dia e uma noite ficou à deriva na voragem do mar.

Nas suas andanças enfrentou perigos nos mares, nos rios, nas cidades e no deserto. Enfrentou perigos entre judeus e entre gentios. Enfrentou perigos no meio dos pagãos e também entre falsos irmãos.

Em quarto lugar, *privações e necessidades dolorosas* (11:27). "Em trabalhos e fadigas, em vigílias, muitas vezes; em fome e sede, em jejuns, muitas vezes; em frio e nudez" (11:27). Paulo trabalhava não só na obra, mas também para seu sustento, e isso com fadiga. Dormia pouco e trabalhava muito. Tinha senso de urgência. Nas suas jornadas a pé ou de navio, passou fome e sede muitas vezes. Não poucas vezes a situação era tão grave que mesmo tendo pão, preferia jejuar. Nem sempre tinha roupas suficientes e adequadas para as estações geladas de inverno. Enfrentou frio e também nudez.

Em quinto lugar, *preocupação com todas as igrejas* (11:28). "Além dessas coisas exteriores, há o que pesa sobre mim diariamente, a preocupação com todas as igrejas" (11:28). A atitude de Paulo em relação aos falsos apóstolos era gritantemente diferente. Enquanto eles se abasteciam das igrejas, Paulo se desgastava por amor a elas, e fazia isso diariamente. Enquanto Paulo usava sua autoridade para fortalecer as igrejas, eles usavam as igrejas para fortalecer sua autoridade. Enquanto Paulo trabalhava para servir as igrejas, eles se abasteciam das igrejas. Enquanto eles esbofeteavam os crentes no rosto, Paulo carregava os fardos dos crentes no coração.

Warren Wiersbe diz que as outras experiências haviam sido exteriores e ocasionais, mas o peso das igrejas era interior e constante.[505]

Em sexto lugar, *fuga ignominiosa* (11:32,33). "Em Damasco, o governador preposto do rei Aretas montou guarda na cidade dos damascenos, para me prender; mas, num grande cesto, me desceram por uma janela da muralha abaixo, e assim, me livrei das suas mãos" (11:32,33). No auge da narrativa de seus sofrimentos, Paulo fala da experiência humilhante em Damasco. Paulo descreve de forma vívida a primeira situação de sofrimento após sua conversão. Entrou na cidade de Damasco para prender os crentes e, agora, é ele quem estava preso. Os judeus resolveram tirar-lhe a vida e vigiaram os portões da cidade (At 9:23,24), enquanto o governador gentio também montava guarda na porta para o prender (11:32). O livramento de Paulo não teve nada de espetaculoso. Escapou de forma humilhante. William Barclay chega mesmo a afirmar que para Paulo essa fuga clandestina de Damasco era o pior dos açoites. O valente Paulo precisa fugir de forma inusitada na calada da noite.

Colin Kruse diz que essa fuga ignominiosa de Damasco, que Paulo narra, contém pouquíssimos elementos de que ele pudesse se vangloriar.[506] É o primeiro de muitos "perigos de morte" que ele experimentou. Esses primeiros acontecimentos nos marcam profundamente. E precisamente essa imagem da recordação revela de forma singular sua "fraqueza".[507]

Paulo conclui essa listagem de sofrimento jogando uma pá de cal na presunção de seus oponentes. Enquanto eles se gloriavam em suas virtudes e realizações, Paulo diz: "Se tenho de gloriar-me, gloriar-me-ei no que diz respeito à minha fraqueza" (11:30). Paulo sabia que sua autoridade não vinha de suas habilidades, mas de seu chamado (Rm 1:1,5); não de sua força, mas de sua fraqueza; não de seus feitos, mas de suas cicatrizes.

Notas

[474] BARTON, Bruce B., e outros. *Life Application Bible Commentary on 1 & 2 Corinthians.* 1999, p. 430.
[475] KRUSE, Colin. *II Coríntios: Introdução e Comentário.* 1994, p. 197.
[476] KISTEMAKER, Simon. *2 Coríntios.* 2004, p. 500.
[477] KISTEMAKER, Simon. *2 Coríntios.* 2004, p. 501.
[478] KRUSE, Colin. *II Coríntios: Introdução e Comentário.* 1994, p. 195; Simon Kistemaker. *2 Coríntios.* 2004, p. 502.
[479] WIERSBE, Warren W. *Comentário Bíblico Expositivo.* Vol. 5. 2006, p. 875.
[480] WIERSBE, Warren W. *Comentário Bíblico Expositivo.* Vol. 5. 2006, p. 876.
[481] BARTON, Bruce B., e outros. *Life Application Bible Commentary on 1 & 2 Corinthians.* 1999, p. 429.
[482] KRUSE, Colin. *II Coríntios: Introdução e Comentário.* 1994, p. 196.
[483] BOOR, Werner de. *Carta aos Coríntios.* 2004, p. 454.
[484] BARTON, Bruce B., e outros. *Life Application Bible Commentary on 1 & 2 Corinthians.* 1999, p. 432.
[485] BARCLAY, William. *I y II Corintios.* 1973, p. 258.
[486] WIERSBE, Warren W. *Comentário Bíblico Expositivo.* Vol. 5. 2006, p. 877.
[487] BOOR, Werner de. *Carta aos Coríntios.* 2004, p. 453.
[488] KRUSE, Colin. *II Coríntios: Introdução e Comentário.* 1994, p. 200.
[489] RIENECKER, Fritz e ROGERS Cleon. *Chave Linguística do Novo Testamento Grego.* 1985, p. 362.
[490] WIERSBE, Warren W. *Comentário Bíblico Expositivo.* Vol. 5. 2006, p. 878,879.
[491] KRUSE, Colin. *II Coríntios: Introdução e Comentário.* 1994, p. 204.
[492] BARCLAY, William. *I y II Corintios.* 1973, p. 255.
[493] KISTEMAKER, Simon. *2 Coríntios.* 2004, p. 532.
[494] KRUSE, Colin. *II Coríntios: Introdução e Comentário.* 1994, p. 205
[495] WIERSBE, Warren W. *Comentário Bíblico Expositivo.* Vol. 5. 2006, p. 879.
[496] KRUSE, Colin. *II Coríntios: Introdução e Comentário.* 1994, p. 205.
[497] WIERSBE, Warren W. *Comentário Bíblico Expositivo.* Vol. 5. 2006, p. 879.
[498] WIERSBE, Warren W. *Comentário Bíblico Expositivo.* Vol. 5. 2006, p. 879.
[499] KRUSE, Colin. *II Coríntios: Introdução e Comentário.* 1994, p. 206,207.
[500] BARCLAY, William. *I y II Corintios.* 1973, p. 261.
[501] RIENECKER, Fritz e ROGERS Cleon. *Chave Linguística do Novo Testamento Grego.* 1985, p. 363.
[502] RIENECKER, Fritz e ROGERS Cleon. *Chave Linguística do Novo Testamento Grego.* 1985, p. 363.
[503] KRUSE, Colin. *II Coríntios: Introdução e Comentário.* 1994, p. 207.

[504] RIENECKER, Fritz e ROGERS Cleon. *Chave Linguística do Novo Testamento Grego.* 1985, p. 364.
[505] WIERSBE, Warren W. *Comentário Bíblico Expositivo.* Vol. 5. 2006, p. 878.
[506] KRUSE, Colin. *II Coríntios: introdução e Comentário.* 1994, p. 211.
[507] BOOR, Werner. *Carta aos Coríntios.* 2004, p. 464.

Capítulo 14

As glórias e os sofrimentos da vida cristã
(2Coríntios 12:1-21)

PAULO AINDA CONTINUA desfraldando a bandeira de sua defesa. Os falsos apóstolos diziam que ele não tinha experiências tão arrebatadoras quanto eles nem credenciais suficientes para o apostolado. Diziam que Paulo tinha interesses inconfessos em seu trabalho pastoral e não tinha estatura espiritual para confrontar os crentes face a face, como fazia em suas cartas.

O texto em tela é uma resposta do apóstolo a essas levianas acusações. Quatro verdades axiais são aqui destacadas: as visões de Paulo, os sofrimentos de Paulo, as credenciais de Paulo e a terceira visita de Paulo à igreja. Colin Kruse diz que a ostentação de Paulo sai agora das tribulações apostólicas e entra nas visões e revelações. Por intermédio dessa revelação Paulo aprendeu a simultaneidade da fraqueza e do poder.[508] Simon Kistemaker diz que a visão tinha o objetivo de encorajar Paulo em sua obra pelo Senhor, durante a qual enfrentaria aflição e maus tratos físicos.[509]

As visões de Paulo (12:1-6)

Os crentes de Corinto tinham constrangido Paulo a usar um método que ele mesmo desaprovava: o método de gloriar-se, de contar suas vantagens (12:11). Mas uma vez que estava em jogo o evangelho e não propriamente a reputação do apóstolo, Paulo destaca suas próprias experiências e põe na mesa suas credenciais, desbancando, assim, as pretensões soberbas de seus opositores.

Destacamos alguns pontos acerca das visões de Paulo:

Em primeiro lugar, *a procedência das visões* (12:1). "Se é necessário que me glorie, ainda que não convém, passarei às visões e revelações do Senhor" (12:1). Paulo teve várias visões ao longo do seu ministério. A primeira delas foi no caminho de Damasco, onde viu o Cristo glorificado. Ali sua vida foi transformada (At 9:3; 22:6). Paulo teve ainda outras visões, como em Jerusalém (At 22:17,18), em Trôade (At 16:8-10), em Corinto (At 18:9-11) e novamente em Jerusalém (At 23:11). Das muitas visões e revelações que Paulo havia recebido, ele agora seleciona uma que lhe acorrera quatorze anos antes.

Antes de Paulo enfrentar os sofrimentos mais angustiantes por amor a Cristo, o Senhor mesmo o arrebatou ao paraíso para mostrar-lhe as glórias do céu e falar-lhe palavras indizíveis (12:1-6). Assim também aconteceu com o apóstolo João na Ilha de Patmos (Ap 4,5). Antes de ele ver o desatar dos sete selos, desencadeando brutal perseguição contra a igreja, ele foi chamado ao céu para ver que Deus estava no trono, que o livro da História estava na mão do Cordeiro, e que a vitória retumbante da Igreja já estava consumada.

Em segundo lugar, *o relato das visões* (12:2-4). Paulo relata sua própria experiência nos seguintes termos:

> Conheço um homem em Cristo que há quatorze anos, foi arrebatado até ao terceiro céu (se no corpo ou fora do corpo, não sei, Deus o sabe) e sei que o tal homem (se no corpo ou fora do corpo, não sei, Deus o sabe) foi arrebatado ao paraíso e ouviu palavras inefáveis, as quais não é lícito ao homem referir" (12:2-4).

Paulo faz questão de relatar esse fato extraordinário na terceira pessoa, para não chamar demasiada atenção para si mesmo. Não fazia dessa visão a plataforma do seu ministério. Não fazia dessa experiência a marca do seu testemunho. Ele cita esse arrebatamento de forma quase que forçada e, ainda, assim, diz que essa forma de gloriar-se não é conveniente (12:1). Fritz Rienecker diz que fazia parte do estilo rabínico pôr uma palavra impessoal (homem) no lugar da primeira ou segunda pessoa quando o autor falava acerca de si mesmo.[510] Concordo com D. A. Carson quando diz que o texto não faz sentido se Paulo está se gloriando das revelações de outra pessoa em defesa própria contra os oponentes.[511]

Paulo nem mesmo sabe se teve essa visão no corpo ou fora do corpo. O que sabe é que foi arrebatado ao terceiro céu, ao paraíso, e aí ouviu coisas tão gloriosas que não é lícito ao homem se referir. Colin Kruse diz que quando Paulo afirma que não sabe se seu arrebatamento temporário ocorreu no corpo ou se fora do corpo, deixa aberta a possibilidade de ambas as formas, ficando claro assim que ele não aceitaria o postulado gnóstico de que o mundo material é inerentemente mau. Ao mesmo tempo, ele não exclui a possibilidade de uma experiência espiritual fora do corpo.[512]

Em terceiro lugar, *a grandeza das visões* (12:2-4). Paulo foi arrebatado ao terceiro céu. Essa expressão deve significar o céu mais elevado, onde está a presença de Deus.[513] O terceiro céu corresponde ao "paraíso", o céu dos céus, onde Deus habita em glória.[514] O terceiro céu é definido por Paulo como o paraíso, lugar de bem-aventurança eterna, dentro das próprias cortes celestes (Lc 23:43; Ap 2:7; 12:4).

O céu não é uma imaginação fantasiosa, mas uma realidade inegável. David Stern diz que o terceiro céu não são as nuvens (o primeiro céu) ou o céu onde estão as estrelas (o segundo céu), mas o lugar onde Deus está; uma dimensão espiritual.[515] Nessa mesma linha de pensamento, John Albert Bengel escreve: "O primeiro céu é o das nuvens, o segundo o das estrelas e o terceiro é o espiritual".[516] Simon Kistemaker complementa: "Assim, o primeiro céu se refere à atmosfera; o segundo céu ao espaço e o terceiro céu à morada de Deus".[517]

William Barclay diz que a palavra "paraíso" provém de um termo persa que significa "jardim amuralhado". Quando um rei persa desejava conferir honra especial a alguém, o fazia acompanhando esse alguém pelos jardins do seu palácio. Paulo teve a magnífica experiência de ser arrebatado ao jardim de Deus.[518]

Em quarto lugar, *o perigo das visões* (12:5,6). O apóstolo Paulo conclui seu relato: "De tal coisa me gloriarei; não, porém, de mim mesmo, salvo nas minhas fraquezas. Pois, se eu vier a gloriar-me, não serei néscio, porque direi a verdade; mas abstenho-me para que ninguém se preocupe comigo mais do que em mim vê ou de mim ouve" (12:5,6). Os falsos apóstolos estavam cheios de orgulho por causa de suas experiências, mas Paulo, de forma radicalmente diferente, não aplaude a si mesmo. Ele gloria-se das visões, mas não de si mesmo. Ele gloria-se nas suas fraquezas, e não nas suas experiências arrebatadoras. Paulo não está construindo monumentos ao seu próprio nome. Não está recrutando fãs para si mesmo. Ele não busca glória para seu próprio nome. Frank Carver diz que Paulo tinha tão pouca intenção de explorar esse acontecimento que durante quatorze anos guardou-o como um segredo, até que lhe foi arrancado à força. Eis aqui o mais raro dos exemplos: uma jactância sem jactância.[519]

Os sofrimentos de Paulo (12:7-10)

Depois da glória vem a dor, depois do êxtase vem o sofrimento. Paulo faz uma transição das visões celestiais para o espinho na carne. Deus sabe equilibrar, em nossa vida, as bênçãos e os fardos, o sofrimento e a glória. Warren Wiersbe diz: "Que contraste gritante entre as duas experiências do apóstolo! Passou do paraíso à dor, da glória ao sofrimento. Provou a bênção de Deus no céu e sentiu os golpes de Satanás na terra. Passou do êxtase à agonia".[520] Examinaremos alguns pontos importantes.

Em primeiro lugar, *o sofrimento é inevitável* (12:7). Paulo dá seu testemunho: "E, para que não me ensoberbecesse com a grandeza das revelações, foi-me posto um espinho na carne, mensageiro de Satanás, para me esbofetear, a fim de que não me exalte" (12:7). Não há vida indolor. É impossível passar pela vida sem sofrer. O sofrimento é inevitável. O sofrimento de Paulo é tanto físico quanto espiritual. Elencamos aqui dois aspectos do sofrimento do apóstolo.

O espinho na carne (12:7). O que seria esse espinho na carne de Paulo? Há muitas ideias e nenhuma resposta conclusiva. Calvino acreditava que o espinho na carne eram as tentações espirituais. Lutero achava que eram as perseguições dos judeus. A palavra grega *skolops*, "espinho", só aparece aqui em todo o Novo Testamento. Trata-se de qualquer objeto pontiagudo. Era a palavra usada para estaca, lasca de madeira ou ponta do anzol.[521] O que era esse espinho na carne de Paulo? Muitas respostas têm sido dadas. Vejamos algumas delas:

Primeiro, *perturbações espirituais.* Calvino acreditava que o espinho na carne de Paulo consistia nessas tentações que o afligiam. Trata-se das limitações de uma natureza corrompida pelo pecado, os tormentos da tentação ou a opressão demoníaca.[522]

Segundo, *perseguição e oposição.* Lutero pensava que o espinho na carne de Paulo eram as muitas e variadas perseguições sofridas tanto nas mãos dos judeus como nas mãos dos gentios.

Terceiro, *enfermidades físicas.* A lista abrange desde a epilepsia, gagueira, enxaqueca, ataques de febre malária até deficiência visual.[523] A maioria dos estudiosos concorda que esse termo *skolops* deve ser interpretado literalmente; isto é, Paulo suportava dor física.[524] Pessoalmente, sou inclinado a pensar que esse espinho na carne era uma deficiência visual de Paulo (At 9:9; Gl 4:15; 6:11; Rm 16:22; At 23:5).

A oração não atendida (12:8,9). Assim como Jesus orou três vezes no Getsêmani para Deus afastar-lhe o cálice, e o Pai não o atendeu, mas enviou um anjo para o consolar, Paulo orou também três vezes para Deus tirar o espinho de sua carne, porém, a resposta de Deus não foi a suspensão do espinho e sim a força para suportá-lo. Deus nem sempre nos livra do sofrimento, mas nos dá graça para enfrentá-lo vitoriosamente. Paulo orou na aflição: orou ao Senhor, orou com insistência e especificamente e, mesmo assim, Deus lhe disse não.

Em segundo lugar, *o sofrimento é indispensável* (12:7-10). O sofrimento é indispensável. Assim como Jesus aprendeu pelas coisas que sofreu, também nós aprendemos pelo sofrimento (Rm 5:3-5). Por que o sofrimento é indispensável?

Para evitar o ensoberbecimento (12:7). O espinho na carne impediu que Paulo inchasse ou explodisse de orgulho diante das gloriosas visões e revelações do Senhor. O sofrimento nos põe no nosso devido lugar. Ele quebra nossa altivez e esvazia toda nossa pretensão de glória pessoal. É o próprio Deus quem nos matricula na escola do sofrimento. O propósito de Deus não é a nossa destruição, mas nossa qualificação para o desempenho do ministério. O fogo da prova não pode chamuscar sequer um fio de cabelo da nossa cabeça, ele só queima as nossas amarras. O fogo das provas nos livra das amarras, e Deus nos livra do fogo.

O apóstolo Paulo diz que o espinho na carne era um mensageiro de Satanás. Ao mesmo tempo em que o mensageiro de Satanás infligia sofrimento ao apóstolo, esbofeteando-lhe com golpes fulminantes, Deus tratava com seu servo, usando essa estranha providência, para o manter humilde. O campo de atuação de Satanás é delimitado por Deus. Satanás tinha a intenção de esbofetear Paulo, Deus tinha a intenção de aperfeiçoar o apóstolo.

Para gerar dependência constante de Deus (12:8). "Por causa disto, três vezes pedi ao Senhor que o afastasse de mim" (12:8). O sofrimento levou Paulo à oração. O sofrimento nos mantém de joelhos diante de Deus para nos pôr em pé diante dos homens. J. I. Packer diz: "Se eu passar quarenta anos orando a Deus e não tiver nenhuma resposta, já terá valido a pena, pois passei quarenta anos em comunhão com Deus, na dependência dele". Simon Kistemaker está correto quando diz que Paulo sabe que Deus está no controle, não Satanás. Se Satanás realizasse seu desejo, ele teria preferido que o apóstolo Paulo fosse orgulhoso em vez de humilde.[525] Concordo com D. A. Carson: "Os interesses de Satanás seriam muito melhor servidos caso Paulo se tornasse insuportavelmente arrogante".[526]

Para mostrar a suficiência da graça (12:9). "Então, ele me disse: A minha graça te basta, porque o poder se aperfeiçoa na fraqueza. De boa vontade, pois, mais me gloriarei nas fraquezas, para que sobre mim repouse o poder de Cristo" (12:9). A graça de Deus é melhor do que a vida. A graça de Deus é que nos capacita a enfrentar vitoriosamente o sofrimento. A graça de Deus é o tônico para a alma aflita, o remédio para o corpo frágil, a força que põe de pé o caído. Warren Wiersbe diz que a graça de Deus é a provisão dele para tudo que precisamos, quando precisamos. A graça nunca está em falta.[527] Ela está continuamente disponível. James Hastings está correto quando diz que não devemos orar por vida fácil. Devemos orar para sermos homens e mulheres capacitados pela graça. Não devemos orar por tarefas iguais ao nosso poder, mas orar por poder igual às nossas tarefas.[528]

Para trazer fortalecimento de poder (12:9). O poder de Deus se aperfeiçoa na fraqueza. Quando somos fracos, aí é que somos fortes. Esse é o grande paradoxo do cristianismo. A força ciente de que é forte, na verdade, é fraqueza, mas a fraqueza ciente de que é fraca, na verdade, é força.[529] O poder de Deus revela-se nos fracos, diz Colin Kruse.[530] Paulo pediu para Deus substituição, mas Deus lhe deu transformação. Deus não removeu sua aflição, mas lhe deu capacitação para enfrentá-la vitoriosamente. Deus não deu explicações para Paulo, fez-lhe promessas: "A minha graça te basta". Não vivemos de explicações, vivemos de promessas. Nossos sentimentos mudam, mas as promessas de Deus são sempre as mesmas.[531] James Hastings está coberto de razão quando afirma que nós precisamos desesperadamente da graça de Deus quando somos tomados por um senso de pecado

O poder de Deus é suficiente para o cansaço físico. Paulo suportou toda sorte de privações físicas: fome, sede e nudez. Suportou todo tipo de perseguição: foi açoitado, apedrejado, fustigado com varas e preso. Enfrentou todo tipo de perigos: de rios, de mares, de desertos, no campo, na cidade, entre estrangeiros, entre patrícios e até no meio de falsos irmãos. Enfrentou toda sorte de pressões emocionais: preocupava-se dia e noite com as igrejas. Mas, o poder de Deus o sustentou em todas essas circunstâncias. William Barclay cita a experiência do grande avivalista do século 18, John Wesley. Ele pregou 42.000 sermões. Viajou a cavalo cerca de 7.000 quilômetros por ano. Pregou três vezes por dia. Aos 83 anos escreveu em seu diário: "Nunca me canso, nem pregando nem viajando, nem escrevendo".[532]

Em terceiro lugar, *o sofrimento é pedagógico* (12:9). A vida é a professora mais implacável: primeiro dá a prova e, depois, a lição. C. S. Lewis disse que "Deus sussurra em nossos prazeres e grita em nossas dores". A dor sempre tem um propósito, mais que uma causa. Deus não desperdiça sofrimento na vida de seus filhos. Se Deus não remove o espinho é porque ele está trabalhando em nós para, depois, trabalhar por meio de nós.

Vejamos algumas lições importantes destacadas por Charles Stanley em seu livro *Como lidar com o sofrimento*.[533]

Primeiro, *há um propósito divino em cada sofrimento* (12:7). Há um propósito divino no sofrimento. No começo dessa carta, Paulo diz que o nosso sofrimento e a nossa consolação são instrumentos usados por Deus para abençoar outras pessoas (1:3). Na escola da vida, Deus está nos preparando para sermos consoladores. Quando Deus não remove "o espinho" é porque tem uma razão. Deus sempre tem um propósito no sofrimento. O propósito é de não nos ensoberbecermos.

Segundo, *é possível que Deus resolva nos revelar o propósito do nosso sofrimento* (12:7). No caso de Paulo, Deus decidiu revelar-lhe a razão de ser do "espinho": evitar que o apóstolo ficasse orgulhoso. Quando Paulo orou nem perguntou por que estava sofrendo, apenas pediu a remoção do sofrimento. Não é raro Deus revelar as razões do sofrimento. Ele revelou a Moisés a razão de não lhe ser permitido entrar na terra prometida. Disse a Josué porque ele e seu exército foram derrotados em Ai. O nosso sofrimento tem por finalidade nos humilhar, aperfeiçoar-nos, burilar-nos e nos usar. É possível, também, que Deus não nos dê explicações diante do sofrimento. Foi o que aconteceu com o patriarca Jó. Ele perdeu seus bens, seus filhos, sua saúde, o apoio de sua mulher e de seus amigos, e diante de seus questionamentos, nenhuma explicação lhe foi dada. Deus restaurou sua sorte, mas não lhe disse a razão de seu sofrimento.

Terceiro, *Deus nunca nos repreende se perguntarmos por que ou se pedirmos que ele remova o sofrimento* (12:8,9). Não há evidência de que Deus tenha repreendido Paulo pelo

fato dele ter-lhe pedido que removesse o espinho. Deus entende nossa fraqueza. Ele espera que clamemos quando estivermos passando por sofrimento. Ele nos manda lançar sobre ele toda a nossa ansiedade. Jó ergueu ao céu dezesseis vezes a pergunta: Por quê? Ele levantou sua queixa trinta e quatro vezes. Ele espremeu sua ferida. Ele gritou com toda a força da sua alma. Jesus no Getsêmani pediu a remoção da sua dor: "Meu Pai, se for possível, afasta de mim este cálice; contudo, não seja como eu quero, mas como tu queres" (Mt 26:39).

Quarto, *o sofrimento pode ser um dom de Deus* (12:7). Temos a tendência de pensar que o sofrimento é algo que Deus faz contra nós, e não por nós. Jacó disse: "Tendes-me privado de filhos; José já não existe, Simeão não está aqui, e ides levar a Benjamim! Todas estas cousas em sobrevêm" (Gn 42:36). O espinho de Paulo era uma dádiva, pois por causa desse incômodo Deus protegeu Paulo daquilo que ele mais temia: ser desqualificado espiritualmente (1Co 9:27). Ele sabia que o orgulho destrói. Viu-o como algo que Deus fez a seu favor, e não contra ele.

Quinto, *Satanás pode ser o agente do sofrimento* (12:7). Espere um pouco: é Satanás ou Deus quem está por trás do espinho na carne de Paulo? Como é que um mensageiro de Satanás pode cooperar para o bem de um servo de Deus? Parece uma contradição total. A inferência é que Deus, na sua soberania, usa os mensageiros de Satanás na vida dos seus servos. As bofetadas de Satanás não anulam os propósitos de Deus, mas contribuem para eles. Até mesmo os esquemas satânicos podem ser usados em nosso benefício e no avanço do reino de Deus. O diabo intentou contra Jó para afastá-lo de Deus, mas só conseguiu pô-lo mais perto do Senhor.

Sexto, *Deus nos conforta em nossas adversidades* (12:9). A resposta que Deus deu a Paulo não era a que ele esperava nem a que ele queria, mas era a que ele precisava. Deus respondeu a Paulo que ele não o havia abandonado. Ele não sofria sozinho. Deus estava no controle da sua vida e operava nele com eficácia. Precisamos compreender que Deus está conosco. Que ele está no controle. Que ele é soberano, bom e fiel. Jó entendeu isso: "Bem sei que tudo podes, e nenhum dos teus planos pode ser frustrado" (Jó 42:1).

Sétimo, *a graça de Deus é suficiente nas horas de sofrimento* (12:9). Deus não deu a Paulo o que ele pediu, deu-lhe algo melhor, melhor que a própria vida: a sua graça. A graça de Deus é melhor que a vida; pois por ela enfrentamos o sofrimento vitoriosamente. O que é graça? É a provisão de Deus para cada uma das nossas necessidades. O nosso Deus é o Deus de toda a graça (1Pe 5:10).

Oitavo, *pode ser que Deus decida que é melhor não remover o sofrimento* (12:9). De todos os princípios, esse é o mais difícil. Quantas vezes nós já pensamos e falamos: "Senhor por que estou sofrendo? Por que desse jeito? Por que até agora? Por que o Senhor ainda não agiu?". Joni Eareckson ficou tetraplégica e, numa cadeira de rodas, dá testemunho de Jesus. Fanny Crosby ficou cega com 42 dias e morreu aos 92 anos sem jamais perder a doçura. Escreveu mais de 4.000 hinos. Dietrich Bonhoeffer foi enforcado no dia 9 de abril de 1945 numa prisão nazista. Se Deus não remover o sofrimento, ele nos assiste em nossa fraqueza, consola-nos com sua graça e nos assiste com seu poder.

Nono, *nossa alegria não se baseia na natureza de nossas circunstâncias* (12:10). O que determina a vida de um indivíduo não é o que lhe acontece, mas como reage ao que lhe acontece. Não é o que as pessoas lhe fazem, mas como ele responde a essas pessoas. Há pessoas que são infelizes tendo tudo; há outras que são felizes nada tendo. A felicidade não está fora de nós, mas dentro de nós. Há pessoas que pensam que a felicidade está nas coisas: casa, carro, trabalho, renda. Mas Paulo era feliz mesmo passando por toda sorte de adversidades (11:24-27). Mesmo passando por todas essas lutas, é capaz de afirmar: "Pelo que sinto prazer nas fraquezas, nas injúrias, nas necessidades, nas perseguições, nas angústias, por amor de Cristo. Porque, quando sou fraco, então, é que sou forte" (12:10). O mesmo Paulo comenta na sua carta aos Filipenses: "Não estou dizendo isso, porque esteja necessitado, pois aprendi a adaptar-me a toda e qualquer circunstância. Sei o que é passar necessidade e sei o que é ter fartura. Aprendi o segredo de viver contente em toda e qualquer situação, seja bem alimentado, seja com fome, tendo muito ou passando necessidade" (Fp 4:10,11).

Décimo, *a chave para crescermos nos sofrimentos é vê-los em função do amor de Cristo* (12:10). Paulo sofria por amor a Cristo. Sua razão de viver era glorificar a Cristo. O que importava era agradar a Cristo, servir a Cristo, tornar Cristo conhecido. Jim Elliot, o missionário mártir entre os aucas, disse: "Não é tolo perder o que não se retém, para ganhar o que não se pode perder". Deus pode usar até o nosso sofrimento para sua glória. Paulo diz aos filipenses que as coisas que lhe aconteceram contribuíram para o progresso do evangelho (Fp 1:12).

Em quarto lugar, *o sofrimento é passageiro* (12:1-7). O sofrimento deve ser visto à luz da revelação do céu, do paraíso. O sofrimento do tempo presente não é para se comparar com as glórias por vir a serem reveladas em nós (Rm 8:18). A nossa leve e momentânea tribulação produz, para nós, eterno peso de glória (4:14-16). Aqueles que têm a visão do céu são os que triunfam diante do sofrimento. Aqueles que ouvem as palavras inefáveis do paraíso são aqueles que não se intimidam com o rugido do leão.

Deus mostrou a glória da herança antes do fogo do sofrimento. Deus abriu as cortinas do céu, antes de apontar as areias esbraseantes do deserto. O sofrimento é por breve tempo, o consolo é eterno. A dor vai passar; o céu jamais! A caminhada pode ser difícil. O caminho pode ser estreito. Os inimigos podem ser muitos. O espinho na carne pode doer. Mas a graça de Cristo nos basta. Só mais um pouco e nós estaremos para sempre com o Senhor. Então, o espinho será tirado, as lágrimas serão enxugadas, e não haverá mais pranto, nem luto nem dor.

As credenciais de Paulo (12:11-13)

Paulo escreve:

> Tenho-me tornado insensato; a isto me constrangestes. Eu devia ter sido louvado por vós; porquanto em nada fui inferior a esses tais apóstolos, ainda que nada sou. Pois as credenciais do apostolado foram apresentadas no meio de vós, com toda a persistência, por sinais, prodígios e poderes miraculosos. Porque, em que tendes vós sido inferiores às demais igrejas, senão neste fato de não vos ter sido pesado? Perdoai-me esta injustiça (12:11-13).

Paulo deixa de falar de seus sofrimentos para falar de suas credenciais. Ele as apresenta não porque tem prazer em enaltecer-se, mas porque foi constrangido a isso pela igreja. Os coríntios comparavam Paulo com os falsos apóstolos e davam mais valor a estes (12:11). Em vez de elogiar Paulo, os coríntios elogiam seus opositores. Os coríntios não ajudaram Paulo financeiramente, mas sustentavam esses falsos obreiros. Paulo, com firmeza, diz que nesse ponto a igreja de Corinto havia sido inferior a todas as demais, e ele pede perdão à igreja pela injustiça de não ter cobrado deles seu sustento (12:13).

As credenciais de Paulo são apresentadas no meio da igreja com toda persistência por meio de sinais, prodígios e poderes miraculosos (12:12). Paulo foi chamado por Cristo para o apostolado e enviado por Cristo aos gentios. O próprio Senhor autenticou seu apostolado por meio de sinais, prodígios e poderes miraculosos. O poder para a operação desses sinais e maravilhas estava em Deus. Esses milagres foram feitos não para o engrandecimento de Paulo, mas para a glória de Cristo e promoção do evangelho. O milagre não é o evangelho, mas abre portas para o evangelho. O milagre não tem poder de transformar os corações, mas prepara-os para o evangelho transformador.

A terceira viagem de Paulo a Corinto (12:14-21)

Depois que Paulo expõe suas credenciais, mostra a determinação de fazer sua terceira visita à igreja de Corinto. As duas visitas anteriores foram: a visita missionária pioneira e a visita "dolorosa". A terceira visita planejada por Paulo é mencionada nesse capítulo três vezes (12:14,20,21). Nessa visita Paulo estava disposto a confrontar e repreender firmemente a igreja. Qual era o propósito dessa terceira visita?

Em primeiro lugar, *demonstrar que buscava o bem espiritual dos crentes, e não o dinheiro deles* (12:14). Paulo é enfático: "[...] não vou atrás dos vossos bens, mas procuro a vós outros" (12:14). Os falsos mestres buscavam o dinheiro do povo, e não o bem espiritual do povo. Não pastoreavam o rebanho, mas se serviam dele. O vetor do ministério deles era o lucro, e não a edificação espiritual dos crentes. Paulo é totalmente diferente desses obreiros fraudulentos. Ele não anda atrás de dinheiro. Como pai espiritual dos crentes de Corinto, entesoura para eles. Diz Paulo: "[...] não devem os filhos entesourar para os pais, mas os pais, para os filhos" (12:14).

Em segundo lugar, *demonstrar sua prontidão em gastar-se em favor da alma dos crentes* (12:15). "Eu de boa vontade me gastarei e ainda me deixarei gastar em prol da vossa alma. Se mais vos amo, serei menos amado?" (12:15). Paulo era como uma vela; estava pronto a brilhar com a mesma intensidade até o fim. Ele não buscava conforto, mas o bem espiritual dos crentes. Ele não corria atrás de benefícios pessoais, mas lutava para ver os crentes sendo enriquecidos na graça.

Paulo já havia declarado seu amor aos crentes de Corinto (6:11,12) e pedido a eles um retorno mais expressivo desse amor (6:13). Agora, espera, nessa visita, ser mais amado pelo povo, uma vez que dedica a ele amor tão acendrado.

Em terceiro lugar, *demonstrar que seus cooperadores eram tão íntegros financeiramente como ele* (12:16-18). Os falsos mestres acusavam Paulo de explorar a igreja por meio de seus colaboradores (12:16,17), apropriando-se de parte da coleta levantada para os pobres da Judeia. Mas Paulo os refuta dizendo que seus colaboradores, longe de explorarem a igreja, seguiram em suas mesmas pisadas, pois tinham andado no mesmo espírito. "Porventura, vos explorei por intermédio de algum daqueles que vos enviei? Roguei a Tito e enviei com ele outro irmão; porventura, Tito vos explorou? Acaso, não temos andado no mesmo espírito? Não seguimos nas mesmas pisadas?" (6:17,18).

Paulo mandou Tito a Corinto três vezes: primeiro, para resolver o assunto do pecador que se arrependeu (2:13;

7:6,13); depois, para começar a operação da coleta do dinheiro para os santos em Jerusalém (8:6); e, por último, para completar a tarefa de reunir os fundos (8:17,18,22).

Em quarto lugar, *demonstrar sua preocupação com o estado espiritual dos crentes* (12:19-21). Paulo teme encontrar os crentes despreparados espiritualmente nessa visita. Havia duas áreas vulneráveis na vida dos crentes de Corinto:

A área dos relacionamentos (12:20). "Temo, pois, que, indo ter convosco, não vos encontre na forma em que vos quero, e que também vós me acheis diferente do que esperáveis, e que haja entre vós contendas, invejas, iras, porfias, detrações, intrigas, orgulho e tumultos" (12:20). Paulo teme que haja entre os crentes contendas, invejas, iras, porfias, detrações, intrigas, orgulho e tumulto. Todos esses pecados listados em pares estão ligados à área dos relacionamentos. A igreja de Corinto era um amontoado de gente, mas não uma família unida. Eles não agiam como um corpo, em que cada membro coopera com o outro. Ao contrário, estavam agindo antropofagicamente, devorando uns aos outros pelas contendas e intrigas.

William Barclay ajuda-nos a compreender melhor esses pecados de relacionamento: 1) contendas (*eris*) é uma palavra que denota rivalidade e competição, discórdia acerca de prestígio; 2) invejas (*zelos*) é o desejo mesquinho de ter o que não lhe pertence; o espírito que cobiça as posses alheias; 3) iras (*thumoi*) assinala explosões repentinas de ira apaixonada. É uma espécie de intoxicação da alma que arrasta o homem a fazer coisas das quais se arrependerá amargamente; 4) porfias, (eritheia) denota aquilo que se faz apenas visando uma recompensa. É uma ambição egoísta, centrada em si mesma, que jamais se dispõe a servir o próximo; 5) detrações, (*katalaliai*) refere-se a um ataque realizado a viva voz, os insultos e acusações lançados em voz alta e em público; 6) intrigas (*psithurismoi*) refere-se a algo ainda mais desagradável. Trata-se de uma campanha de murmurações e maledicência espalhada de ouvido em ouvido, buscando desacreditar a pessoa. Se detração é um ataque frontal, a intriga é um movimento clandestino que envenena insidiosamente a atmosfera; 7) orgulho (*phusioseis*) é aquela atitude em que o indivíduo magnifica a si mesmo e suas funções; 8) Tumultos (*akatastasia*), refere-se a anarquia.[534]

A área da pureza sexual (12:21). "Receio que, indo outra vez, o meu Deus me humilhe no meio de vós, e eu venha a chorar por muitos que, outrora, pecaram e não se arrependeram da impureza, prostituição e lascívia que cometeram" (12:21). Paulo temia encontrar muitos crentes ainda prisioneiros dos mesmos pecados e aberrações sexuais que caracterizaram sua vida pagã. Impureza, prostituição e lascívia são termos progressivos que revelavam uma completa decadência moral. 1) Impureza (*akatharsia*) é um termo genérico para impureza e vida desregrada. É tudo aquilo que impede que um homem tenha comunhão com Deus. É o oposto de pureza; 2) prostituição (*porneia*), refere-se à promiscuidade no relacionamento sexual; 3) lascívia (*aselgeia*), indica o desacato deliberado da decência em público.[535] A palavra *aselgeia* é o vício do homem com não mais vergonha do que um animal na gratificação de seus desejos físicos.[536] William Barclay diz que *aselgeia* é uma palavra intraduzível. Não significa somente impureza sexual, mas também uma insolência desenfreada. É a atitude da alma que desconhece os limites da disciplina. Trata-se da pessoa que não aceita restrições nem tem compromisso com a decência. Não se importa com a opinião pública, tampouco com sua própria reputação. É o espírito descaradamente egoísta, que perdeu a honra e a vergonha e está disposto a tomar o que desejar, ainda que isso ofenda desavergonhadamente a Deus e aos homens.[537]

Notas

[508] KRUSE, Colin. *II Coríntios: Introdução e Comentário*. 1994, p. 212,213.
[509] KISTEMAKER, Simon. *2 Coríntios*. 2004, p. 576.
[510] RIENECKER, Fritz e ROGERS Cleon. *Chave Linguística do Novo Testamento Grego*. 1985, p. 365.
[511] CARSON, D. A. *From Triumphalism to Maturity*. Baker Books. Grand Rapids, MI. 1984, p. 136.
[512] KRUSE, Colin. *II Coríntios: Introdução e Comentário*. 1994, p. 216.
[513] RIENECKER, Fritz e ROGERS Cleon. *Chave Linguística do Novo Testamento Grego*. 1985, p. 365.
[514] WIERSBE, Warren W. *Comentário Bíblico Expositivo*. Vol. 5. 2006, p. 881.
[515] STERN, David H. *Comentário Judaico do Novo Testamento*. Editora Atos. Belo Horizonte, MG. 2008, p. 558.
[516] BENGEL, John Albert. *Bengel's New Testament Commentary*. Vol. 2. Kregel. Grand Rapids, MI. 1981: p:330.
[517] KISTEMAKER, Simon. *2 Coríntios*. 2004, p. 569.
[518] BARCLAY, William. *I y II Corintios*. 1973, p. 266.
[519] CARVER, Frank G. *A Segunda Epístola de Paulo aos Coríntios*. Em Comentário Bíblico Beacon. Vol. 8. 2006, p. 479.
[520] WIERSBE, Warren W. *Comentário Bíblico Expositivo*. Vol. 5. 2006, p. 883.
[521] KRUSE, Colin. *II Coríntios: Introdução e Comentário*. 1994, p. 218.
[522] KRUSE, Colin. *II Coríntios: Introdução e Comentário*. 1994, p. 219.
[523] KRUSE, Colin. *II Coríntios: Introdução e Comentário*. 1994, p. 219.
[524] KISTEMAKER, Simon. *2 Coríntios*. 2004, p. 580.
[525] KISTEMAKER, Simon. *2 Coríntios*. 2004, p. 583.
[526] CARSON, D. A. *From Triumphalism to Maturity*. 1984, p. 145.
[527] WIERSBE, Warren W. *Comentário Bíblico Expositivo*. Vol. 5. 2006, p. 884.
[528] HASTINGS, James. *The Great Texts of the Bible*. Vol. XVI. Wm. B. Eerdmans Publishing Company. Grand Rapids, MI. N.d., p. 291.
[529] WIERSBE, Warren W. *Comentário Bíblico Expositivo*. Vol. 5. 2006, p. 884.
[530] KRUSE, Colin. *II Coríntios: Introdução e Comentário*. 1994, p. 220.

[531] WIERSBE, Warren W. *Comentário Bíblico Expositivo*. Vol. 5. 2006, p. 884.
[532] BARCLAY, William. *I y II Corintios*. 1973, p. 268.
[533] STANLEY, Charles. *Como lidar com o sofrimento*. Editora Betânia. Venda Nova, MG. 1995, p. 137-147.
[534] BARCLAY, William. *I y II Corintios*. 1973, p. 273,274.
[535] CARVER, Frank G. *A Segunda Epístola de Paulo aos Coríntios.* Em Comentário Bíblico Beacon. Vol. 8. 2006, p. 489.
[536] RIENECKER, Fritz e ROGERS Cleon. *Chave Linguística do Novo Testamento Grego.* 1985, p. 368.
[537] BARCLAY, William. *I y II Corintios*. 1973, p. 274,275.

Capítulo 15

Exortações pastorais
(2Coríntios 13:1-13)

O APÓSTOLO PAULO está concluindo sua carta mais pessoal. Aqui, ele abriu o coração e falou de suas experiências mais íntimas, de suas dores mais profundas e de seu amor mais acendrado. De todas as igrejas que Paulo plantou, nenhuma recebeu tanto cuidado pastoral, conselhos e visitas quanto a igreja de Corinto. Também nenhuma igreja significava mais para Paulo do que a dificultosa comunidade de Corinto.[538] Por outro lado, nenhuma lhe fez sofrer tanto.

Paulo está fazendo preparativos para sua terceira visita à igreja. Não será uma visita amistosa, mas confrontadora. Bruce Barton diz que, nesse capítulo, Paulo deixa de se defender e confronta diretamente os coríntios.[539] Caso não haja arrependimento terá de disciplinar os faltosos. Contudo, antes de viajar para Corinto, ora a Deus para que a igreja emende seus caminhos e busque uma vida de perfeição.

Algumas exortações importantes são destacadas nesse capítulo. Vejamo-las.

A disciplina dos faltosos (13:1,2)

Havia na igreja um grupo que dava guarida ao ensino dos falsos apóstolos. Não apenas a teologia deles estava errada, mas também a vida deles estava em descompasso com a verdade. Havia não apenas oposição a Paulo (13:3), mas também relacionamentos quebrados (12:20) e imoralidade na vida desses membros (12:21).

Paulo está indo a Corinto com o propósito de instaurar um tribunal e disciplinar aos que insistem na prática do erro. Na sua primeira visita a Corinto, Paulo plantou a igreja. Sua segunda visita foi dolorosa e precisou sair da cidade sem solucionar os graves problemas que a atacavam; porém, enviou, à igreja, Tito para pôr em ordem a situação pendente. Mas, agora, está pronto a ir à igreja pela terceira vez e dessa feita não poupará aqueles que de forma contumaz permanecem no erro.

Com respeito à disciplina, duas coisas devem ser ressaltadas.

Em primeiro lugar, *a acusação precisa ser fundamentada* (13:1). "Esta é a terceira vez que vou ter convosco. Por boca de duas ou três testemunhas, toda questão será decidida" (13:1). As acusações serão examinadas e julgadas. Paulo está aplicando um princípio da lei mosaica de que nenhuma acusação deve ser recebida contra alguém sem vir consubstanciada por duas ou três testemunhas (Dt 19:15).

Esse mesmo princípio foi referendado por Jesus (Mt 18:16; Jo 8:17). Agora, Paulo está dizendo que aplicará o mesmo critério para disciplinar os faltosos (1Tm 5:19).

Para proteger um inocente, o juiz civil ou eclesiástico exigia que mais de uma testemunha apresentasse provas indisputáveis de delito.[540] Warren Wiersbe diz que ao tratar do pecado na igreja local devemos saber dos fatos, não apenas dos boatos.[541]

Outros eruditos como Calvino[542] e Werner de Boor, porém, acreditam que as testemunhas exigidas por Paulo seja uma referência às suas próprias três visitas à igreja. O juízo, então, já podia começar. As premissas já haviam sido cumpridas.[543] Matthew Henry, por sua vez, acredita que essas testemunhas referem-se às suas epístolas, pelas quais admoestou os coríntios.[544]

Em segundo lugar, *a disciplina precisa ser aplicada* (13:2). "Já o disse anteriormente e torno a dizer, como fiz quando estive presente pela segunda vez; mas, agora, estando ausente, o digo aos que, outrora, pecaram e a todos os mais que, se outra vez for, não os pouparei" (13:2). Essas palavras não estão sendo dirigidas a todos os membros da igreja, mas a algumas pessoas que estavam vivendo de forma escandalosa, na prática da imoralidade, e se recusavam a emendar seus caminhos (12:20,21) bem como aqueles que aprovavam sua atitude (1Co 5:2,6).

Depois de alertá-los algumas vezes, Paulo está disposto a não mais retardar a disciplina desses membros faltosos. Colin Kruse diz que Paulo já havia ameaçado que em sua segunda visita haveria de tomar providências disciplinares contra esses membros faltosos (1Co 4:18-21), mas na ocasião do evento ele se retirou sem cumprir suas ameaças; preferiu escrever-lhes uma carta "severa". Agora, todavia, pronto para realizar sua terceira visita, o apóstolo adverte seus leitores de que não os poupará dessa vez.[545] Ele não pretende inocentar pecadores impenitentes.

A disciplina é uma das marcas da igreja verdadeira. O pecado é como fermento na massa. Se não for removido, contamina toda a igreja. A disciplina visa a proteção da igreja e a correção do faltoso. A disciplina, portanto, é um ato responsável de amor, e Paulo está pronto a aplicá-la.

A dúvida dos rebeldes (13:3,4)

Em vez desses crentes rebeldes se arrependerem de seus pecados, eles procuraram provas para desqualificar Paulo como apóstolo. Dois fatos devem ser aqui destacados:

Em primeiro lugar, *a busca das provas* (13:3). "Posto que buscais prova de que, em mim, Cristo fala, o qual não é fraco para convosco; antes, é poderoso em vós" (13:3). Influenciados pelos falsos apóstolos, alguns crentes de Corinto que teimavam em viver na prática do pecado buscavam provas contra Paulo, argumentando que Cristo não falava por intermédio dele. Na verdade, esses crentes queriam amordaçar a voz da consciência para viver desbragadamente na imoralidade. Eles não queriam ser confrontados em seu estilo de vida. Em vez de corrigir sua conduta errada, procuraram desqualificar aquele que os exortava.

Paulo argumenta que o Cristo que ele anunciou à igreja não era fraco neles. Portanto, ao rejeitarem a Paulo, na verdade, estavam rejeitando o próprio Cristo.

Em segundo lugar, *a evidência dos fatos* (13:4). "Porque, de fato, foi crucificado em fraqueza; contudo, vive pelo poder de Deus. Porque nós também somos fracos nele, mas viveremos, com ele, para vós outros pelo poder de Deus" (13:4). Esse texto revela a dialética da fé cristã.

Cristo foi crucificado em fraqueza. Ele desceu da sua glória. Esvaziou-se e fez-se carne. Deixou de lado seus privilégios e vestiu-se de pele humana. Tornou-se pobre. Foi humilhado até a morte, e morte de cruz (Fp 2:8). Suou sangue e foi esbofeteado. Foi cuspido e pregado numa cruz. Mas por meio de sua morte triunfou sobre o diabo e suas hostes. Por intermédio da sua morte pavimentou o caminho da nossa reconciliação com Deus. Por meio de sua morte remiu-nos do pecado e, pelo poder de Deus, ressuscitou dentre os mortos e está vivo pelos séculos dos séculos.

Frank Carver está correto quando diz que no ministério de Jesus em benefício dos pecadores, a extremidade de sua fraqueza tornou-se o ponto no qual Deus, pela ressurreição de seu Filho, e da maneira mais convincente, revelou o seu poder de resgatar os homens de seus pecados (At 2:22-36; Rm 4:25; 5:10; 1Co 15:16,17). As duas coisas se unem em Cristo: a infinita paciência da cruz e a inexorável justiça do trono.[546]

Nessa mesma linha de pensamento Werner de Boor diz:

> Sem dúvida, a vida do apóstolo mostra a peculiar dialética de "fraqueza" e "força" de que Paulo falara detalhadamente e que culminara na frase: "Quando sou fraco, então é que sou forte" (12:10). Essa dialética está enraizada na vida do próprio Cristo. Em Jesus e sua cruz a "loucura" e a "fraqueza" de Deus se tornaram visíveis perante todo o mundo, como Paulo já dissera em 1Coríntios 1:25. São parte obrigatória da admirável atuação de Deus. Por isso também agora Paulo volta a afirmar: "Porque, de fato, foi crucificado em fraqueza". Precisamente desse modo, porém, ele conquistou a vitória e todo o poder redentor. Por isso, ele foi ressuscitado por Deus e "vive pelo poder de Deus".[547]

Os rebeldes em Corinto, influenciados pelos falsos apóstolos, davam muito valor à expressão de força e poder. Valorizavam eloquência, visões, revelações e milagres. Mas

Paulo diz que, assim como Cristo da fraqueza tirou poder, ele, Paulo, sendo fraco em Cristo, vive com ele, para a igreja, pelo poder de Deus. O poder, e não a fraqueza, marcará sua iminente visita à igreja.

O autoexame dos acusadores (13:5,6)

Paulo inverte a situação. Ele diz a esses crentes rebeldes que em vez de eles o examinarem, eles deveriam examinar a si mesmos. Em vez de buscarem provas contra ele, deveriam investigar a si mesmos. Em vez de olharem para fora, deveriam olhar para dentro.

Paulo confronta-os dizendo que em vez de eles o desqualificarem; deveriam observar se eles mesmos não estavam desqualificados. Concordo com William MacDonald quando diz que a vida dos coríntios era a prova cabal do apostolado de Paulo, pois foi por intermédio de Paulo que eles foram conduzidos ao Salvador. Se eles desejavam ver suas credenciais, eles deveriam olhar para si mesmos.[548]

Colin Kruse é da opinião que os coríntios estavam confiantes demais de que eles eram habitação de Cristo, de modo que a pergunta de Paulo visa sacudi-los e despertá-los para as implicações morais dessa grandiosa realidade.[549]

Concordo com Warren Wiersbe quando diz que aqueles que examinam e condenam os outros mais depressa são, muitas vezes, os mesmos que têm dentro de si os pecados mais sérios. Aliás, uma forma de melhorar nossa imagem é jogar lama na imagem dos outros.[550] A forma mais indigna de nos promovermos é diminuindo as outras pessoas.

Três verdades devem ser aqui observadas:

Em primeiro lugar, *em vez de acusar os outros, avalie a si mesmo* (13:5a). "Examinai-vos a vós mesmos se realmente estais na fé [...]" (13:5). Esses crentes rebeldes estavam acusando Paulo de não ser um apóstolo legítimo; agora, Paulo confronta-os, ordenando-lhes a examinarem a si mesmos se eram de fato crentes legítimos. Há pessoas que estão na igreja, mas não são convertidas. Têm seu nome no rol de membros da igreja, mas não no livro da vida. São contundentes na disposição de acusar os outros, mas incapazes de examinarem seu próprio coração. Enxergam um cisco no olho do outro, mas não veem a trave que está no seu próprio.

Werner de Boor diz acertadamente que esse autoexame não tem cunho moral. Trata-se da *fé*. Paulo não pergunta se eles têm fé, mas se estão na fé. Desse modo, a fé é caracterizada como o espaço abrangente em que se desenrola toda a vida de um ser humano, como o poder determinante e configurador que perpassa todo o pensar e falar, fazer e deixar de fazer.[551]

Há alguns critérios que a Palavra nos oferece para sabermos se somos de fato filhos de Deus: temos o testemunho do Espírito no coração (Rm 8:9,16)? Amamos os irmãos (1Jo 3:14)? Praticamos a justiça (1Jo 2:29; 3:9)? Muitos dos problemas da igreja de Corinto eram causados por pessoas que se diziam salvas, mas que, na verdade, nunca haviam se arrependido nem crido em Jesus Cristo. Ainda hoje há um batalhão de pessoas não convertidas nas igrejas, e são essas as que dão mais trabalho.

Em segundo lugar, *em vez de provar os outros, prove a si mesmo* (13:5b). "[...] provai-vos a vós mesmos [...]" (13:5b). Os coríntios buscavam provas contra Paulo (13:3). Eles vasculharam sua vida para o desqualificar como apóstolo de Cristo. Agora, Paulo diz que eles deveriam provar a si mesmos. Deveriam voltar suas baterias para si mesmos e verificar se de fato pertenciam a Cristo e sua igreja.

Em terceiro lugar, *em vez de reprovar os outros, aprove a si mesmo* (13:5c,6). "[...] ou não reconheceis que Jesus Cristo está em vós? Se não é que já estais reprovados. Mas espero reconheçais que não somos reprovados" (13:5c,6). Matthew Henry está correto quando escreve: "Se Jesus Cristo estava nos coríntios, isso era uma prova de que Cristo falava por intermédio de Paulo. Se, portanto, eles poderiam convencer a si mesmos que estavam aprovados, então, Paulo confiava que eles poderiam saber que ele não estava reprovado.[552]

Uma vez que só há um Cristo e um evangelho - o Cristo pregado por Paulo, e o evangelho anunciado por ele aos coríntios - ao desprezarem essa mensagem estavam dando a si mesmos uma nota de reprovação. Por outro lado, ao aprovarem Paulo como apóstolo - aquele por intermédio de quem Cristo fala - estavam aprovando a si mesmos.

O encorajamento dos santos (13:7-10)

Paulo, agora, encoraja os crentes de Corinto e o faz usando duas armas poderosas.

Em primeiro lugar, *a oração* (13:7-9). Paulo escreve:

> Estamos orando a Deus para que não façais mal algum, não para que, simplesmente, pareçamos aprovados, mas para que façais o bem, embora sejamos tidos como reprovados. Porque nada podemos contra a verdade, senão em favor da própria verdade. Porque nos regozijamos quando nós estamos fracos e vós, fortes; e isto é o que pedimos: o vosso aperfeiçoamento (13:7-9).

A oração de Paulo tem dois propósitos fundamentais:

Ele ora para que os crentes pratiquem o que é certo (13:7,8). Havia muitos pecados na igreja de Corinto: divisões (1Co 1:10-12), imoralidade (1Co 5:1), contendas (1Co 6:7), uso abusivo da liberdade cristã (1Co 8:10; 10:24-28), atitudes inadequadas com respeito à ceia do Senhor (1Co 11:17-22), ao culto (1Co 12:3), aos dons (1Co 12:16,21), e à ressurreição (1Co 15:12). Alguns desses pecados não haviam sido ainda superados por alguns membros da igreja (12:20,21). Por influência dos falsos apóstolos, alguns crentes lideravam uma frente de oposição ao próprio ministério de Paulo (13:3).

Em vez de condenar seus opositores, Paulo ora por eles. E ora para que pratiquem o bem. Sua preocupação não é sua reputação, muito menos sua superioridade pessoal, mas o aperfeiçoamento dos crentes, pois diz: "Porque nada podemos contra a verdade, senão em favor da verdade" (13:8). A verdade, aqui, entende-se como sendo o evangelho; o que Paulo afirma é que ele jamais poderia agir de modo que fosse contrário ao evangelho ou às suas implicações.[553] Paulo quer apenas a obediência, a pureza e a unidade da igreja. Exercer a sua autoridade apenas por vaidade seria prostituir o seu apostolado. O correto recebimento do evangelho é o grande objetivo da sua vida, em torno do qual giram todas as demais coisas.[554] Cumpria-lhe lutar irredutivelmente a favor da verdade, contra a inverdade e falta de autenticidade (11:13-15).

Ele ora para que os crentes sejam aperfeiçoados (13:9). Fritz Rienecker diz que a palavra grega *katartisis*, "aperfeiçoamento", é usada no sentido de juntar partes quebradas dos ossos ou reconciliar partidos e refere-se, aqui, ao crescimento na santidade.[555] Corroborando esse pensamento, Warren Wiersbe diz que, como termo técnico da medicina, significa: "Corrigir uma fratura óssea, pôr no lugar um membro retorcido". Também pode significar "preparar um navio para uma viagem" e "equipar um exército para a batalha".⁵⁵⁶ Essa palavra grega também é usada para consertar redes (Mt 4:21). Há flancos abertos em nossa vida que precisam ser reparados. Há brechas que precisam ser tapadas. Paulo ora para que essas deficiências sejam tratadas e que os crentes sejam aperfeiçoados para o serviço divino.

Em segundo lugar, *a Palavra* (13:10). "Portanto, escrevo estas coisas, estando ausente, para que, estando presente, não venha a usar de rigor segundo a autoridade que o Senhor me conferiu para edificação, e não para destruir" (13:10). A carta de Paulo é uma epístola inspirada, a verdadeira Palavra de Deus ao povo. Eles deveriam receber essa carta por intermédio de Tito, acolhendo essas palavras como palavras do próprio Deus. A epístola tem a mesma autoridade que a presença do próprio apóstolo. Paulo tem a expectativa de que ao receberem a carta possam se arrepender a fim de que na sua visita não tenha que exercer sua autoridade para disciplinar os faltosos.

A exortação aos fiéis (13:11,12)

Paulo está concluindo sua carta, fechando as cortinas e apagando a luz do palco. Antes, porém, tem uma série de exortações à igreja.

Em primeiro lugar, *a alegria deve ser a marca do crente* (13:11). Paulo escreve: "Quanto ao mais, irmãos, adeus!" (13:11). Simon Kistemaker diz que o adeus de Paulo tem um sentido mais profundo do que uma mera palavra de despedida, pois transmite a ideia de alegria (Fp 4:4).⁵⁵⁷ A expressão "adeus" na língua grega é *chairete*, que significa "regozijai-vos".⁵⁵⁸ É mesma expressão que aparece em 1 Tessalonicenses 5:16: "Regozijai-vos sempre". A alegria deve ser a marca do crente. Isso porque o evangelho é a boa nova de grande alegria. O reino de Deus é alegria. O fruto do Espírito é alegria, e a ordem de Deus é: "Alegrai-vos". Werner de Boor diz que a alegria não pode morrer, nem mesmo nessa igreja problemática em Corinto que passou por amargas experiências e que, por ocasião da visita de seu apóstolo, talvez precise vivenciar dias duros e dolorosos. Paulo está convencido de que essa alegria é capaz de permanecer viva na igreja, assim como brilha em seu coração em todas as circunstâncias. A alegria não é coisa automática, ela requer preservação e fomentação.[559]

Em segundo lugar, *o progresso espiritual é o alvo do crente* (13:11). "Aperfeiçoai-vos" (13:11). O crente não pode ficar estagnado. Ele precisa crescer na graça e no conhecimento de Cristo. Ele precisa ser santificado na verdade. Sua vida precisa ser transformada de glória em glória na imagem de Cristo. Para alcançar esse propósito, os coríntios precisariam abandonar os ensinos errados dos falsos apóstolos, acertarem seus relacionamentos uns com os outros (12:20) e romperam com as práticas imorais (12:21).

Em terceiro lugar, *o encorajamento mútuo é o compromisso dos crentes* (13:11). "Consolai-vos" (13:11). A vida cristã não é um parque de diversões. Na vida cristã enfrentamos mares revoltos, desertos inóspitos e estradas juncadas de espinhos. Precisamos ser bálsamo de Deus na vida uns dos outros nessa jornada. Precisamos ser aliviadores de tensão, tornando o fardo dos irmãos mais leve.

Em quarto lugar, *a unidade de pensamento deve ser buscada pelos crentes* (13:11). "Sede do mesmo parecer" (13:11). A palavra grega *froneite* significa "ser harmonioso em pensamento e alvos".[560] A igreja é um corpo, e todos os membros devem trabalhar sob a direção da mesma cabeça. Uma igreja onde os crentes vivem em conflito, alimentando suas vaidades pessoais, brigando por opiniões pessoais, o testemunho da igreja é prejudicado.

Em quinto lugar, *a harmonia nos relacionamentos deve ser uma bandeira dos crentes* (13:11). "Vivei em paz; e o Deus de amor e de paz estará convosco". William Barclay está correto quando diz que nenhuma congregação pode adorar ao Deus da paz com espírito amargurado.[561] Os crentes não são rivais, são parceiros. Devem viver em harmonia, e não em guerra. A unidade de pensamento precisa desembocar em unidade de relacionamento. Onde há união entre o povo de Deus, ali Deus ordena a vida e a bênção (Sl 133:1-3). Quando vivemos em paz uns com os outros é que o Deus da paz vem habitar conosco. Werner de Boor diz que Deus é diferente do que imaginamos. Involuntariamente traçamos sua natureza de acordo com nosso próprio modo de ser duro e autoritário. A natureza de Deus, porém, é caracterizada pelo amor que ele concede e pela paz que ele institui. Ele é o Deus de amor e paz![562]

Em sexto lugar, *a afetividade deve ser uma marca característica dos crentes* (13:12). "Saudai-vos uns aos outros com ósculo santo. Todos os santos vos saúdam" (13:12). O ósculo santo era a maneira santa, pura e efusiva com que os crentes cumprimentavam uns aos outros. Os crentes devem cumprimentar uns aos outros com alegria, com graça e com efusividade. Os crentes devem ter santas, sinceras e intensas afeições uns pelos outros. Não há espaço na igreja para indiferença, frieza e preconceito. Devemos acolher a todos com desvelo e carinho.

A bênção trinitariana (13:13)

"A graça do Senhor Jesus Cristo, e o amor de Deus, e a comunhão do Espírito Santo sejam com todos vós" (13:13).

Paulo conclui essa carta com uma bênção trinitariana. Essa bênção é uma síntese da mensagem do evangelho. É um resumo precioso de tudo aquilo que Paulo ensinou até aqui. Embora, a palavra "Trindade" não apareça na Bíblia, seu conceito é meridianamente claro em toda a Escritura. Vamos destacar esses três pontos basilares da fé cristã:

Em primeiro lugar, *a graça do Senhor Jesus Cristo* (13:13). A graça do Senhor Jesus Cristo é revelada a nós em sua encarnação, morte e ressurreição. Sendo Deus, ele se fez homem; sendo Rei dos reis, se fez servo; sendo rico se fez pobre; sendo bendito se fez maldição; sendo santo se fez pecado; sendo o autor da vida morreu em nosso lugar. Nossa salvação está baseada não em nossos méritos ou obras, mas totalmente na graça de Jesus Cristo; ou seja, nos méritos de Cristo e na sua obra vicária na cruz. Para Calvino, a graça aqui denota todo o benefício da redenção.[563]

A graça do Senhor Jesus Cristo é totalmente imerecida e, no entanto, maravilhosamente generosa e espantosamente voltada para o bem-estar dos pecadores.[564]

Em segundo lugar, *o amor de Deus* (13:13). O amor de Deus é a fonte de onde jorra a graça do Senhor Jesus Cristo. A cruz não é a causa do amor de Deus, mas seu resultado. Deus não passou a nos amar depois que Cristo morreu por nós, mas Cristo morreu por nós porque Deus nos amou com amor eterno. O amor de Deus não está fundamentado em quem somos ou no que fazemos. A causa do amor de Deus não está em nós, mas nele mesmo. Não há nada que possamos fazer para Deus nos amar mais nem nada que possamos fazer para ele nos amar menos. O superlativo amor de Deus é totalmente imerecido e espantosamente generoso.

R. C. H. Lenski pergunta: "Se o pecador curva sua cabeça aos pés trespassados do Senhor porque ele está abismado diante de tamanha graça, será que ele não ficará completamente perdido nesse oceano do amor que é tão grande e tão bendito como o próprio Deus?".[565]

Em terceiro lugar, *a comunhão do Espírito Santo* (13:13). Conhecemos a graça do Senhor Jesus Cristo e experimentamos o amor de Deus mediante a comunhão do Espírito Santo. Somente o Espírito Santo pode aplicar em nós a graça. Somente ele pode nos revelar o amor de Deus. Somente o Espírito pode convencer-nos do pecado, regenerar-nos e santificar-nos.

Warren Wiersbe diz que a graça do Senhor Jesus Cristo nos traz à memória seu nascimento, quando ele se fez pobre a fim de nos tornar ricos (2Co 8:9). O amor de Deus nos leva ao Calvário, onde Deus deu seu Filho como sacrifício por nossos pecados (Jo 3:16). A comunhão do Espírito Santo nos lembra o Pentecostes, quando o Espírito de Deus veio e revestiu a igreja de poder (At 2:1-47).[566] Que agora também acabem em Corinto as tensões e dissensões, as rivalidades e as discórdias, porque a graça do Senhor Jesus Cristo e o amor de Deus e a comunhão do Espírito Santo pertencem a todos.[567]

NOTAS

[538] KISTEMAKER, Simon. *2 Coríntios*. 2004, p. 618.
[539] BARTON, Bruce B., e outros. *Life Application Bible Commentary on 1 & 2 Corinthians*. 1999, p. 466.
[540] KISTEMAKER, Simon. *2 Coríntios*. 2004, p. 618.
[541] WIERSBE, Warren W. *Comentário Bíblico Expositivo*. Vol. 5. 2006, p. 887.
[542] CALVIN, John. *Commentary on Corinthians*. Vol. 2. 1999, p. 293.
[543] BOOR, Werner de. *Carta aos Coríntios*. 2004, p. 479.

544 HENRY, Matthew. *Matthew Henry's Commentary in one volume.* Marshall, Morgan & Scott. Grand Rapids, MI. 1960, p. 1837.
545 KRUSE, Colin. *II Coríntios: Introdução e Comentário.* 1994, p. 232.
546 Frank, G. Carver. *A Segunda Epístola de Paulo aos Coríntios.* Em Comentário Bíblico Beacon. Vol. 8. 2006, p. 490.
547 BOOR, Werner de. *Carta aos Coríntios.* 2004, p. 480.
548 MACDONALD, William. *Biliever's Bible commentary.* Thomas Nelson Publishers. Nashville, TN. 1995, p. 1869.
549 KRUSE, Colin. *II Coríntios: Introdução e Comentário.* 1994, p. 234.
550 WIERSBE, Warren W. *Comentário Bíblico Expositivo.* Vol. 5. 2006, p. 888.
551 BOOR, Werner de. *Carta aos Coríntios.* 2004, p. 481.
552 HENRY, Matthew. *Matthew Henry's Commentary in one volume.* 1960 p. 1837.
553 KRUSE, Colin. *II Coríntios: Introdução e Comentário.* 1994, p. 235.
554 CARVER, Frank G.. *A Segunda Epístola de Paulo aos Coríntios.* Em Comentário Bíblico Beacon. Vol. 8. 2006, p. 491.
555 RIENECKER, Fritz e ROGERS Cleon. *Chave Linguística do Novo Testamento Grego.* 1985, p. 369.
556 WIERSBE, Warren W. *Comentário Bíblico Expositivo.* Vol. 5. 2006, p. 889.
557 KISTEMAKER, Simon. *2 Coríntios.* 2004, p. 636.
558 RIENECKER, Fritz e ROGERS Cleon. *Chave Linguística do Novo Testamento Grego.* 1985, p. 369.
559 BOOR, Werner de. *Carta aos Coríntios.* 2004, p. 484.
560 RIENECKER, Fritz e ROGERS Cleon. *Chave Linguística do Novo Testamento Grego.* 1985, p. 369.
561 BARCLAY, William. *I y II Corintios.* 1973, p. 276.
562 BOOR, Werner de. *Carta aos Coríntios.* 2004, p. 485.
563 John, CALVIN. *Commentary on Corinthians.* Vol. 2. 1999, p. 302.
564 KRUSE, Colin. *II Coríntios: Introdução e Comentário.* 1994, p. 238.
565 LENSKI, R. C. H. *The Interpretation of St. Paul's First and Second Epistle Fo the Corinthians.* Columbus, Wartburg. 1946, p. 1340,1341.
566 WIERSBE, Warren W. *Comentário Bíblico Expositivo.* Vol. 5. 2006, p. 890.
567 BOOR, Werner de. *Carta aos Coríntios.* 2004, p. 487.

Minhas impressões sobre 2Coríntios

Minhas impressões sobre 2Coríntios

Minhas impressões sobre 2Coríntios

Minhas impressões sobre 2Coríntios

Minhas impressões sobre 2Coríntios

Sua opinião é importante para nós.
Por gentiliza, envie-nos seus comentários pelo e-mail:

editorial@hagnos.com.br